PROBLÈMES D'ANALYSE SYMBOLIQUE

PROBLÈMES D'ANALYSE SYMBOLIQUE

**Publication réalisée
sous la direction de
Pierre Pagé et Renée Legris**

1972
LES PRESSES DE L'UNIVERSITÉ DU QUÉBEC
C. P. 250, Station N, Montréal 129, Canada

Maquette de la couverture :
George Jahn

Les textes publiés dans cet ouvrage expriment
librement les opinions de leurs auteurs. Ils
n'engagent pas la responsabilité de l'Éditeur.

ISBN 0-7770-0036-9
*Tous droits de reproduction, de traduction
et d'adaptation réservés* © 1972
Les Presses de l'Université du Québec

Dépôt légal — 2e trimestre 1972
Bibliothèque nationale du Québec

Sommaire

INTRODUCTION

L'analyse symbolique

Reconnaître les réseaux d'images symboliques qui régissent le fonctionnement réel des œuvres et qui sous-tendent la participation du lecteur ou du spectateur, rattacher ces réseaux aux modèles généraux de l'imaginaire que sont les archétypes, telles sont les deux étapes principales de l'analyse symbolique qui permettent de donner ses bases au travail de l'interprétation.

Les auteurs des études qui suivent ont tenté d'accomplir cette tâche selon des cheminements qui leur sont personnels. Mais ils ont un souci commun qui devient pour eux, au sens fort du terme, une règle de fonctionnement : respecter la nature propre du medium, du genre littéraire ou du langage esthétique qu'ils analysent. La critique symbolique se distingue alors de l'étude thématique. Elle tente d'aller plus loin qu'une simple identification d'images, de formes ou de sentiments déjà connus. Elle veut décrire l'aspect irréductible d'une œuvre, en cherchant dans la totalité de son langage les modèles qui rendent possible la communication.

Mais comment décrire dans sa complexité l'image psychique provoquée par l'harmonie sonore d'un grand orchestre ? Comment parler de *l'Oiseau de feu* sans employer un langage métaphorique qui réduise l'identité de la musique à un discours littéraire ? Comment respecter la réalité du théâtre sans le restreindre à son seul texte et comment décrire en un vocabulaire adéquat ce moment où l'œuvre jouée commence d'exister dans une incarnation temporelle ? Comment comprendre l'image auditive englobante qui, dans le roman radiophonique, assume en elle et dépasse les virtualités du texte écrit jusqu'à créer, par la seule valeur sonore, l'identité des personnages ? Comment décrire le spectacle télévisé en acceptant qu'il mette en action chez son spectateur des mécanismes entièrement distincts de ceux qui joueraient dans le contexte du stade ou du théâtre ?

Lorsque le critique se veut attentif à la pleine dimension de l'œuvre esthétique et tente de rendre compte de l'expérience multidimensionnelle qu'elle provoque, il se heurte inévitablement aux difficultés méthodologiques de son langage qui doit être rationnel mais dont on s'attend qu'il traduise la vie elle-même. Dans la salle de théâtre ou dans l'atelier de l'artiste, dans l'intimité d'une conversation ou dans l'audition d'un concert, dans la fascination de l'écran cathodique ou dans la lecture silencieuse, le récepteur du message ne se sent gratifié que si le medium, le langage et l'environnement concourent simultanément à lui donner une expérience émotionnelle du contenu conceptuel véhiculé par le message. Il importe donc que le critique reconstitue cet ensemble de données simultanées par lequel le mot est devenu verbe, et l'image s'est faite symbolique dans l'instant privilégié d'une conscience humaine.

* * *

Dans les arts et aussi dans les media de communication, décrire le contenu c'est sans doute d'abord décrire la forme esthétique. Elle n'est pas un accessoire qu'on pourrait remplacer à sa guise ou un ornement qui ne ferait qu'agrémenter. Elle est une modalité d'incarnation, et, au sens freudien du terme, condition du plaisir et de la jouissance. Elle est le moyen de faire accéder à la connaissance, la personne totale du lecteur ou de l'auditeur. Elle est une séduction de l'esprit par l'émotion et un appel à l'unification de la conscience spectatrice par la participation globale.

Malgré le caractère universel du phénomène symbolique et de l'action des archétypes, l'analyse symbolique trouve ses conditions spécifiques d'exercice dans l'objet concret sur lequel elle se penche. Le critique doit rigoureusement s'astreindre, comme doit le faire tout scientifique, à la description critique du phénomène qu'il veut étudier. Point de recette ici, ou de solution de facilité, mais une discipline de l'esprit qui évitera le piège de l'interprétation hâtive et surtout inconsciente. Peu de personnes en effet peuvent raconter un phénomène sans le rattacher à leur gamme d'émotivité ou à leurs valeurs. Le critique doit s'en tenir au phénomène à décrire afin de saisir avec objectivité les structures de signification qui s'établissent entre l'œuvre et son public.

Il ne suffit pas que la description de l'œuvre tende à l'objectivité pour qu'elle serve adéquatement les fins de l'analyse symbolique. Plusieurs descriptions objectives sont en effet possibles selon le genre d'analyse qu'on se propose et le métalangage qu'on a choisi. D'un même poème, on peut décrire le lexique, la séquence phonologique ou l'agencement syntaxique, la logique des idées ou le système idéologique ; on peut relever ses constantes rythmiques et retracer son cheminement mélodique. Dans un tableau, on peut décrire l'identité des personnages et des lieux qui sont représentés, ou relever les signes qui rappellent la mode d'une époque. On peut décrire la technique employée, les procédés de coloris et le système du dessin. D'une pièce musicale, on peut mesurer la durée, l'étendue de l'échelle sonore, les tonalités les plus utilisées et les accords les plus fréquents ; on peut situer ses harmonies et ses mélodies par rapport aux seuils de perception de l'oreille humaine.

Tous ces exemples indiquent autant de constatations objectives qui pourraient avoir quelque utilité mais qui ne sont pas, comme telles, pertinentes pour l'analyse symbolique. Ici, le but de l'analyste est de décrire les images contenues dans une œuvre et surtout l'œuvre comme *image globale*. Dans un tableau ou dans un poème, on trouve sans doute des images qui reproduisent — avec des moyens entièrement différents — certains objets, certaines réalités préexistantes. Mais dans le tableau lui-même il n'y a pas une personne ou un lac ; on n'y trouve que l'*image* d'une personne ou d'un lac, inscrite sur une surface colorée. Le critique devra se souvenir qu'il ne doit pas interpréter la personne ou le lac, mais l'image d'une personne ou d'un lac contenue dans cette image plus vaste qu'est le tableau.

Si on peut considérer que le tableau *reflète* le réel qui lui a servi de point de départ, on doit surtout comprendre que l'œuvre suit ses lois propres et non celles de ses référents. Le tableau est peut-être significatif du monde extérieur, mais d'abord et avant tout il se dit lui-même et se compose d'éléments entièrement nouveaux et irréductibles à quelque autre réalité non picturale. Ils instaurent une image nouvelle qui porte en elle, dans l'agencement de ses relations internes, ses voies de signification. C'est en ce sens que Bachelard parle de la *nouveauté* de l'image et que Gilbert Durand postule son sémantisme.

Décrire l'œuvre consistera donc, dans le contexte de l'analyse symbolique, à décrire les réseaux [1] d'images singulières qu'on y trouve et à mettre en évidence l'*image composite,* concrète et organique, à laquelle l'œuvre s'identifie.

Ce niveau de description nous conduit au fondement des relations qui s'établissent entre une œuvre et la psyché de son lecteur. Nous savons en effet, par la psychanalyse freudienne, que la psyché fonctionne par création et par appropriation d'images plutôt que par compréhension de concepts. Du monde intérieur, l'inconscient ne forme et ne reçoit que des images, qui sont toutefois, il faut le rappeler, des dynamismes organisateurs, des « systèmes sidolo-moteurs ».

Tels sont les chemins que nous désignons par *structures de significations.* L'énoncé de ces significations nous fait entrer de plain-pied dans le problème de l'interprétation.

L'interprétation de l'œuvre comme image rencontre tous les problèmes généraux de l'interprétation, qui sont communs à la psychanalyse, à la phénoménologie, ou à l'histoire des religions. Doit-on remonter à l'origine de l'image ou chercher sa visée ultime ? Peut-on la réduire à un ensemble de causes ou analyser ses retentissements sur l'être ? Doit-on la rattacher aux valeurs de son créateur ou à celles de son lecteur actuel ? Toutes ces questions échappent aux techniques d'analyse et obligent le critique à poser des questions philosophiques, qui appellent d'une part une théorie de la littérature, d'autre part une philosophie des valeurs. Deux articles esquissent ces questions dans le présent ouvrage.

Quant à nous, nous poserons seulement quelques jalons en attendant de traiter ce problème en profondeur.

Toute œuvre esthétique est reçue par son lecteur sur le mode de l'interprétation. Dans la mesure où l'œuvre est toujours une image, en plus d'être quelquefois un discours, elle met en action les lois les plus fondamentales de l'imaginaire selon lesquelles toute image est génératrice d'autres images et suggestive d'associations. Le lecteur, le spectateur ou l'auditeur crée continuellement une série d'images intérieures qui sont autant de réponses aux stimuli de l'œuvre. Et la signification de celle-ci est d'abord pour le lecteur la réalité d'une vie psychique qui a accepté ou choisi de se laisser conduire selon un cheminement esthétique préalablement programmé par autrui.

---

1. Nous parlons ici de réseau et non de système, ce dernier ayant un caractère stable et répétitif. Les réseaux d'images qui se solidifient en systèmes indiquent une régression de la vie psychique, comme c'est le cas chez les psychotiques.

Si on interroge un spectateur, — qui pourrait ultérieurement faire œuvre de critique — il n'est pas surprenant qu'il décrive le sens de l'œuvre selon ce qu'elle a été *pour lui,* à savoir selon le réseau de ses associations d'images. Il « interprète » l'œuvre en conjuguant les divers éléments d'une image externe, perçue comme stimulus, et les réponses que son monde inconscient a spontanément fournies. Ces réponses sont-elles le trop plein de son être ou la compensation de son vide intérieur ? Sans doute les deux options sont-elles possibles et, dans l'ordre général, on ne peut trancher la question. Quoi qu'il en soit, la nature de l'œuvre-image explique le fait que certaines œuvres des siècles passés, dont on ne saurait mettre en doute la logique et la rigueur, sont laissées dans l'ombre pendant une ou deux générations, en attendant que leurs réseaux d'images coïncident avec ceux d'une nouvelle génération de lecteurs. Interpréter consiste peut-être, en définitive, à rendre consciente cette coïncidence de deux réseaux d'images.

Pierre Pagé
Département des études littéraires
directeur du Groupe de recherches en symbolique
Université du Québec à Montréal

ÉTUDES

Du symbole et de l'idéologie

La symbolique doit-elle demeurer dans l'horizon d'une philosophie ou se transformer en question scientifique ? Est-elle encore dépendante d'une théorie de la subjectivité dont on dénonce tant aujourd'hui l'illusion ? Faut-il la mettre elle aussi entre parenthèses comme toute la problématique du « sujet humain » ?

En effet n'est-ce pas dans la profondeur de la subjectivité que les diverses théories du symbole se sont ancrées ? La symbolique s'est souvent posée comme l'instrument de la révélation du sujet. Éloignée de tout empirisme, c'est vers l'irrationnel humain qu'elle s'est orientée. Et il n'est pas surprenant de constater qu'elle subit aujourd'hui les contrecoups de cet anathème jeté sur la philosophie du sujet. La symbolique semble devoir disparaître avec l'élimination du sujet. Peut-elle cependant se réinventer dans un nouveau discours ? Avant de répondre à cette question, il sera utile de reprendre le plus brièvement possible le débat actuel sur le symbole, qui est à l'origine de cette question.

LE CONFLIT DES INTERPRÉTATIONS

On peut actuellement distinguer deux courants majeurs dans la recherche sur le symbole. Un premier, orienté vers un discours de l'interprétation, et un second vers un discours de l'analyse. Le premier courant est la perpétuation de la recherche inachevée d'une *philosophie du sens*. Il a foi en l'appartenance des symboles à la sphère de la subjectivité dont ils sont la manifestation et la révélation. Les symboles expriment l'homme dans son dynamisme intentionnel, son désir, sa conscience, etc. C'est par leur caractère de double sens qu'ils se distinguent de toutes les autres manifestations humaines. Ils réfèrent à une origine qui traverse les ordres habituels de la conscience et de la raison immédiate ; ils révèlent un *sens* caché. C'est ce sens, pôle référentiel de la symbolique, qui se cherche dans une philosophie du *désir* ou une philosophie du *verbe*. L'un transpose l'origine dans une dynamique de la volonté, l'autre la traduit dans la puissance rationnelle de la mise en forme. Les deux conceptions quittent l'explication causale du symbole par l'intention immédiate et réflexive du sujet pour reculer dans la sphère de l'origine tout court, à savoir le désir, le verbe, etc.

Le deuxième courant refuse systématiquement ce langage de l'interprétation. Il choisit l'analyse formelle des signes. Cette *sémiologie* se défend bien de replacer la question des symboles dans l'horizon d'une pensée phénoménologique qui fixe le sens dans le tracé intentionnel de la conscience. Le symbole devient un signe dont le sens n'est porté que par le réseau des signifiants, c'est-à-dire un ordre de « différences » et de cadres de soutien. Tout sens résulte d'un jeu de règles et de lois ; le signe n'est que le produit du tracé dirigé du développement de ces règles. L'appel à la transcendance dans le sujet (déplacé ou refoulé) ne fait que raviver le mythe de l'*instauration originelle*. La présence du sens dans un signe n'est rien d'autre que l'effet du réseau des règles strictes de textualité qui circonscrivent ce signe. Bref, *il ne faut plus penser le sens* mais bien *la différence*. Et si le symbole doit demeurer une sphère du sens, il doit se laisser comprendre comme signe dans un réseau spécifique d'oppositions qui en définissent le rôle [1]. Le symbole n'exprime plus alors un sens caché, il appartient aux règles de structuration des constituants d'une œuvre qui le produit. Il participe à l'énergie constitutive d'un produit symbolique.

Tel est, en résumé, le débat qui oppose aujourd'hui les deux courants d'étude du symbole. Une première hypothèse prétend que les symboles révèlent

---

1. Pourtant Ricœur continue à penser que la sémiologie, par la particularité du discours qu'elle entretient, ne rejoint pas la totalité du symbole ; il faut, dit Ricœur, passer de la sémiologie à la sémantique, c'est-à-dire d'un discours sur le signe à un discours sur la *signification*. Si la sémiologie tout autant que la psychanalyse d'ailleurs dicte une recherche sur l'ordre des signifiants, elle n'a pas pour autant oublié le problème de la signification. La psychanalyse n'a fait que la déplacer, la sémiologie doit la *retraduire*. La signification demeure l'horizon problématique de l'un et de l'autre. L'herméneutique comme science des interprétations doit maintenant se confronter à une interprétation du sens qui s'est refoulé dans le réseau des structures des signifiants ou s'est fixé dans un chemin qui va de l'origine du signifié au morphisme des signifiants.

leur signification par l'effet de finalité qui se définit dans le projet intentionnel de la conscience qui se construit et habite son monde. Ils appartiennent à cet acte de structuration de l'être humain qui invente son existence. La deuxième hypothèse affirme que les symboles ne sont que des signes dont le sens n'existe que dans le jeu de leur contemporanéité structurale, c'est-à-dire dans le rapport des oppositions qui les portent. Tout renvoi à un quelconque transcendant (moi, désir, sujet, etc.) est liquidé. D'une part, on retrouve une *sémantique* (au sens de Ricœur) qui préfère l'interprétation des symboles, et de l'autre, une *sémiologie* qui se limite à l'analyse formelle des signes.

Pourtant, dans les deux cas, malgré l'apparente divergence, il s'agit d'une même question. En effet, l'un et l'autre courant se développent toujours dans un discours de la cause. Tantôt celle-ci est trouvée dans la *profondeur* du sujet, tantôt, dans la *surface* du texte. Le sens se cherche toujours une *origine* ; soit dans une métaphysique du verbe comme origine transcendantale, soit dans une métaphysique de la surface comme forme immanente. Pour l'un, il y a le *sens*, pour l'autre, il y a la *structure*.

À mon avis, ce débat est insoluble et le demeurera aussi longtemps qu'il s'installera dans un discours de *causalité* (externe ou réciproque). Ce genre de discours ne demeure qu'une tentative descriptive d'un ordre de manifestation ou de produit, sans jamais chercher l'explication de ce produit lui-même. J'aimerais reprendre ici ce débat, mais en le relisant à travers la problématique de l'idéologie, qui peut, étant donné qu'il s'agit aussi d'une pratique signifiante, nous apporter des éléments radicalement nouveaux sur cette question. Alors nous pourrons peut-être poser la question du symbole, non plus en termes métaphysiques mais en termes scientifiques.

LE CONCEPT D'IDÉOLOGIE

Avant de relier le symbole à l'idéologie, il sera utile de rappeler ici quelques interprétations courantes de ce concept tant galvaudé depuis Marx [2].

Un premier type d'interprétation du concept d'idéologie s'inspire directement du positivisme sociologique issu de Durkheim et de Weber. Dans cette

---

2. Le concept d'idéologie, formé par Cabanis et Destutt de Tracy, se réfère originellement à la science des idées (caractéristiques et origine). Cf. H. Barth, *Wahrheit und Ideologie*, Zurich, 1945 et, Picavet, *les Idéologues*, Paris, 1898.

interprétation, l'idéologie se situe dans le champ de la conscience collective. Elle appartient à l'ordre des valeurs qu'une société se donne, et indique l'organisation des représentations propres à une société. Elle s'offre comme discours normatif qui détermine l'orientation de la philosophie, de la politique et de l'économie. Ce sont surtout des sociologues qui ont ainsi défini l'idéologie [3].

L'analyse des idéologies, dans cette perspective, consiste alors à trouver les variables d'ordre sociologique et économique qui déterminent une société à se donner tel type de représentation. Cette analyse est essentiellement positiviste et fonctionnelle ; elle n'est pas la révélation d'un sens qui se dit ou d'une parole sociale qui s'exerce mais essentiellement la *précision des facteurs socio-culturels* qui, statistiquement, peuvent être reconnus comme déterminants dans la formation d'une pensée, d'une morale, d'une éthique ou de tout ensemble de jugements et d'affirmations que la société reçoit comme siens.

Un second type de compréhension de l'idéologie relève plus de l'herméneutique que de l'analyse positive. Pour certains penseurs, l'idéologie appartient au monde de la représentation. L'idéologie suit une trajectoire similaire à toute forme de symboles ou de représentations. Il arrive même que l'idéologie se confonde aux lieux culturels : Qu'est-ce qu'une idéologie ? demande Henri Lefebvre. C'est ce mélange de connaissances, d'interprétations (religieuses, philosophiques) du monde et du savoir, et enfin d'illusions qui peut s'appeler « culture [4] ».

---

3. Voici quelques définitions :
   « Un système d'interprétations du monde social qui impliquent un ordre de valeurs et suggèrent des réformes à accomplir, un bouleversement à craindre ou à espérer. » R. Aron, *l'Opium des intellectuels*, Paris, Gallimard, « Idées », 1968, p. 375 ; — « Un système d'idées et de jugements explicites et généralement organisées qui sert à décrire, expliquer, interpréter ou justifier la situation d'un groupe ou d'une collectivité et qui s'inspirant largement de valeurs propose une orientation précise à l'action historique de ce groupe ou de cette collectivité. » Guy Rocher, *Introduction à la sociologie générale*, Montréal, HMH, 1968, t. I., p. 114-115. « L'idéologie est un système d'opinions qui en se fondant sur un système de valeurs admises, détermine les attitudes et les comportements des hommes à l'égard des objectifs souhaités du développement, de la société, du groupe social ou de l'individu. » A. Schaff, « la Définition fonctionnelle de l'idéologie », dans *l'Homme et la Société*, nᵒ 4, 1967, p. 50 : « *Any set of socio political views adopted and advocated by a definite group of men.* » M. Oaskeskott, *Political Education, Philosophy, Politics*, Oxford, Blackwell, 1956. — Ce genre de définition ne fait qu'*identifier* l'idéologie ; et ceci à partir de critères implicites non précisés (sinon en termes de normativité). L'idéologie apparaît comme un discours normatif (éthique ou politique), fonctionnel.
4. H. Lefebvre, *la Vie quotidienne dans le monde moderne*, Paris, Gallimard, 1962, p. 62.

En d'autres termes, l'idéologie détermine la sphère expressive d'une parole intérieure d'ordre social.   En ce sens, l'idéologie prend une dimension tantôt aliénante tantôt thérapeutique :

> Les hommes agissent le plus souvent sans songer très clairement à ce qui fonde leurs décisions, mais dans la confusion habituelle de leur conscience, ils supposent un monde qui les domine où les actions sont discutables et où parfois dans ces moments où l'angoisse montre ces divers visages elle doit être justifiée [5].

L'idéologie apparaît ici surtout comme un reflet illusoire, un langage où la représentation indique en elle-même un sens, sens qui ne relève pas de l'intentionalité subjective, mais d'une intentionalité d'ordre social.   La société se dit à elle-même sous un mode voilé et inconscient sa structure d'organisation, son mode de relation, sa perspective de solution.   L'idéologie est le dépôt du sens.   C'est pourquoi d'ailleurs, elle est thérapeutique même dans son illusion.

Une troisième compréhension de l'idéologie situe la problématique du reflet essentiellement dans sa perspective de traduction des rapports de production.   C'est par isomorphisme que l'idéologie définit sa structure conceptuelle par rapport aux structures de production.   Cette perspective plus orthodoxe d'un point de vue marxiste, oriente la compréhension de l'idéologie dans sa perspective de *production* plutôt que dans sa perspective de *représentation*. C'est sous cet angle surtout que l'on peut apprécier davantage la signification de la problématique de l'idéologie par rapport à l'étude des symboles.

L'IDÉOLOGIE COMME PRATIQUE SIGNIFIANTE

Parce que dans cette troisième approche, l'idéologie est vue comme production, elle reçoit, le nom de « pratique signifiante ».   En effet, les études récentes de Herbert, de Kristeva et d'Althusser situent la problématique de l'idéologie en dehors du champ herméneutique pour l'insérer dans la sphère de la praxis.   L'idéologie appartient au monde des *productions sociales*.

---

5. F. Dumont, « la Sociologie comme critique de la littérature », *Recherches sociographiques*, vol. V, n° 1-2, 1964, p. 221. C'est le même type de définition que l'on retrouve chez Lukacs et Manheim. Ces définitions demeurent relativement idéalistes en insistant trop sur la dimension « conscience » de l'idéologie.

Cependant, comme l'explication du concept de pratique signifiante demeure souvent délicate sur le plan théorique, je me permettrai de reposer le problème de l'idéologie dans le langage même de son utilisation marxiste originale tel qu'on le retrouve, entre autres, dans l'*Idéologie allemande*.

Dans cet écrit de Marx on trouve plusieurs approches du concept d'idéologie. La première approche (la plus connue d'ailleurs) se fait à travers les catégories d'expression, de reflet, d'idées, etc. L'idéologie est un mode d'expression, un type de reflet, sous forme d'idées ou de représentation des rapports de production :

> Les pensées dominantes ne sont pas autre chose que l'expression reçue des rapports matériels dominants, elles sont ces rapports matériels dominants, saisies sous forme d'idées donc l'expression des rapports qui font d'une classe la classe dominante ; autrement dit ce sont les idées de la domination [6].

Les pensées dominantes qu'elles soient philosophiques, politiques et même scientifiques se présentent comme un certain miroir ou reflet dont la fonction est d'exprimer une situation concrète précise. *L'idéologie, en tant que pensée dominante, s'offre comme corpus défini d'éléments conceptuels organisé, comme reflet d'une formation sociale précise : les rapports de classes.* L'idéologie ne s'invente pas comme une suite d'arguments dont la logique n'appartient qu'aux règles du discours rationnel. Elle est avant tout une composition conceptuelle à fonction définie par une isomorphie entre les éléments constituants et les classes d'une formation sociale donnée. L'idéologie en tant que reflet indique un rapport entre deux formations, l'une conceptuelle, l'autre sociale.

C'est dans une deuxième approche que ce rapport se comprend plus clairement. Marx parle alors de l'idéologie comme *production*.

> La religion, la famille, l'état, le droit, la morale, la science, l'art, etc. ne sont que des modes particuliers de *production* et tombent sous la loi générale [7].

> La production des idées, des représentations et de la conscience, est d'abord directement mêlée à l'activité matérielle des hommes, qui est le langage de la vie réelle [8].

---

6. Karl Marx, *Idéologie allemande*, Paris, Editions sociales, 1967, p. 49.
7. Karl Marx, *Manuscrits 1844*, Paris, Editions sociales, 1967, p. 88.
8. Karl Marx, *Idéologie allemande*, Paris, Editions sociales, 1967, p. 50.

La représentation est un *produit* spécifique de la société bourgeoise moderne et on ne saurait la dissocier, pas plus qu'on ne peut en dissocier l'individu moderne [9].

Donc l'idéologie, sous quelque forme qu'elle se présente, apparaît comme un *processus de production* qui, comme le dit Marx lui-même, suit les lois de toute production. Ainsi, dans une formation sociale où existent des rapports contradictoires entre les forces productrices et les rapports de production, il ne peut s'engendrer que des structures politiques et économiques contradictoires, et donc que des produits conceptuels *renversés* et contraire à la réalité, à savoir des idéologies. Cette précision de l'idéologie comme production est importante sur le plan théorique, car elle amène la distinction de l'idéologie comme *produit* et comme *production*. Comme produit, l'idéologie apparaît comme un composé conceptuel (reflet) alors que comme production, elle apparaît comme *processus de composition*. L'idéologie n'est plus essentiellement dans le produit (texte, discours, énoncé, etc.) mais le processus même de production qui détermine la composition même du produit idéologique. Processus d'ailleurs dont la caractéristique reconnue est la fonction de renversement et d'inversion qu'elle opère sur les réalités sociales.

Si dans toute idéologie, les hommes et leurs rapports nous apparaissent la tête en bas, comme *dans une camera obscura,* ce phénomène découle de leur processus de vie historique absolument comme le renversement des objets sur la rétine découle de ce processus de vie directement physique [10].

Cet état, cette société produisent la religion *qui est une conscience renversée du monde,* parce qu'elle constitue elle-même un monde renversé [11].

Ainsi la formation idéologique obéit à des lois, dont la connaissance doit être puisée dans l'étude de la formation économique. C'est elle qui est déterminante. Elle révèle, dans la structure de production, un ensemble de lois générales dont on retrouve l'application spécifiée dans le processus idéologique. Si, dans une formation sociale dont la règle déterminante au niveau du mode de production est celui de la scission, c'est-à-dire d'une division du travail, on trouve un rapport de contradiction entre les rapports de production et les forces productives, on trouvera, pour les mêmes raisons, dans la production intellec-

---

9. Karl Marx, *Idéologie allemande,* Paris, Editions sociales, 1967, p. 50.
10. *Ibid.,* p. 227.
11. Karl Marx, *Critique de la philosophie du droit de Hegel,* Paris, Spartacus, 1969, p. 49.

tuelle, symbolique ou autre, une même contradiction. Les formes de représentation seront inversées et comme dit Marx, contraires à la réalité. L'idéologie
apparaîtra comme un *produit* inversé et comme un *processus* de contradiction.
Elle sera une forme de pensée, de représentation, d'institution qui identifiera
le *mode* (celui de la contradiction) sous lequel les hommes vivent leurs rapports
réciproques.

Ce dernier point est important. C'est ce type de *pensée renversée,* autonome et contradictoire que Marx appelle l'idéologie. Toute pensée n'est pas
idéologique, seule l'est celle qui est renversée, autonome et contradictoire. Que
l'on prenne la philosophie, la morale, la politique, le droit ou la religion, il
s'agit toujours d'une pensée qui s'est élaborée dans un monde de rapports alié-
nés, dans une structure conflictuelle et contradictoire. Dans ce contexte, la
pensée ne pouvait qu'être renversée, autonome et contradictoire. Cependant cet
état ne peut être son état normal. Tout comme dans un système conflictuel, le
jeu des rapports s'organise en sorte que le tout atteigne une forme intenable
(*cf.* la lutte des classes) ; ainsi la production de la pensée, l'acte pratique de
la conscience ne peut demeurer dans un rapport inversé à la réalité. Dans l'idéologie, il s'agit d'un discours dont la fonction immédiate est d'« exprimer »
un monde aliéné, et qui, comme les autres, viendra à éclater.

Ceci nous amène à préciser le troisième concept qui explicite la question
de l'idéologie : celui de langage. En effet, l'idéologie n'est pas simplement un
produit, elle a avant tout une fonction de régulation de la communication
entre individus. Elle leur sert de langage.

Les rapports de production antérieurs des individus entre eux s'expriment
nécessairement aussi sous forme de rapport politique et juridique. Dans
le cadre de la division du travail, ces rapports ne peuvent que devenir
autonomes vis-à-vis des individus. Dans le langage, tout rapport ne peut
s'exprimer que sous forme de concept [12].

Les représentations que se font ces individus sont des idées soit sur leurs
rapports avec la nature, soit sur leurs rapports entre eux, soit sur leur
propre nature. Il est évident que dans tous ces cas, ces représentations
sont l'expression consciente-réelle ou imaginaire de leurs rapports et de
leur activité réelle, de leur production, de leur commerce, de leur comportement politique et social [13].

12. Karl Marx, *Idéologie allemande,* Paris, Editions sociales, 1967, p. 44.
13. *Ibid.,* p. 97.

La forme fondamentale de cette activité (productrice) est naturellement la forme matérielle dont dépend toute autre forme intellectuelle, politique, religieuse [14].

L'idéologie est un langage qui, comme tout langage, est lié aux conditions matérielles d'existence. Si elle dit quelque chose ce n'est pas parce qu'elle est elle-même une production liée à toutes les autres productions matérielles. L'idéologie est un langage, un mode comme un autre de *vivre* (dans le dire et le faire) les rapports sociaux de production.

Le problème : descendre du monde des idées dans le monde réel, se ramène au problème : passer du langage à la vie [15].

En ce sens, l'idéologie est aussi matérielle que toute autre production. Et si elle prend un caractère autonome c'est parce que les rapports dont elle est issue, ont eux aussi un caractère autonome.

Si ces concepts généraux prennent valeur de puissance mystérieuse, c'est la conséquence nécessaire du fait que les rapports réels dont ils sont l'expression, sont devenus autonomes. Outre la valeur qu'ils prennent dans la conscience commune, les concepts généraux sont affectés d'une valeur spéciale développée par les politiciens et les juristes qui, chargés par la division du travail du culte de ces concepts voient en eux, et non pas dans les rapports de production, le fondement véritable de tous les rapports de production réel [16].

Résumons brièvement ces trois approches. L'idéologie apparaît, en première approche, comme une *combinaison d'éléments* (concepts, lois, rites, ordonnances, comportements) qui offrent une cohérence interne. Tous les éléments constituants se situent les uns vis-à-vis des autres dans une logique acceptable. Ainsi, une morale instaurera un discours où tous les énoncés se complètent et se justifient les uns les autres. La combinaison des éléments constituants n'est pas en elle-même contradictoire, mais souvent même intelligente ; ce qui explique sa force séductrice. L'idéologie est un *produit* qui possède sa consistance propre.

Or, c'est précisément le propre d'un *reflet* d'offrir immédiatement une image de cohérence. Un reflet n'est pas une déformation mais une expression.

---

14. Karl Marx, *Idéologie allemande*, Paris, Editions sociales, 1967, p. 97.
15. *Ibid.*, p. 189.
16. *Ibid.*, p. 399.

Ainsi l'idéologie se présente comme une combinaison structurée d'éléments, mais qui, pour Marx, ne livre pas en elle-même la raison de sa structuration.

C'est dans la deuxième approche que le problème de l'idéologie marxiste manifeste toute son originalité. En effet, parler de l'idéologie comme *reflet* ne fait qu'étiqueter un problème et non y répondre, car la raison de la structuration des éléments constituants se retrouve ailleurs. Cet ailleurs n'est pas à comprendre en termes de *lieu* ou d'origine mais en termes de *processus*. C'est le sens de l'idéologie comme production. Tant qu'on demeure dans la question de l'idéologie comme reflet pur, on reste dans une étude de la manifestation. L'idéologie n'est pas la *manifestation,* mais la structure même de production de cette manifestation. L'idéologie n'est pas un objet ou un discours, elle est une transformation, c'est-à-dire un processus productif comme tous les autres modes de transformation. Et c'est précisément l'ordre et les règles de cette transformation qui régissent l'avènement de la structure première, c'est-à-dire de la manifestation ou de la combinaison des éléments du reflet idéologique.

Or, on ne peut penser ce processus que constitue l'idéologie qu'en termes de *modèle* [17] et non en termes d'analogie ou de reflet. Malheureusement, chez Marx, cette idée de l'idéologie comme production ne reçoit que peu d'explications. Les seules précisions, un tant soit peu éclairantes, viennent d'une image, la *camera obscura*. L'idéologie est un processus de renversement. Les règles de transformation semblent permettre la « réécriture » dans un renversement des *rapports*. Ce que le discours présente est un reflet inversé des *rapports* mais ce discours est idéologique précisément dans ce travail de renversement qu'il opère.

Enfin, troisième approche, la fonction régulatrice de la communication qu'est l'idéologie, opère sur des rapports sociaux de production. C'est-à-dire que l'idéologie est un travail de langage de certaines formations économiques mais sous le mode du renversement. Elle est un langage, une structure de transformation dans laquelle une société vit et communique ses rapports internes de production. L'idéologie ne « représente » pas les rapports, elle les transforme en les inversant dans un discours. L'idéologie opère sur des rapports spécifiques

---

17. Le concept de modèle doit être un concept qui dans un discours théorique définit les relations de l'objet analysé non en termes d'analogie ou de tableau mais en termes de structures de combinaison et de transformation. Il arrive souvent que des analyses d'idéologie et de symbole ne sont que des retraductions en d'autres idéologies ou symboles.

en y dégageant une structure et par inversion leur donne une « représentation » originale. C'est ainsi que certains rapports entre les hommes peuvent soudainement être traduits dans des discours de justice, de raison, de fonctionnalité et d'ordre et qu'ils peuvent être incarnés dans des institutions adéquates. L'idéologie réussit à transformer par renversement les rapports sociaux constitutifs en des rapports conceptuels (et finalement institutionnels) autonomes et constituants.

DE L'IDÉOLOGIE AU SYMBOLE

Reprenons maintenant le problème esquissé au début de ces réflexions. Les recherches actuelles sur le symbole ont semblé s'orienter vers deux directions apparemment opposées. L'une qui détermine le sens du symbole par la référence à un autre sens dit caché, c'est la théorie du double sens. L'interprétation est la méthode de détermination de ce sens caché. Une deuxième méthode à prétention plus scientifique fait dépendre le symbole des règles de structuration des constituants d'une certaine œuvre ou d'une certaine production (ex. : production culturelle, littéraire, comportementale, etc.). La détermination du symbole devient ici l'*analyse* critique de cette structure fonctionnelle. Or ces deux approches, au-delà des problèmes métaphysiques qu'elles véhiculent, demeurent limitatives d'un point de vue épistémologique. En effet, dans l'un et l'autre cas, il s'agit d'une simple *description* du produit symbolique ; l'œuvre symbolique est considérée comme totalité où chacun des constituants détermine un sens ou une structure par la dynamique même de sa totalité. C'est-à-dire que dans un cas, le sens se révélerait par l'analogie, la métaphore ou la figuration présente à l'intérieur de l'œuvre. Le symbole apparaît donc comme une *représentation* de sens.

Dans l'autre cas, les constituants de la totalité symbolique sont comme des précipités d'une structure organisatrice qui définit leur signification. Le symbole apparaît comme l'*énergie constitutive* d'un produit symbolique. L'*analyse symbolique* consiste à cerner les différentes relations et les caractères fonctionnels de chacun des constituants.

Or c'est précisément la limitation de cette méthode descriptive qui sert de point de départ à la comparaison de l'œuvre symbolique avec le produit idéologique.

En effet, la problématique idéologique tente précisément de dépasser ce niveau *descriptif de la structure de surface* du produit lui-même *pour atteindre le travail de production lui-même* et le lieu d'ancrage dans la réalité concrète.

Ainsi, la symbolique doit dépasser la simple interprétation (qui nous renvoie à d'autres symboles) ou l'analyse des relations constitutives pour atteindre le problème du processus productif qu'est le travail symbolique. La symbolique, jusqu'à maintenant, est demeurée seulement au niveau de l'interdépendance des éléments constitutifs sans jamais chercher l'originalité du processus de transformation impliqué dans le travail symbolique. Le symbole n'est pas le produit mais la production elle-même, le symbole n'est pas dans le symbolisé mais dans la symbolisation elle-même. Ainsi le symbole n'apparaît plus comme un simple produit à identifier et à situer dans un rapport à d'autres constituants mais dans un travail antérieur au produit lui-même. Tout comme le produit idéologique, le produit symbolique s'intègre dans une structure de production et à ce titre partage les mêmes lois que toute production.

Qui plus est, il faut se demander si la symbolique *ne doit pas disparaître au profit de l'analyse de l'idéologie.* Car si dans l'idéologie il s'agit d'une relation consciente (mais sous forme inversée) d'une formation sociale à ses rapports de production, ne s'agit-il pas dans le travail symbolique d'un rapport — appelons-le pour les besoins de la cause « inconscient » — à ces mêmes rapports. Dans l'un ou l'autre cas, c'est le *mode* de travail de transformation qui est changé non son contenu. L'un semble plus rationnel, l'autre plus affectif ou comme on se plaît à le dire, plus irrationnel.

En ce sens, la symbolique et l'idéologie entretiennent des rapports étroits étant tous deux des processus de production, c'est-à-dire des pratiques signifiantes par lesquelles les hommes représentent, non pas une parole intérieure ou un verbe social, mais vivent l'essentiel de leurs rapports sous des modes relativement semblables. Parce que l'idéologie est une pratique signifiante qui se situe et opère avant tout comme transformation de la réalité, ainsi le symbole doit être compris non comme simple réorganisation de formes imaginaires, irrationnelles ou autres, mais comme processus de transformation d'une certaine réalité concrète d'ordre social. Le symbole, lui aussi, est lié, non aux formes de consciences individuelles, mais aux rapports entre les hommes. Il est pour les individus un mode matériel de vivre ses rapports. Et si ceux-ci s'incarnent avant tout dans des formes (symboliques) littéraires, artistiques ou comportementales, c'est que le travail théorique ou les discours éthiques, politiques ou autres ne réussissent pas à récupérer toute la complexité de ces conditions d'existence de la société. Le symbole se permettrait-il de les vivre sous le mode de l'imaginaire, de l'émotionnel et même de l'irrationnel ?

JEAN-GUY MEUNIER
Département de philosophie
Université du Québec à Montréal

Symbolique des « Corps de dames », de Jean Dubuffet

D'avril 1950 à février 1951, Dubuffet travaille à sa célèbre série de tableaux, gouaches et dessins, qu'il désigne peu après, par le titre générique de *Corps de dames*. Trente-cinq toiles [1], quatorze gouaches, cinquante-quatre dessins et six lithographies sont le fruit de cette activité, soit cent neuf propositions différentes, en onze mois.

Dès que certains échantillons de la série sont connus, l'activité herméneutique des commentateurs s'en trouve excitée. On se charge de calmer un public choqué par ces œuvres attentatoires au bon goût et aux bonnes mœurs en les rapprochant d'autres œuvres mieux connues et déjà homologuées par la culture. Bien que cette prose évite d'employer le mot « symbole », les comparaisons qu'elle fait sans cesse en suggèrent au moins l'idée. On propose d'éclairer les *Corps de dames* par des œuvres d'art antérieures dont le caractère symbolique est reçu.

Ainsi, à l'occasion de la première présentation importante des *Corps de dames* à la Galerie Pierre Matisse, à New York, du 9 janvier au 3 février 1951,

---

1. Trente-six, si on compte le tableau intitulé *Gambade à la rose* qui date de décembre 1950. A mon avis, ce tableau n'adoptant pas la même mise en page que les autres de la série des *Corps de dames* aurait pu être classé ailleurs par Max Loreau, au fascicule 6 de son monumental *Catalogue des travaux de Jean Dubuffet*, Paris, 1965. Que ceci soit dit sans vouloir déprécier en aucune façon cet étonnant instrument de travail. Dans cet article, nous désignerons le catalogue de Loreau par le sigle CAT. De même *Prospectus et tous écrits suivants* publié par la N. R. F. chez Gallimard en 1967, et réunissant en deux forts volumes, tous les écrits de Dubuffet, sera indiqué par les sigles ECR. I ou II, selon que nous renvoyons au premier ou au second tome de cet ouvrage.

le critique américain, Henry McBride, évoque l'Égypte ancienne à leur propos :

> ... *and he proceeds not only to flatten his Parisiennes like pancakes but to mumify them with Egyptian burnt sienna into aspects of a hundred years hence* [2].

Le rapprochement des *Corps de dames* et des momies égyptiennes est discret. On le fait en passant. En réalité, il est le premier d'une longue chaîne. La comparaison a fait appel aux temps archaïques, ce terrain d'élection des « sympologues ». Toutes les comparaisons subséquentes regarderont vers le passé lointain. Ainsi, André Pieyre de Mandiargues, dans un article qui veut marquer « le rôle joué par le mur dans l'œuvre de la plupart des grands peintres qui vinrent après le cubisme » notait à propos des *Corps de dames* de Dubuffet :

> Et l'on connaît ses autres personnages dont les plus étonnants, entre vingt espèces qu'il serait trop long d'énumérer ici, sont peut-être les somptueux « corps de femmes » *(sic)* cuits et vernissés comme les urnes précolombiennes de la région de Bogota. Leur appartenance à la fière tribu des graffiti ne saurait être mise en doute [3].

On passe de l'Égypte à l'Amérique. Les *Corps de dames* ont l'aspect « cuit et vernissé » des « urnes précolombiennes », comme ils avaient l'aspect « terreux » des « momies égyptiennes ». Mais ni le registre, ni surtout la direction des comparaisons n'ont changé. Que les critiques s'avisent de remplacer ces comparaisons entre des aspects et des couleurs, par des comparaisons plus globales (relatives aux formes et aux significations) et l'on voit que, sans modifier leur direction, ils se rapprochent beaucoup plus des préoccupations de la symbolique. Ici la contribution de James Fitzsimmons est déterminante. Son article, publié d'abord en anglais puis repris en français sous forme de livre [4], semble avoir été rédigé à l'occasion de la rétrospective de Leverkusen

2. « Four transoceanic reputations », dans *Art News*, New York, janvier 1951.
3. « Le Mur », dans *XXe siècle*, mars 1958, p. 25-29. On peut lire dans ECR. I, p. 470, un extrait de lettre de Jean Dubuffet à Pieyre de Mandiargues, datée de Vence, le 18 octobre 1957, qui pourrait peut-être aider à situer les circonstances dans lesquelles a été rédigé cet article : « Je me réjouis énormément de cet article sur le mur dans lequel vous mettez mes travaux en cause, je suis très curieux et impatient de le lire. Il est certain que l'attraction qu'exerce sur moi le mur est extrêmement forte, que ma vie psychique est fortement liée au mur, et que toutes mes peintures, quel que soit le sujet qui s'y trouve traité, sont constamment polarisées par ce goût très fort du mur. »
4. « Jean Dubuffet, a short introduction to his work », dans *Quadrum* (Bruxelles), n⁰ 4, 1957, p. 27-50. Traduction française de Maria Canavagia aux éditions de la Connaissance, l'année suivante, sous forme d'album abondamment illustré. Fitzsimmons est l'auteur de la courte notice biographique de Dubuffet dans le catalogue de l'exposition de Leverkusen.

(du 23 août au 13 octobre 1957). Il est plus ambitieux que les précédents. Plutôt que de s'en tenir à de simples comparaisons l'auteur cède à un glissement de pensée fréquent chez les historiens d'art et retrace des influences :

> Si l'on cherche les sources de l'effroyable représentation de la femme qu'offrent les Corps de Dames, ou des représentations analogues, il faut se tourner vers l'art méditerranéen archaïque, vers les arts africain, mexicain, océanien et tibétain. Ce sont en effet [...], ces arts et non la tradition classique qui comptent pour Dubuffet. « La culure j'en fais peu de cas, elle me paraît gêner l'invention et la création plus que les alimenter... »

L'idée est lancée. On va la retrouver sous plusieurs formes par la suite, mais de façon toujours plus précise. Pour Giuseppe Raimondi [5] qui semble tirer son inspiration plutôt de lectures que de la visite d'une exposition (aucune exposition importante de Dubuffet en Italie à cette époque), ces *Corps de dames* sont « *come idoli* » (comparables à des idoles). Dore Ashton [6] précise, à l'occasion de la grande rétrospective du Musée des arts décoratifs à Paris, de quelle idole il s'agit :

> One year later, the Corps de dames series, the earth-motherish colossi in rich pink calculated to repel, but actually quite beautiful.

Nous y sommes : c'est donc aux symboles archaïques de la Terre mère que les *Corps de dames* de Dubuffet font penser. À l'occasion de la même rétrospective, Françoise Choay [7] revient à cette idée :

> Tout d'abord apparaît la Terre mère, dans cette série de Corps de Dames qui rappellent les divinités primitives stéatopyges.

L'auteur se laisse un peu emporter par les mots : les divinités stéatopyges appartiennent à l'aurignacien, tandis que les évocations de la Terre mère datent plutôt du néolithique. Qu'importe, on a enfin précisé le registre où les comparaisons semblent le plus valables. Mieux que des évocations vagues d'aspects ou de couleurs, ou même simplement de formes extérieures, voici des œuvres archaïques dont non seulement la forme, mais aussi la signification semble être en rapport avec les *Corps de dames* de Dubuffet.

---

5. « L'arte : il « lavoro » di Jean Dubuffet », dans *Communita*, Milan, février 1959, p. 76. Cet article a été repris en traductions française et anglaise dans *Art international*, 1959, vol. 3, p. 5-6.
6. « Le Peintre malgré lui » (en français dans le texte) dans *Arts and Architecture*, Los Angeles, janvier 1960, p. 7-30.
7. « Le Mythe de la Terre » dans *France-observateur*, 12 janvier 1961.

Sans toutefois s'en interdire l'usage, Peter Selz [8], à l'occasion de l'exposition de New York, deux ans plus tard, mit le public en garde contre la griserie qui s'empare de l'esprit dans des comparaisons de ce genre. Ces rapprochements ne doivent tout de même pas faire perdre de vue l'originalité des *Corps de dames* :

> *The fact that they* [les Corps de dames] *may vaguely resemble paleolithic sculpture (such as Venus of Willendorf) or certain Colima terracottas from pre-Colombian Mexico, does little to ameliorate the shock felt before these nudes, especially for those of us brought within the culture of classical esthetics.*

On le voit, malgré des divergences de détails, la critique s'est peu à peu accordée à rapprocher les *Corps de dames* de Dubuffet, de ces figurations féminines archaïques qu'on a l'habitude de rattacher au complexe symbolique de la Terre mère. Liées à l'invention de l'agriculture, ces figurations se retrouveraient dans la plupart des civilisations anciennes et chez les primitifs, qui sont restés attachés à ce stade ancien de l'économie. Les historiens de la religion s'accordent pour y voir des symboles de la fertilité, ce qui paraît naturel pour des figurations apparaissant avec l'agriculture, source d'alimentation autrement abondante et sûre que la chasse et la simple cueillette, qui l'ont précédée. On ne tire pas explicitement de tout cela la conséquence que les *Corps de dames* seraient à leur manière, des symboles de fertilité, mais il ne me semble pas exagéré de dire que c'est, plus ou moins formulée, l'idée des critiques.

Qu'on soit alors loin d'exprimer l'intention ayant présidé à leur fabrication ne me paraît pas moins certain, et cela, pour de multiples raisons.

Tout d'abord, on ne semble pas tenir compte de la conception que se fait Dubuffet de la création artistique. Rien de plus contraire à sa pensée, que d'imaginer ses productions dérivant de quelques réminiscences culturelles, fussent-elles empruntées aux arts archaïques. Tout au contraire, il lui apparaît que pour faire œuvre de création, il importe d'éliminer autant que faire se peut, ces réminiscences culturelles. Les ressemblances que les critiques croient voir entre les *Corps de dames* et les représentations de la Terre mère, si elles avaient été consciemment visées par Dubuffet, impliqueraient que ses créations dériveraient de l'art lui-même, ou ce qui est pis, d'une information sur l'art. On ferait alors de Dubuffet non seulement l'artiste culturel qu'il se refuse à être, mais

---

8. *The Work of Jean Dubuffet,* The Museum of Modern Art, New York, 1962, p. 48.

l'artiste culturel par excellence, lui dont l'art ne serait qu'un art « au second degré », comme l'a pensé, entre autres, Ribemont-Dessaigne. Une tendance de l'art contemporain, expliquait-il à Dubuffet au cours d'une interview télévisée,

> consiste à se servir d'éléments plastiques au second degré, d'éléments ayant servi jadis à d'autres peintres divers comme moyen d'expression du premier degré, tirés directement de la nature et passés ensuite dans le langage sensible comme monnaie courante. [...] Que pensez-vous de cette manière d'abstraction qui, paraissant vouloir se dégager de tout étalage de sensibilité personnelle, ne finit pas moins par dévoiler avec beaucoup plus de force l'individualité d'un esprit riche en manifestation ?

Qu'en pense Dubuffet ? La réponse ne se fait pas attendre :

> C'est bien possible que des formes d'art basées sur l'utilisation de constantes références à des œuvres antérieures soient très légitimes. C'est sûr que cette utilisation dans notre temps imbu de savoir et de culture, se fait sur une très grande échelle. En ce qui me concerne rien de cet ordre. Tout à l'opposé. Je n'aime pas la culture, je n'aime pas la mémoire du passé, je la crois débilitante, néfaste. Je crois dans la haute valeur de l'oubli. Je voudrais voir dans toutes les villes, sur la grande place, au lieu des musées et de bibliothèques, une immense statue de l'Oubli. Table rase des œuvres passées ! Je m'évertue quant à moi à faire de l'art comme si nul être humain n'en avait fait. Tout moyen déjà employé m'apparaît inutilisable, comme pétard brûlé. D'avoir été une fois utilisé pour l'art, ça lui ôte à mes yeux toute efficacité [9].

Certes, c'est là une position singulière :

> Les gens ne comprennent rien à cette idée de faire différence entre la création d'art et les réminiscences culturelles et à ce désir d'éliminer ces dernières de la création d'art ; ils ne conçoivent pas que quiconque puisse avoir ce désir d'éliminer les réminiscences culturelles; ce leur semble simplement aberrant. Ou plutôt ce leur semble si impossible qu'ils concluent à l'imposture [10].

Mais ce qui est encore plus singulier, c'est que le désir de spontanéité de Dubuffet paraisse impossible ou aberrant, comme si l'originalité n'était qu'un vain mot :

> Les termes de spontanéité, d'expression directe, de pensée personnelle et originale, n'ont-ils aucun sens ? Qui le prétendra ? N'y a-t-il pas des

9. Interview radiophonique de Ribemont-Dessaigne et Dubuffet en mars 1958, ECR. II, p. 207-208.
10. Lettre à l'auteur, datée de Paris, le 25 décembre 1969.

gens de qui la pensée est *plus* ou *moins* conditionnée par la culture ? N'y en a-t-il pas qui la professent et la révèrent, et d'autres qui la tiennent en suspicion, sinon même aspirent de toute leur force à s'en libérer ? Est-ce la même chose ? Qui prétendra, arguant de l'origine en tout cas culturelle de la pensée, que c'est la même chose ? Même admis que la pensée soit dans ses origines pur fruit de la culture, n'a-t-on jamais vu le fils se tourner contre le père ? Ceux-là n'ont-ils pas poussé trop loin leurs algébrations qui en obtiennent pour conclusion que déférent ou séditieux, c'est la même chose [11] ?

Comparer les *Corps de dames* aux figurations archaïques de la Terre mère, surtout si on le fait dans le but de marquer que ces dernières ont eu une influence sur les premiers, amène en définitive à mettre Dubuffet en contradiction avec lui-même. Pour pouvoir maintenir ce genre de comparaisons, il faudrait se mettre en frais de démontrer aussi que quiconque fait tout son effort pour cultiver l'oubli et créer spontanément, peut en même temps tirer son inspiration de lectures et d'informations culturelles dans les traités d'histoire des religions. Certes, caricaturée ainsi, l'absurdité de la proposition saute aux yeux. Sans aller aussi loin, on invoquerait je ne sais quelle réminiscence inconsciente, quel retour mnémique échappant à l'auteur, comme si la vaste culture qu'on est bien obligé de reconnaître à Dubuffet ne devait pas être la plus sûre garantie de l'impossibilité de ces affleurements, à son insu.

L'intention des critiques, somme toute bienveillante, que nous avons cités jusqu'à présent, n'était peut-être pas uniquement de dévoiler les sources des figurations singulières de Dubuffet. On voulait sans doute aussi faire la leçon à certains autres parmi les confrères, qui s'en étaient montrés scandalisés :

A signaler les Corps de Dames, informes et monstrueuses femelles, propres à dégoûter de l'éternel féminin les mieux intentionnés [12].

... des corps de dames extrêmement désobligeants... [13].

... c'est la série des « Corps de Dames » obscènes, hideux... [14].

---

11. Jean Dubuffet, « Désaimantation des cervelles » dans *Textures,* été 1968, p. 10.
12. S. n., « Dubuffet » dans *l'Express,* 27 mars 1954.
13. R.-V. Gindertael, « Les murs du vénérable Cercle Volney sont bons... pour Jean Dubuffet » dans les *Beaux-Arts,* Bruxelles, 2 avril 1954.
14. Frank Elgar, « Dubuffet, prince de la peinture pata-physique » dans *Carrefour,* 21 décembre 1960.

Ses « corps de dames », le plus souvent obscènes, semblent faits pour nous dégoûter du « nu » féminin, mais quelle libération d'angoisse il y a dans de telles expressions plastiques [15].

... effroyables « corps de dames », qui sont l'offense la plus atroce qu'on puisse commettre envers le nu féminin [16].

Les propos de ce genre abondèrent dans la presse.

Si les *Corps de dames* ressemblent aux représentations de la Terre mère, semblent leur rétorquer les critiques bienveillants, pourquoi leur refuserions-nous l'entrée, entrée que nous accordons aux statuettes néolithiques, dans le grand corpus culturel ? Après nous avoir choqué un instant, ne doivent-elles pas perdre aussitôt pour cette raison, l'aspect scandaleux que nous leur prêtons ?

Mais voilà que, par ce manège, bien intentionné certes, on récupère Dubuffet pour la culture. Autre conséquence absurde, dans son cas à lui, qui entend si fortement demeurer en marge. Notons au passage sur quel genre d'équivoque se fait cette récupération culturelle, dont on clame si fortement la vertu.

On aurait dû procéder autrement. Les critiques qui ont crié au scandale étaient persuadés que Dubuffet voulait nous dégoûter des femmes ou plutôt, voulait exprimer le dégoût qu'il en éprouverait ! Ne fallait-il pas les dissuader d'une pareille interprétation, pour ne pas dire d'une pareille « projection », du coup bien inconsciente, et marquer au contraire, que ses figurations ne procédaient d'aucune intention de dénigrement ? Dubuffet lui-même s'expliqua là-dessus, à François Mathey notamment, à propos d'une production antérieure aux *Corps de dames* il est vrai, mais cela s'applique ici également.

Les personnages que vous visez, aux allures de fantoches, aux visages de masques, à la gesticulation de carnaval, n'ont jamais le moins du monde, procédé d'une humeur de dérision que d'aucuns, à ma grande surprise, ont cru y déceler. C'est tout à l'opposé. A mes propres yeux ils fonctionnent au contraire dans l'esprit d'une haute célébration ; leur figuration schématique et grotesque sert à constituer une distance, provoquer le transport sur un plan de haute cérémonie [17].

15. René Barotte, « Celui par qui le scandale arrive » dans *Paris-Presse, l'Intransigeant*, 22 décembre 1960.
16. Guichard-Meili, « Dubuffet : on se rebiffe » dans *Témoignage chrétien*, 6 janvier 1961.
17. Lettre à François Mathey, datée du 23 novembre 1960, dans ECR. II, p. 333.

Ni conforme à son intention d'échapper aux réminiscences culturelles, ni même à celle de se situer hors de la culture autant que faire se peut, les comparaisons des *Corps de dames* avec les figures néolithiques font-elles au moins saisir, par analogie, leur caractère symbolique ? Nous voilà dans le vif du sujet.

Outre que cette proposition nous paraît préjuger de la réponse à la question — est-il si sûr que les *Corps de dames* soient symboliques ? — une considération préalable nous paraît s'imposer, avant de conclure quoi que ce soit dans ce domaine.

Il ne faut pas perdre de vue, en effet, que les représentations anciennes de la Terre mère ont eu à leur époque une signification culturelle. Au moment de leur apparition, elles ont pu sembler subversives. Elles mettaient en question des symboles plus archaïques appartenant à des cultures précédentes. Mais elles étaient les symboles de la néo-culture, qu'elles allaient contribuer à établir, donc plus révolutionnaires que subversives. La meilleure preuve de leur signification culturelle est sans doute leur extraordinaire extension, à partir du néolithique. Toutes les cultures agraires en ont été touchées, et cela, jusqu'à une période très proche de nous. Ceux qui ont créé le symbole de la Terre mère ont créé un des symboles les plus stables de l'imaginaire culturel humain.

Les *Corps de dames* de Dubuffet portent-ils, comme ces anciennes représentations, un projet culturel précis ? Poser la question, c'est presque déjà y répondre. Dubuffet ne s'est pas intéressé, ne s'intéresse pas à proposer des symboles culturels contemporains. C'est une des différences majeures que nous verrions entre son projet et celui du peintre américain de Kooning, qui, à la même époque, entreprenait, lui aussi, une série de *Women*. Dans ses « Notes en vue d'une interview télévisée », Dubuffet refusant l'idée d'appartenir à une école de peinture contemporaine, marquait en même temps son désir de situer sa propre entreprise « à l'écart » de tout projet culturel :

La création d'art n'offre d'intérêt pour moi que dans la mesure où elle est très personnelle et individuelle ; cela ne peut se rencontrer qu'en dehors de ce qu'on appelle les écoles, où les artistes se bornent à appliquer des formules préalables qu'ils adoptent en commun et à s'imiter les uns les autres. Je ne dis pas qu'il ne puisse pas en résulter dans certains cas un art collectif susceptible de présenter de l'intérêt mais je dois reconnaître que je ne suis pas personnellement très attiré par les arts collectifs ; mes propres travaux n'ont rien à voir en tout cas avec quoi que ce soit de cette espèce ; ils se développent isolément et à l'écart. Et même plutôt à contre-courant [18].

Bref, s'il y avait du symbolisme dans les *Corps de dames* de Dubuffet ce ne pourrait être qu'un symbolisme individuel, pas du tout collectif ni culturel. Et une fois de plus les comparaisons avec les figurations archaïques de la Terre mère induiraient en erreur.

Ainsi donc, à aucun plan qu'on les prenne, les comparaisons des critiques ne correspondent jamais aux intentions générales exprimées par Dubuffet comme sous-tendant son œuvre. Elles ne sont jamais faites en tenant compte de son point de vue, comme s'il allait de soi qu'il fût négligeable.

Avant de proposer à notre tour, une interprétation, que nous croyons être plus conforme à ses intentions, nous voudrions nous arrêter à cette circonstance particulière — à vrai dire, fort courante, et pas seulement à propos de Dubuffet — d'une critique s'élaborant complètement en marge, pour ne pas dire en porte-à-faux, d'une œuvre et d'une pensée qu'elle devrait avoir plutôt mission de pénétrer. Sans doute bien des facteurs doivent expliquer ce singulier état de chose : la très haute idée que se fait le critique de son activité, lui donnant un point de vue pour ainsi dire transcendant à l'œuvre et lui donnant toute liberté de faire les rapprochements se présentant à son esprit ; la considération que le public accorde à cet étalage d'informations culturelles ; etc. Dans le cas présent, où il s'agit d'une série de 109 propositions, il me paraît nécessaire d'ajouter une autre raison. Essayons en effet de nous représenter dans quelles conditions les critiques ont élaboré leur interprétation. Étaient-ils en possession d'une vision complète de la série ? Sentaient-ils le besoin de la connaître entièrement avant de proposer leur interprétation ? Ou bien se sont-ils contentés de quelques échantillons aperçus à l'une ou l'autre exposition de Dubuffet ou même reproduites dans les articles et les livres sur lui ? Si oui, peut-on arriver à préciser lesquels ? Nous tiendrons alors le véritable champ sémantique que recouvrait pour eux l'expression « Corps de Dames ».

On pressent que les réponses à ces questions débordent le cadre restreint de cette étude. Le cas particulier que nous étudions n'est pas unique. Même lorsqu'un peintre évite les séries thématiques, la série que constitue son œuvre entière, ou certaines sections (chronologiques par exemple) de celle-ci, est l'objet

---

18. Notes rédigées à Vence, le 5 décembre 1960, dans ECR. II, p. 211.

de pareilles approches par échantillons isolés, plus ou moins nombreux, le plus souvent, moins que plus. Un problème de méthode doit nous arrêter avant d'aller plus loin.

Une première remarque s'impose. Avant la publication, en 1965, du fascicule 6 du *Catalogue des travaux de Jean Dubuffet*, élaboré par Max Loreau, personne, et peut-être même pas l'artiste, n'avait été placé devant la série entière. Je dis « peut-être même pas l'artiste » ; bien sûr il a eu une conscience successive de chacun des éléments de la série, les ayant produits, mais il n'est pas forcé que, s'étant monté, pour lui-même, une exposition exhaustive de ses travaux, il s'en soit donné aussi une conscience globale. Il est vrai que pour cela, une exposition de photographies aurait pu suffire et qu'on peut bien soupçonner Dubuffet d'en avoir eu l'idée. Il en avait peut-être déjà senti le besoin « pour reconnaître son chemin » comme il l'a dit plus tard à propos du catalogue de ses travaux. Quoi qu'il en soit de cette supposition, l'usage pour un peintre d'une pareille documentation me semble naturellement être plutôt prospectif. Alors qu'il ne fait pas de doute que l'usage que la critique aurait pu en faire aurait été rétrospectif.

Malgré tout, on peut penser que même pour le peintre, cette hypothétique série complète de photographies qui aurait pu l'aider à trouver sa voie dans d'autres thèmes que celui dans lequel il s'était enfermé depuis onze mois, cette étape passée, ne lui a pas servi lors de certaines phases de commémorations. Que l'on compare, pour s'en convaincre les deux affirmations suivantes que deux, peut-être trois ans, séparent. En cours de production, Dubuffet, écrivant à Pierre Matisse [19], le 9 novembre 1950, est très au fait du nombre exact d'éléments comportant sa série des *Corps de dames*, qui à ce moment-là en comprenait 28. Mais lorsqu'il rédigea, sans doute deux ou trois ans plus tard, pour son ami Georges Limbour, une note intitulée « Corps de dames », il écrivait avec moins de précision :

> dans les 40 ou 50 tableaux que j'ai peints entre avril 1950 et février 1951 sous la rubrique « Corps de Dames »... [20].

Or, grâce au catalogue de Loreau, nous savons que la série a comporté 35 toiles. Donc, deux ou trois ans après (le livre de Limbour, *l'Art brut de Jean Dubuffet,*

---

19. Dans ECR. II, p. 74.
20. Dans ECR. II, p. 74.

tableau bon levain, à vous de cuire la pâte, paraît en 1953) le nombre exact d'échantillons de la série s'estompe dans l'esprit de l'artiste lui-même. S'il en est ainsi pour l'artiste, que ne doit-il pas en être pour les critiques ! Même fort diligents, ont-ils jamais pu voir la série entière, ni même une bonne partie de celle-ci, avant de proposer leur interprétation ? Certes on pense à de possibles visites à l'atelier de critiques intimes du peintre, comme Limbour par exemple. Accordons qu'il ait pu y avoir quelques privilégiés. Resterait à savoir s'ils ont su tirer parti de leur chance ? Il n'y paraît pas tellement dans leurs écrits, en tout cas. D'un point de vue méthodologique, ils ne se distinguent pas de ceux de leur collègues, n'ayant pas bénéficié des mêmes avantages. En réalité, dans la grande majorité des cas, les visites à l'atelier ne précèdent pas la rédaction des écrits. C'est plutôt l'inverse : l'écrit publié attire l'attention du peintre sur le critique et une invitation à l'atelier peut en découler... à un moment, dès lors, où depuis longtemps celui-ci ne renferme plus aucun *Corps de dames.*

La réalité est plus modeste. La seule possibilité qu'avaient les critiques de se faire une idée de la série des *Corps de dames* était de visiter les expositions qui y furent consacrées et de regarder les photographies publiées dans les articles de journaux, de revues et dans les livres sur Dubuffet, avant la date de 1965, date de la publication du fascicule du catalogue de Loreau. Grâce à la documentation très poussée, pour ne pas dire exhaustive, accumulée par le Secrétariat de Jean Dubuffet qui conserve non seulement les catalogues de ses expositions, mais l'ensemble des écrits critiques (articles de journaux et de revues, livres) sur lui, on peut dépasser le niveau des simples suppositions dans ce domaine et savoir presque exactement quelle était au juste, dans la meilleure hypothèse, la documentation à la disposition des critiques, selon les années.

Nous avons résumé nos analyses dans un tableau que nous donnons ci-après. Il comporte essentiellement deux parties : une partie analytique hachu-rée de menus traits verticaux, chacun correspondant à une œuvre de la série et une partie synthétique en A et en T, qui se lisent respectivement à l'hori-zontale et à la verticale.

La partie analytique a été constituée de la façon suivante. Le *Catalogue des travaux de Jean Dubuffet* élaboré par Max Loreau numérote les œuvres. Cette numérotation correspond dans la mesure du possible à l'ordre de succes-sion chronologique des travaux de Dubuffet. Ainsi, notre série des *Corps de dames,* dans le fascicule 6 du catalogue, commence au n° 83 et s'achève au nº 192. La numérotation de Loreau se retrouve dans notre tableau, où chaque œuvre correspond à une case du quadrillé millimétrique. Le long de la ligne N, on peut lire en effet 93, 103, 113, 123, etc., qui renvoient de 10 en 10 à cette numérotation et désignent donc les œuvres dans la succession où elles se présentent dans le catalogue de Loreau. Les chiffres formant une colonne verticale, sur la gauche du tableau renvoient soit à des expositions qui présentaient des *Corps de dames* et qui parfois en reproduisaient dans leur catalogue, soit à des articles de revues ou de journaux ou même à des livres reproduisant l'un ou l'autre échantillon de la série. À chaque chiffre correspond donc une référence, donnée en regard.

Nous obtenons donc ainsi une grille qui permet d'établir, à chaque moment [21], quelles œuvres de la série étaient accessibles aux critiques.

Cette analyse permettait d'établir en A (à droite du tableau) une sorte de gratte-ciel qui correspond, pour chaque moment, au nombre optimal d'éléments connaissables de la série. À supposer qu'un critique se serait donné la peine de visiter toutes les expositions qui ont présenté des *Corps de dames* et regardé tous les articles qui en ont comportés en illustration, tel serait en réalité, selon le moment de la rédaction de son écrit, la documentation qui lui était alors accessible. À supposer... il est bien certain que, dans la réalité, il n'en a pas été ainsi. Notre raisonnement s'appuiera donc par la suite sur la base la plus généreuse possible.

La fine dentelle qu'on voit en T, à l'horizontale, au bas du tableau permet d'apercevoir quel dessin ou toile a été le plus souvent montré ou reproduit, c'est-à-dire aussi lequel a le plus de chance d'avoir été vu des critiques et de peser dans la balance de leur jugement quand ils proposent une interprétation de la série entière.

Reste à expliquer une dernière colonne, située entre le « gratte-ciel » de droite et le tableau analytique central et surmontée de la lettre I. Il est arrivé en effet que des expositions aient montré des œuvres, signalées à leur catalogue mais sans assez d'indications descriptives pour que l'auteur ait pu les identifier. Ils restent donc « indéterminés » et on a préféré les mettre ainsi à part, pour ne pas préjuger de leur identification.

---

21. Nous avons pris soin de disposer en ordre chronologique les événements ou écrits désignés dans la colonne de gauche.

Notons aussi que notre tableau peut comporter quelques lacunes, mais nous ne croyons pas que nos résultats puissent s'en trouver considérablement modifiés. Le tableau enfin s'arrête à l'année 1962, parce que les articles que nous étudions dans le présent travail ne vont pas au-delà. Il aurait fallu sans doute le prolonger jusqu'à l'année 1965, date de la publication du catalogue de Loreau, pour être complet. Mais le catalogue de Loreau n'a pas mis un terme à la critique. Même après sa publication, à ma connaissance, aucun critique — il est vrai qu'ils sont plus rares — ayant parlé des *Corps de dames,* après 1965, n'a modifié son approche à cause de lui. Les habitudes mentales que nous tentons de cerner semblent si ancrées que même la parution d'un instrument de travail d'une valeur aussi exceptionnelle que le catalogue de Loreau ne semble pas avoir changé quoi que ce soit à l'opinion courante.

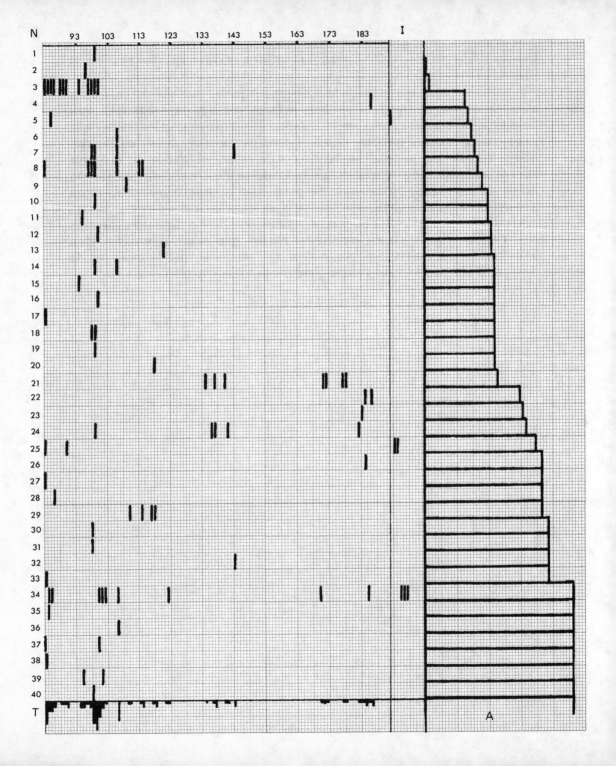

Signification des chiffres et des sigles utilisés dans le tableau :

1. Galerie Pierre Matisse (New York, novembre 1950) : Exposition « Selections 1950 ».
2. Michel Tapié, « Dubuffet the terrible » II, dans *News Post*, Paris, décembre 1950.
3. Galerie Pierre Matisse (New York, janvier-février 1951) : Exposition Dubuffet. Catalogue : 29 numéros.
4. Galerie Rive Gauche (Paris, mars 1951) : Exposition « Pour connaître mieux Jean Dubuffet ». Affiche.
5. Arts Club of Chicago (Chicago, 18 décembre 1951 — 23 janvier 1952) : « Exposition de Jean Dubuffet ». Catalogue : 32 numéros.
6. Galerie Pierre Matisse (New York, 12 février — 1er mars 1952) : Exposition « Landscaped Tables, Landscapes of the Mind, Stones of Philosophy ». Catalogue avec préface de Jean Dubuffet.
7. Georges Limbour, *L'art brut de Jean Dubuffet, tableau bon levain, à vous de cuire la pâte*, New York, ed. Pierre Matisse, 1953, III.
8. Cercle Volney (Paris, 17 mars — 17 avril 1954) : Exposition « Jean Dubuffet, peintures ». Catalogue : 193 numéros.
9. S. n., s. t., dans *Femme*, novembre 1955, p. 64.
10. Georges Limbour, « Jean Dubuffet » dans *l'Œil*, janvier 1957.
11. Château de Morsbroich (Leverkusen, 23 août — 13 octobre 1957) : Rétrospective de l'œuvre de Jean Dubuffet. Catalogue : 87 numéros.
12. James Fitzsimmons, « Jean Dubuffet, a short introduction to his work » dans *Quadrum*, (Bruxelles), no IV, 1957.
13. Galerie Arthur Tooth (Londres, 23 avril — 23 mai 1958) : Exposition Jean Dubuffet. Catalogue : 31 numéros.
14. Giuseppe Raimondi, « L'arte : il « lavoro » di Jean Dubuffet » dans *Communità* (Milan), février 1959, p. 74.
15. Reprise du précédent en anglais et en français dans *Art international*, Zurich, vol. III, no 5-6, 1959, p. 22.
16. John Anthony Thwaites, « Jean Dubuffet », dans *Paris New York Art Yearbook*, no 3, 1959, p. 132.
17. Peter Selz, « Jean Dubuffet ». Catalogue de l'exposition « New Image of Man », Museum of Modern Art, New York, septembre-novembre 1959, p. 65.
18. Galerie Pierre Matisse (New York, 10 novembre — 12 décembre 1959) : Rétrospective Dubuffet. Catalogue : 77 numéros.
19. Martica Sawin, « New York Report », dans *Art International*, Zurich, vol. III, no 10, 1959-1960.
20. S. n., « Beauty is nowhere », dans *Time*, New York, 7 novembre 1960.
21. Galerie La Bussola, Turin, mai 1960. Catalogue.
22. R.-J. Moulin, « Jean Dubuffet vient de trouver une typographie loyale », dans *Informations T. G.*, Paris, 11 novembre 1960.
23. S. n., s. t., dans *Arts Magazine*, New York, février 1961.
24. Pierre Géguen, « Jean Dubuffet, chef de file du tachisme et de l'informel », dans *Aujourd'hui, art et architecture*, no 29, 1961.

25. Kestnergesellschaft Museum, (Hanovre, 26 octobre — 4 décembre 1961). Catalogue.

26. P. Imbourg, « De Louis XIV à Dubuffet », dans *l'Amateur d'art*, 25 décembre 1961.

27. Georges Limbour, « Hors des grands courants », dans *France-Observateur*, 12 janvier 1961.

28. Françoise Choay, « Entretien avec Jean Dubuffet », dans *Jardin des arts*, no 75, février 1961.

29. Idem, « Les découvertes d'une rétrospective et la mythologie de la terre dans l'œuvre de Jean Dubuffet », dans *Art international*, Zurich, vol. V, no 1, 1er février 1961.

30. S. n., s. t., dans *Art international*, Zurich, vol. V, no 9, 20 novembre 1961.

31. Giuseppe Raimondi, « La retrospettiva di Jean Dubuffet », dans *l'Emporium*, Bergame, février 1961, p. 52.

32. S. n., s. t., dans *Paleten*, no 2, 1961.

33. Solecki, « Obrazy I Obraski », dans *Wiedza I Zycie*, Varsovie, 1961.

34. Peter Selz, « The Works of Jean Dubuffet », Museum of Modern Art, New York, 1962. Rétrospective du 19 février au 8 avril 1962. Catalogue illustré.

35. S. n., s. t., dans *Art News*, New York, avril 1962.

36. W. Rubin, « Jean Dubuffet », dans *Art international*, Zurich, vol. IV, 1962, p. 53.

37. S. n., s. t., dans *WFMT Perspective*, avril 1962, p. 46.

38. Michel Ragon, « Une nouvelle figuration », dans *Jardin des arts*, no 94, septembre 1962.

39. S. n., s. t., dans *Mizue*, Japon, juin 1962.

40. Françoise Choay, « Dubuffet, voyeur et voyant », dans *Galerie des arts*, no 2, décembre 1962.

T   total

I   indéterminé

A   nombre de tableaux visibles en reproduction ou en réalité selon les époques

N   numérotation dans le catalogue des travaux de Jean Dubuffet élaboré par Max Loreau

Notre tableau appelle deux constatations. Tout d'abord, il apparaît que c'est seulement en 1962 que la critique a eu accès à 47 des 109 propositions de la série, soit un peu moins de la moitié. Plus précisément, si on y situe la rédaction des articles dont nous avons cité antérieurement des passages, on peut dire que McBride ne pouvait avoir accès qu'à 13 des 109 tableaux, André Pieyre de Mandiargues, à 22 sur 109, James Fitzsimmons, à 19 sur 109, Dore Ashton, à 22 sur 109, Françoise Choay, à 39 sur 109 et enfin Peter Selz, à 47 œuvres sur 109. D'autre part ceux qui ont élaboré l'hypothèse d'une ressemblance entre les *Corps de dames* et les figurations de la Terre mère, à savoir Dore Ashton et Françoise Choay, n'avaient eu respectivement accès qu'à moins du cinquième et du quart de la documentation. Une deuxième remarque s'impose. Les chiffres que nous avons avancés jusqu'ici sont optimaux. On peut se demander si, en pratique, il en a été comme ces chiffres semblent le suggérer. Notre tableau révèle aussi que seulement cinq toiles ont été reproduites assez souvent pour n'avoir pas pu échapper à l'examen, même moins attentif, des critiques. Il s'agit des nos 83 (7 fois), 98 (7 fois), 99 (9 fois), 100

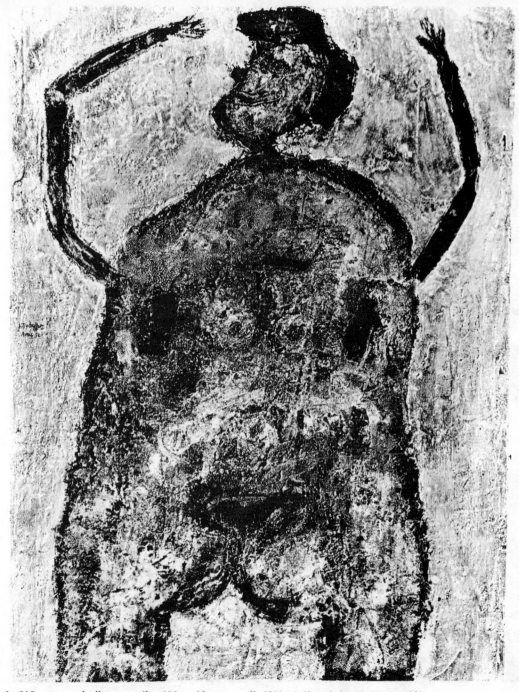

1. *L'Oursonne*, huile sur toile, 116 x 89 cm, avril 1950. Coll. privée, N. Y. (nº 83).

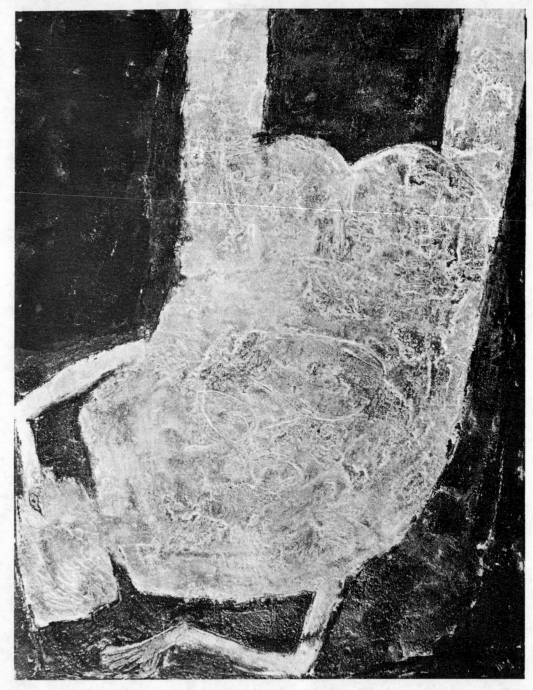

2. *Olympia*, huile sur toile, 89 x 116 cm, avril 1950. Coll. Victor M. Leventritt, N. Y. (no 85).

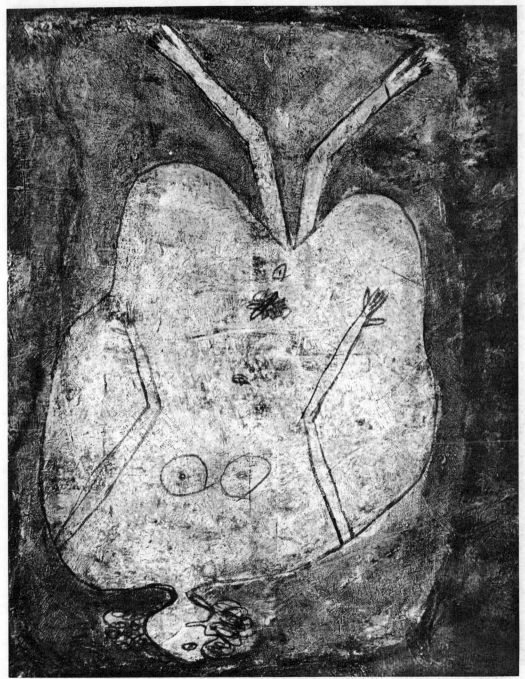

3. *Dormeuse au lit rouge* (corps de dame ballonné couché), huile sur toile, 114 x 146 cm, mai 1950. Coll. privée, N. Y. (n° 89).

4. *L'Hirsute,* huile sur toile, 116 x 89 cm, juin 1950. Coll. Tokutato Yananura, Tokyo (n° 98).

5. *Corps de dame château d'étoupe,* huile sur toile, 116 x 89 cm, juin 1950. Coll. M. et Mme Joe Bissett, N. Y. (n° 99).

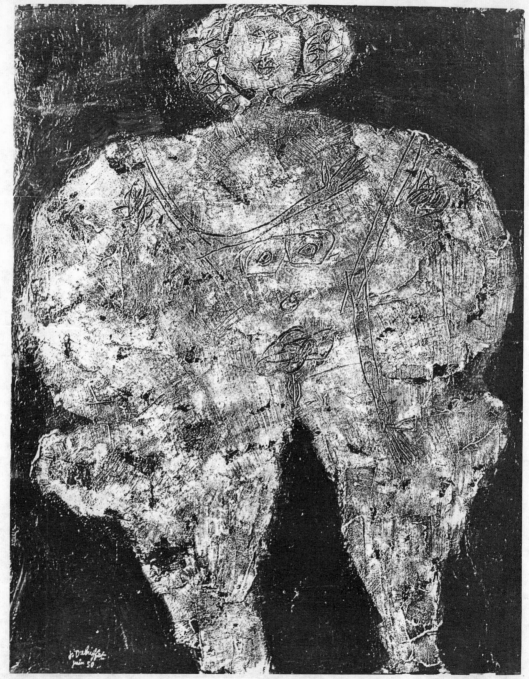

6. *Corps de dame la rose incarnate*, huile sur toile, 116 x 89 cm, juin 1950. Coll. Alfonso Ossorio, N. Y. (nº 100).

7. *L'Arbre de fluides*, huile sur toile, 116 x 89 cm, octobre 1950. Coll. William Rubin, N. Y. (no 106).

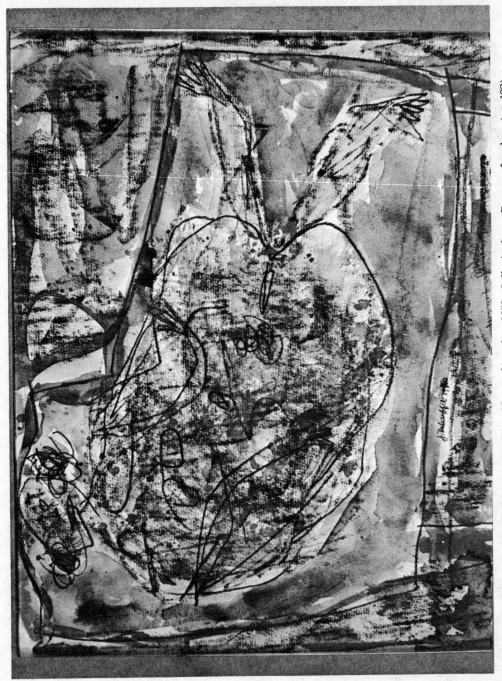

8. *Corps de dame couché*, gouache et crayon, 25 x 33 cm, décembre 1950. Coll. Anthony Denney, Londres (n° 122).

9. *Corps de dame,* dessin à l'encre de Chine, 27 x 21 cm, juin-décembre 1950. Trace perdue (n⁰ 149).

(5 fois), et 106 (6 fois) ; soit une toile d'avril 1950, 3 de juin 1950 et une dernière d'octobre 1950. Il ne nous semble pas exagéré de dire que c'est l'image
superposée de ces cinq toiles que nos critiques ont en tête quand ils pensent
aux *Corps de dames* de Dubuffet. Peut-être pouvons-nous dire plus et ajouter
que cette image composite a sans doute les traits de *Corps de dame château
d'étoupe* de juin 1950, le fameux n° 99 qui est revenu 9 fois dans nos documents.
Mais examinons de plus près cette image composite. Sur les cinq, une seule,
la première (n° 83) comporte le trait particulier de présenter les bras élevés
au-dessus des épaules de chaque côté de la tête du personnage. Les quatre
autres ont les bras beaucoup moins apparents, seulement gravés sur la surface
du corps. De plus trois toiles sur cinq présentent la tête du personnage de
face au lieu de profil, ce sont les n°s 98, 100 et 106. Il me paraît dès lors
plausible d'avancer que l'image composite qui en résulte devrait présenter un
visage de face et ne pas comporter de bras élevés au-dessus de la tête, c'est-à-dire
en définitive être la plus propice à la comparaison avec une autre image
composite, beaucoup plus difficile à définir, précisément celle de la Terre mère.

On peut même proposer une contre-preuve. La série des *Corps de dames*
comportent un certain nombre de représentations de femme couchée, donc à
axe postural non pas vertical comme dans les cinq cas que nous avons examinés
jusqu'à présent, mais horizontal : les n°s 85, 89, 92, 104 qui sont des huiles sur
toile et les n°s 119, 122, 123 et 132 qui sont des gouaches. De ce groupe, seuls
les n°s 85 (3 fois), 89 (1 fois) et 122 (1 fois) paraissent à notre tableau. Mais
supposons qu'au hasard des expositions et des illustrations de revues ou de
journaux, ce soit quatre ou cinq femmes couchées qui soient le plus souvent
visibles. L'image composite dont nous parlons aurait été tout à fait différente.
On peut alors se demander si les associations avec la Terre mère seraient venues
aussi facilement...

Les circonstances dont nous venons de tenter de reconstituer les conditions, bien que très habituelles en critique d'art, ne sont pas sans faire problème.
Ne faussent-elles pas *a priori* toute tentative pour rendre compte des intentions
qui ont présidé à la naissance des œuvres ?

Ces conceptions reposent, à leur insu, sur le postulat que les œuvres
faisant partie d'une série, sont interchangeables. Comment en serait-il autrement, si connaissant le cinquième des propositions, on croit pouvoir parler,
à partir de cette base incomplète, de la série entière ? N'implique-t-on pas que

les propositions connues représentent l'ensemble, comme on dit d'un député qu'il représente le peuple à l'assemblée nationale ? Si encore il s'agissait du cinquième ! On l'a vu, bien souvent ce que les critiques ont en tête c'est une vague image composite formée de traits empruntés à quatre ou cinq propositions d'une série qui en comporte au-delà de 100.

Or comment prétendre qu'ainsi on rend compte pleinement de l'intention de l'auteur ? Il me paraît bien évident que Dubuffet n'a jamais fait aucun de ses *Corps de dames*, — ni aucune de ses œuvres, d'ailleurs — avec l'intention de la faire servir à un office de députation pour la série entière. Certes il a pu choisir, pour une exposition par exemple, un tableau qui lui paraissait particulièrement représentatif de la série. Mais il ne se plaçait plus alors dans l'état d'esprit qu'il avait lorsqu'il faisait ses tableaux.

Au contraire la multiplicité des propositions n'a été possible que, parce que, en cours de production, jamais aucune d'entre elles n'a pu lui paraître pouvoir prendre la place d'une autre. La série n'est possible que parce que le sentiment des variations d'une proposition à l'autre se maintient. Dès que cette persuasion s'amenuise, sa continuation est en péril. « Assez de *Corps de dames* » finira-t-il par dire [22]. À ce moment le seuil de l'interchangeabilité est atteint, mais non franchi par l'artiste.

Ne faudrait-il pas que le critique, à son tour, imagine une méthode qui, posant le postulat inverse de la non-interchangeabilité des œuvres, l'amènerait à coïncider de plus près avec le mouvement créateur du peintre ? Certes on a de la peine à percevoir ce que serait cette méthode, tant nos habitudes de pensée ne nous préparent pas à nous méfier des généralisations, des condensations, des réductions à l'unique et au simple, et à respecter le multiple et le divers, à préférer la saturation de la pensée, les explorations multiples et simultanées. Aussi, loin d'éclairer les œuvres en les comparant à une multitude d'autres qu'on suppose mieux connues, on projette sur la série dont on préfère nier la réalité, une explication qui ne s'y rapporte pas. Il en résulte que les comparaisons des critiques sont plus révélatrices de leurs intérêts que des intentions du peintre.

Si l'on veut prétendre à quelque objectivité, il faut donc procéder autrement ; sans tenter d'escamoter la multitude (nos 109 propositions), et après

---

22. ECR. II, p. 438.

s'être mis au fait d'une structure — dans le cas qui nous occupe, il s'agira d'une structure sémiologique — il faut découvrir comment celle-ci a fonctionné dans la multiplicité des propositions.

Le mot « symbole » n'est pas un mot que l'on voit Dubuffet employer bien souvent. Mais la réalité de la chose lui échappe-t-elle ? On connaît le sens original que Lalande en donne dans son *Vocabulaire technique et critique de la philosophie* :

> Symbole, signe de reconnaissance formé par les deux moitiés d'un objet brisé qu'on rapproche.

Sun-ballô voudrait dire « mettre ensemble ». L'activité symbolique consisterait donc à rapprocher deux réalités, sinon deux moitiés de la même réalité, pour qu'aussitôt un sens en jaillisse dans un milieu donné. Nous avons de la peine à nous représenter l'univers symbolique, parce que notre univers mental est trop compartimenté pour nous en donner de fréquents exemples. Nous le pensons pour ainsi dire par négations successives.

Il nous paraît appartenir à un stade du mental antérieur à sa compartimentation en concepts précis, bien délimités. Les registres bien distincts pour nous s'y trouvaient encore comme brouillés. Ainsi, le symbole de la Terre mère nous paraît relever d'un état, pour ne pas dire d'une étape, de la pensée, où rien ne fait obstacle à l'imagination qui glisse du pôle « mère » au pôle « terre », pourtant si disparates pour notre pensée moderne. La synthèse dans une même représentation de la réalité « mère » et de la réalité « terre » s'est opérée à la faveur d'un brouillage entre le registre humain et le registre géologique que nous distinguons depuis si longtemps. Exprimé ainsi, nous n'approchons que de l'extérieur le symbole de la Terre mère. Il va sans dire que les hommes qui l'ont créé n'ont pas méprisé les distinctions dont nous faisons si grand cas, ils ne les ont même pas soupçonnées.

L'existence d'un niveau archaïque de la pensée, en deçà du compartimentage en concepts et le brouillage des registres à ce même niveau constituent sans doute pour un moderne, une bonne approximation de la pensée symbolique. C'est du moins de cette manière qu'elle s'exprime chez Dubuffet. On trouve en effet dans ses écrits antérieurs ou contemporains des *Corps de dames*, à la fois l'idée d'une stratification du psychisme en couches de plus en plus profondes ou archaïques et celle, plus constamment attestée de la possibilité d'un brouillage des registres au niveau le plus profond. C'est en effet alors qu'il achevait la série des *Corps de dames* que Dubuffet exprime pour la première fois aussi clairement — auparavant l'idée n'est que soupçonnée à propos de deux artistes d'art brut, monsieur Juva et Miguel Hernandez[23] — qu'à son idée, le psychisme peut se comparer à une sorte de coupe géologique, où les couches supérieures seraient à la fois les plus superficielles et les plus cultivées alors que les couches inférieures le seraient moins :

> Il faut prendre garde à ceci que le psychisme d'un être humain est quelque chose de très épais ; c'est une stratification avec de nombreuses couches successives ; c'est un puits avec des étages superposés à n'en plus finir, lesquels fonctionnent tous ensemble...
>
> Les questions d'instruction, d'éducation, de bon ou de mauvais goût, me paraissent justement de celles qui relèvent des plans les plus superficiels et les moins significatifs[24].

Pour illustrer sa pensée, il oppose ensuite l'« agrégé de grammaire » au « vacher », pour préférer au premier, le psychisme du second :

> Le psychisme du vacher, non seulement il ne me paraît pas plus pauvre, mais je dois dire, pour énoncer toute ma pensée qu'il me paraît plus riche. La valeur humaine du vacher me paraît plus grande que celle de l'homme cultivé. Mon sentiment en effet est que le savoir et l'éducation de l'homme savant et éduqué fonctionnent pour lui comme des croûtes nouvelles surajoutées à ses propres écorces — des étouffoirs nouveaux faussant encore un peu plus sa vraie voix[25].

« Strates », « couches », « étages », « croûtes », « écorces »... autant de métaphores de l'étagement psychique, tel que le perçoit Dubuffet au moment où s'achève pour lui, la série des *Corps de dames*. Nul doute également que sa préférence va aux couches profondes du mental. Voilà donc un premier pan de la pensée de Dubuffet qui manifeste une connivence avec l'univers symbolique tel que nous l'avons défini plus haut.

L'autre pan, celui du brouillage des registres, est aussi bien attesté, et cela précisément à propos des *Corps de dames* :

> Il me plaisait (et je crois que cette inclination doit être à peu près constante dans toutes mes peintures) de juxtaposer brutalement, dans ces corps féminins, du très général et du très particulier, du très subjectif

---

23. Sur monsieur Juva, voir ECR. I, p. 182. Sur Miguel Hernandez, voir ECR. I, p. 193.
24. « Honneur aux valeurs sauvages », conférence prononcée à Lille, le 10 janvier 1951, dans ECR. I, p. 208. Sur les circonstances qui entourent la rédaction de ce texte, cf. ECR. I, note 35, p. 509.
25. *Ibid.*, p. 208-209.

et du très objectif, du métaphysique et du trivial grotesque. L'un se trouve considérablement renforcé par la présence de l'autre, à ce que je crois ressentir. Procèdent encore de cette même impulsion les rapprochements, apparemment illogiques, qu'on trouvera dans ces nus, de textures évoquant de la chaire humaine (voire au point de violenter peut-être un peu parfois le sentiment de décence, mais cela aussi me semblait efficace) avec d'autres textures n'ayant plus rien à voir avec l'humain, mais suggérant plutôt des sols ou toutes sortes de choses telles que des écorces, des roches, des faits botaniques ou géographiques. Je dois dire que j'éprouve une sorte de plaisir à mêler des faits qui n'appartiennent pas aux mêmes registres, il me semble que cela occasionne toutes manières de *transports* et de polarisations à la faveur de quoi les objets se trouvent éclairés par des lumières inhabituelles susceptibles d'en révéler des sens inconnus [26].

Cette dernière note sur la « révélation des sens inconnus » indique bien, s'il en était encore besoin, que nous sommes ici dans l'univers du symbole, structure de signification. Si on ne trouve pas souvent le mot « symbole » sous la plume de Dubuffet, il ne semble ne pas faire de doute que la chose ne lui est pas inconnue et que précisément à propos des *Corps de dames,* elle a été évoquée.

Nous voilà donc au fait d'une structure sémiologique à propos des *Corps de dames* : la juxtaposition de deux ordres distincts dans notre pensée conventionnelle, à l'intérieur de chacun des *Corps de dames.* Nous pouvons revenir à nos 109 propositions et voir, dans le concret, quels ont été ainsi les registres que Dubuffet s'est plu à y mêler. Pour ne pas tomber dans le subjectivisme de l'interprétation, nous allons nous contenter des indications de ce type fournies par les titres de Dubuffet. On sait que Dubuffet titre très soigneusement ses tableaux, même s'il les titre après coup [27].

Or il est remarquable que les titres donnés aux *Corps de dames* soulignent presque toujours l'existence des registres contradictoires dont ils sont les hôtes obligés. Il est donc possible de les classer selon les réalités que Dubuffet associe au corps de la femme. On obtient alors le classement suivant. Nous y faisons intervenir d'autres titres de tableaux à structure analogue bien que

---

26. Dans ECR. II, p. 74-75.
27. « Les titres sont toujours donnés après les tableaux faits et comme on donne un nom — un surnom — aux personnes de son entourage : comment faire autrement quand on veut parler d'elles ou seulement les évoquer pour soi-même? C'est surtout pour moi-même, pour mon propre usage, que je leur donne un titre. Bien sûr qu'un titre bien trouvé, bien approprié, ajoute beaucoup à la force de fonctionnement de l'ouvrage, c'est de toute évidence. » Dans ECR. II, p. 220.

n'appartenant pas à la série des *Corps de dames,* mais qui leur sont contemporains :

Association femme et pilosité :

Nos   83 : *l'Oursonne,* avril 1950.
    93 : *Corps de dame peau de lapin,* mai 1950.
    98 : *l'Hirsute,* juin 1950.
    99 : *Corps de dame château d'étoupe,* juin 1950.

Association femme et minéral :

Nos   87 : *Corps de dame jaspé,* mai 1950.
  105 : *Femina dulce malum* (corps de dame taché de *rouille* et de lilas), octobre 1950.
    2 : *Mademoiselle couperose,* 21 janvier 1950 ; en autant qu'on entend couperose dans le sens d'un sulfate ; il peut s'agir aussi de la désignation du teint.
  12 : *la Demoiselle de pierre,* mars 1950.
  16 : *le Teint de perle,* mars 1950.
  20 : *Tête sableuse,* avril 1950.
  22 : *le Teint plombé,* avril 1950.
  43 : *Musique en pays boueux,* mai 1950.
  44 : *Homme menhir,* mai 1950.

Association femme et végétal :

Nos   90 : *Corps de dame jardin fleuri,* mai 1950.
  100 : *Corps de dame la rose incarnate,* juin 1950.
  101 : *Corps de dame gerbe bariolée,* août 1950.
  105 : *Femina dulce malum* (corps de dame taché de rouille et de *lilas*), octobre 1950.
  106 : *l'Arbre des fluides,* octobre 1950.
  112 : *Aubergine et lie de vin,* décembre 1950.
  114 : *Botanique et géographie,* décembre 1950.
  116 : *Gambade à la rose,* décembre 1950.
  23 : *Fille au teint lilas,* avril 1950.
  26 : *Tête feuille morte,* avril 1950 (terminé en juin).
  27 : *Tête en tache de moisissure,* avril 1950.
  28 : *Tête en feuille de chou,* avril 1950.
  46 : *le Grain de beauté* (tête de jeune fille lilas), juin 1950.
  51 : *l'Homme au teint ramagé,* octobre 1950.
  54 : *Mademoiselle bois de rose,* novembre 1950.
  58 : *Visage rose en pomme de bambou,* novembre 1950.
  60 : *Déperdition d'existence* (tête beige et lilas), novembre 1950.
  63 : *le Jardinier humant la rose,* novembre 1950.
  81 : *Présence légère* (tête de face, couleur vieux bois de noyer ciré), février 1951.

Association femme et espace géographique :

Nos 103 : *Corps de dame paysagé sanguine et grenat,* août 1950.
    111 : *Corps de dame esplanade de peau,* novembre 1950.
    114 : *Botanique et géographie,* décembre 1950.
     78 : *Tête péninsule rouge,* février 1951.

Association femme et insecte :

No   95 : *Miss Araignée,* juin 1950.

Association femme et fluides :

Nos 106 : *l'Arbre des fluides,* octobre 1950.
    117 : *Concentration fluidique,* 4 février 1951.
    118 : *Court-circuit bleu,* février 1951.
     73 : *Tête aux soufflures,* 18 janvier 1951.
     74 : *Tête envahie de fluides,* février 1951.

Association femme et comestibles :

Nos 110 : *Corps de dame pièce de boucherie,* novembre 1950.
    112 : *Aubergine et lie de vin,* décembre 1950.
    113 : *Sang et feu (corps de dame aux chairs rôties et rissolées),* décembre 1950.
     11 : *Monsieur chocolat,* mars 1950.
     50 : *Carnation sanguine,* octobre 1950.

Association femme et logos :

Nos   97 : *Gymnosophie,* juin 1950.
    102 : *la Métafisyx,* août 1950.
    115 : *Triomphe et gloire,* décembre 1950.

La décision de nous en tenir aux seuls titres des œuvres nous oblige à arrêter ici notre classement. Nous avons tenté de montrer comment, dans le concret, s'effectuait le brouillage des pistes : du féminin au pileux, au minéral, au végétal ou au géographique, au fluide ou à l'alimentaire. Mais alors, ne sommes-nous pas ramenés à notre symbole de la Terre mère, qui associe femme et terre d'une manière analogue, du moins à première vue ?

Pas vraiment, pensons-nous, et voici pourquoi. Il existe en effet une différence essentielle entre les associations proposées par Dubuffet et celles que suggèrent les figurations de la Terre mère. Cette dernière était culturellement rentable, alors que les premières ne le sont pas. L'assimilation de la femme à la terre a unifié la culture néolithique et après elle, toutes les cultures agraires et cela jusqu'à une période proche de la nôtre. On pressent la raison de cette singulière fortune. Le symbole de la Terre mère était à la fois lié à l'économie (découverte de l'agriculture, accroissement du capital alimentaire et montée démographique) et à la société (matriarcat). Il est plus difficile de comprendre que pour cette même raison, les homologations proposées par Dubuffet n'ont pas de rentabilité culturelle. Que serait une culture pour qui l'association femme et peau de lapin ou celle de femme et jaspe, ou celle de femme et pièce de boucherie, ou celle de femme et fluides serait le principe unificateur sur les plans social et économique ? On peut bien l'imaginer et à la manière d'Henri Michaux, proposer je ne sais quel voyage en Grande Garabagne, où par exemple, une civilisation entière serait fondée sur l'association femme-pilosité. On y vouerait un culte (de fertilité) à la multiplication des fourrures plutôt qu'à celle des produits alimentaires. Les femmes à barbe y seraient les reines de beauté. À quelle fantaisie vestimentaire ne se serait-on pas livré en pareil milieu, tout entier consacré à la célébration des fourrures, barbes, pilosités de toute sorte... Arrêtons ici la suite de ces énoncés et invitons plutôt le lecteur à déclencher pour son plaisir une culture imaginaire par titres de tableaux de Dubuffet dont nous lui avons donné la liste.

À vrai dire Dubuffet nous propose des symboles de cultures impossibles et si nous venons de proposer une sorte de jeu à leur propos, c'est, croyons-nous, sans trop nous éloigner de l'intention qui a présidé au thème et aux variations de cette singulière série de travaux. Le fond de l'inquiétude de Dubuffet pourrait s'énoncer ainsi : comment échapper aux conditionnements de la culture ? Sa réponse est : par la conscience qu'on en a. Mais il s'agit ici d'une conscience active, si je puis dire, puisqu'elle est implicite à l'acte de créer. C'est en déplaçant les bornes que Dubuffet reconnaît son terrain. Les calculs savants du topographe le séduisent moins. C'est en créant les symboles de cultures impossibles, et non en proposant des symboles pour notre temps, on le voit mieux maintenant, que Dubuffet prend davantage conscience de leur action aliénante et du même coup, de loin en loin, s'en libère, ne serait-ce que pendant le court instant où dure l'illumination créatrice.

FRANÇOIS GAGNON
Département d'histoire de l'art
Faculté des lettres, Université de Montréal

Notes sur l'analyse symbolique de textes musicaux

> Trouver ce n'est rien, la difficulté est
> de s'ajouter ce qu'on trouve.
> VALÉRY

Aucun art n'échappe aux méfaits de la critique. Mais il semble que c'est à la critique musicale que revient le redoutable honneur de remporter les palmes de la bêtise.

Sans nous abaisser (!) à citer les « critiques musicaux » de la presse qui ont sans doute (?) pour excuse la rapidité avec laquelle il leur faut habituellement remettre leurs « critiques », ne citons que deux exemples d'un noble ouvrage que nous retrouverons au cours de cet article. M. Norbert Dufourq est un musicologue de réputation internationale. Organiste de réputation municipale, il voue un véritable culte à Bach (c'est bien son droit) et consacre à la musique d'orgue du cantor un monumental ouvrage qui se veut une somme sur le sujet. Mais comment ne pas être agacé, par exemple, par ce commentaire sur le troisième thème du Prélude en mi bémol qui ouvre la troisième partie de la Klavierübung :

> Le troisième thème présente la fierté et comme la noblesse de ces grands « élans » lyriques de Bach, fortement « accrochés » par une « basse continue » et qui parcourent à franche allure les différentes parties de la polyphonie. Une gamme descendante ouvre ce torrent. Celui-ci doit bientôt régulariser son débit, puis couler, tel un fleuve majestueux, solidement maintenu dans son lit par une muraille dont les assises de pierre, telles des jalons, ont été déposées une à une, sur la route par le manuel d'abord, puis par le pédalier [1].

« Littérature », de combien de « ruinettes » n'es-tu pas responsable !

---

1. Norbert Dufourq, *J.-S. Bach le maître de l'orgue*, Paris, Floury, 1948, p. 215.

Comment ne pas sourire (mieux vaut sourire...) à la lecture de ce paragraphe :

> Lorsque les hommes se réunissent dans une intention pieuse, l'édifice — église ou temple — leur est une châsse de pierre où ils viennent se recueillir. Entre cette construction et cette assemblée, Bach sait insérer une architecture de notes, qui semblent doubler le premier édifice, s'étirer le long de ses piliers, s'épandre sous ses voûtes, annoncer et rendre plus persuasive la prière des fidèles [2].

La musique de Bach s'étirer le long des piliers d'une église ou d'un temple... Décidément le musicologue semble avoir beaucoup de difficultés à cerner son objet.

À une époque où l'un des plus en vue parmi les compositeurs actuels, Iannis Xenakis, croit bon (c'est pourtant parfaitement inutile) d'intituler une de ses œuvres *Herma musique symbolique pour piano*, l'analyse symbolique ouvrirait-elle une voie qui permettrait au regard critique sur les arts de sortir de certaines ornières ?

La symbolique, on le sait, s'est parfois intéressée aux arts plastiques. Un chapitre entier de *l'Homme et ses symboles*, ouvrage dont la première partie est de Jung qui a lui-même choisi les collaborateurs de ce recueil, est consacré au symbolisme dans les arts visuels. Certains articles de revues s'attachent également à l'analyse symbolique des arts plastiques : « L'Évolution psychologique de Van Gogh étudiée à travers le symbolisme des éléments » de Gilberte Aigrisse, dans le numéro huit des *Cahiers internationaux de symbolisme* (on s'étonne d'ailleurs que cette revue n'ait pas consacré plus d'espace aux arts), « l'Évolution du style de Goya : la convergence de ses recherches techniques et symboliques » dans le numéro neuf de *la Revue d'esthétique*. Citons surtout Guy Rosolato, disciple de Lacan, qui consacre toute une partie de ses *Études sur le symbolique* [3] aux arts plastiques.

La musique semble encore moins bien servie récemment. Il y a peu à signaler à l'exception de deux articles des *Cahiers internationaux de symbolisme* : « Notions de symbolisme musical » de Jean-Charles Gille (numéro six) et « Quelques remarques sur la nature de l'image musicale » de Jean-Claude Piguet (numéro huit).

---

2. Norbert Dufourq, *J.-S. Bach le maître de l'orgue*, Paris, Floury, 1948, p. 275.
3. Paris, Gallimard, 1970.

Laissons de côté l'article de M. Piguet qui ne se livre pas à une analyse de textes musicaux ; il s'interroge principalement sur l'antériorité de l'image musicale sur le son. C'est par homologie avec les méthodes d'analyse graphologique que M. Gille va tenter l'exploration du symbolisme musical à partir de diverses catégories sonores ou musicales : intensité et hauteur du son, rythme, harmonie, thèmes.

Il faut avouer, à regret, que cette tentative s'avère profondément décevante. Notons d'abord que de nombreux exemples sont puisés dans l'opéra, et principalement chez Wagner. Il y a évidemment tentative, chez le musicien, de « traduire » un texte littéraire par des moyens musicaux mais il nous semble que toute volonté de voir dans tel ou tel élément précis d'une phrase musicale la traduction de tel ou tel sentiment ou de tel ou tel « objet » a quelque chose d'irrémédiablement réducteur. De plus cette tentative implique souvent une propension dangereuse à l'explication de type psychologique un peu simpliste d'éléments musicaux qui, à notre avis, ne supportent guère, de par leur nature ouverte, ces réductions ; citons-en un exemple :

Un exemple emprunté à Gluck montrera ces rapports. Il s'agit de la plainte d'Orphée sur la tombe d'Eurydice :

On remarque, écrit un commentateur, que le départ des violons s'effectue sur une octave ascendante, procédé cher à Gluck ; de plus les violons attaquent *forte* pour passer brusquement au piano, dès la deuxième mesure. Ce détail d'ordre dynamique ne manque pas d'importance psychologiquement parlant, car Orphée, seul désormais en face de sa douleur, ne peut réprimer un premier mouvement, avant de retomber peu après dans son accablement [4].

---

4. *Cahiers internationaux de symbolisme*, no 6, p. 29.

Mais ce qui nous gêne le plus dans l'article de M. Gille ce sont de nombreuses affirmations pour le moins discutables. En voici deux : « Le niveau sonore augmente avec la poussée de l'émotion qui brise les contraintes : on crie de douleur, de joie, de colère [5]. » Le silence, nous semble-t-il, tout aussi bien que le cri, peut être l'« expression » d'une émotion forte. Ailleurs M. Gille affirme que

> dans le jeu pianistique habituel l'exécutant pense toujours à sa main droite, qui trace à l'aigu la mélodie, cet élément le plus conscient du morceau ; il relègue dans son inconscient le jeu de sa main gauche qui, dans les « basses », dessine l'accompagnement, perçu par l'auditeur seulement de façon indistincte [6].

Il y a là réduction de la littérature pianistique à la mélodie accompagnée, ce qui est déjà une simplification étonnante ; et même dans ce cas tout pianiste sait qu'il ne relègue pas dans son inconscient le jeu de sa main gauche (qui n'est d'ailleurs pas toujours la seule main à accompagner comme le montre bien l'exemple tiré d'un impromptu de Schubert que donne M. Gille à la page 34 de son article).

Enfin dans une dernière section de son article intitulée « la musique archétypique ou visionnaire », M. Gille revient aux interprétations réductrices :

> Soit le thème médian du prélude en Ré bémol de Chopin. Il en a été donné plusieurs interprétations traditionnelles, fondées sur des anecdotes plus ou moins authentiques (notamment un récit célèbre de George Sand d'après lequel Chopin aurait composé ce morceau dans un état de demi-conscience, rêvant qu'il gisait mort au fond d'un lac glacé), ou sur des analogies subjectivement ressenties avec diverses légendes (comme l'*Histoire d'une mère*, écrite plus tard par Andersen). La texture même du thème qui monte, angoissant, des profondeurs de l'inconscient :

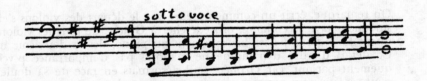

---

5. *Cahiers internationaux de symbolisme*, n° 6, p. 28.
6. *Ibid.*, p. 29.

et réitère sa menace terrifiante dirige immédiatement l'interprétation symboliste dans le sens de l'archétype de la bête (dragon, pieuvre) ou de la Mère terrible et glaciale, la Mort ; et cette notion recouvre, en les généralisant et les revêtant de toute une somme d'expérience humaine, les interprétations populaires, ingénues mais non méprisables, du public [7].

Nous ne pouvons que nous interroger sur « l'utilité » de cette orientation dans l'analyse symbolique d'un texte musical et nous nous demanderons longtemps où se trouve véritablement l'archétype du monstre...

M. Gille n'innove d'ailleurs pas dans la voie de l'analyse symbolique de textes musicaux. L'œuvre de Bach, depuis longtemps, constitue un champ d'exploration privilégié pour amateurs de symbolique. Albert Schweitzer que sa vocation de théologien protestant prédisposait sans nul doute à une telle exploration consacre, dès 1905, tout un chapire de *J.-S. Bach, le musicien-poète* au symbolisme dans l'œuvre de Bach (chapitre XXVIII). Il faut avouer que les « fondements théoriques » du caractère nécessairement « descriptif » de tout art laissent songeur :

> Tout art, nous enseigne la psychologie, manifeste des tendances « descriptives » en tant qu'il veut exprimer plus que ne lui permettent ses moyens propres d'expression. La peinture veut exprimer les sentiments du poète ; la poésie veut évoquer des visions plastiques ; la musique veut peindre et exprimer des idées. C'est comme si l'âme de « l'autre artiste » voulait parler, elle aussi. L'art pur n'est qu'une abstraction. Toute œuvre d'art, pour être comprise, doit suggérer une représentation complexe où s'amalgament et s'harmonisent des sensations de tout ordre. Celui qui, devant un tableau représentant un paysage de bruyère, n'entend pas la vague musique du bourdonnement des abeilles, ne sait pas voir, de même que celui pour lequel la musique n'évoque aucune vision, ne sait pas entendre [8].

À partir de ces fondements, Schweitzer établit sans sourciller une « grammaire symbolique » du langage de Bach :

> Il existe toute une série de thèmes élémentaires procédant d'images visuelles, dont chacun produit toute une famille de thèmes diversifiés, selon les différentes nuances de l'idée qu'il s'agit de traduire en musique. Souvent, pour une racine, on trouvera vingt à vingt-cinq variantes dans les différentes œuvres ; car, pour exprimer la même idée, Bach revient toujours à la même formule fondamentale. C'est ainsi que nous rencontrons

---

7. *Cahiers internationaux de symbolisme*, no 6, p. 42.
8. Albert Schweitzer, *J.-S. Bach le musicien-poète*, Lausanne, Maurice et Pierre Fœtisch, s.d., p. 229.

les thèmes de la « démarche » (Schrittmotive), traduisant la fermeté ou l'hésitation ; les thèmes syncopés de la lassitude, les thèmes de la quiétude, qui représentent des ondulations calmes ; les thèmes de Satan exprimant une sorte de reptation fantastique, [...] [9]

Dans les deux chapitres qui suivent Schweitzer analyse, selon cette optique, le langage musical des chorals et des cantates. Voici jusqu'à quelle aberration de volonté « descriptive » peut conduire cette tendance : citant le thème d'un choral du Dogme

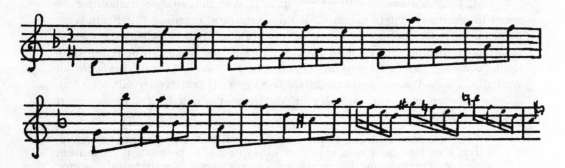

Schweitzer dit qu'il « semble avoir été suggéré à Bach par la vision d'un marin qui cherche un appui solide sur les planches roulantes [10] » !

Dans son ouvrage déjà cité *J.-S. Bach le maître de l'orgue*, M. Norbert Dufourq contestera partiellement et fort justement cette tendance symbolique omnivore de Schweitzer et celle de Pirro qui a développé la thèse de Schweitzer dans *l'Esthétique de J.-S. Bach* [11]. Mais M. Dufourq ne peut résister à la tentation de ses illustres aînés. Voici comment il « visualise » la première partie de la *Fantaisie* en sol majeur pour orgue :

Le monologue qui occupe toute la première partie de la Fantaisie en question personnifierait assez bien l'Esprit Saint, apparaissant ici et là, tel l'éclair, se posant sur un clavier, puis sur un autre [12], et poursuivant

---

9. Albert Schweitzer, *J.-S. Bach le musicien-poète*, Lausanne, Maurice et Pierre Fœtisch, s.d., p. 235.
10. *Ibid.*, p. 242. Serait-ce l'analyse symbolique à laquelle se livre Schweitzer qui ferait de lui un si piètre interprète des œuvres pour orgue de Bach comme en témoignent ses enregistrements ?
11. Paris, Fischbacher, 1905.
12. Ceci est bel et bien une interprétation de M. Dufourq : rien ne dit explicitement dans le texte qu'il faut changer continuellement de clavier.

sa route en solitaire agité, comme le fil d'argent qui décrit d'élégantes ondulations et jette un ultime éclat avant de se perdre dans la trame [13].

Et M. Dufourq prend plaisir à répéter « l'interprétation » d'un illustre virtuose de l'orgue à propos de la même *Fantaisie* :

> Nous aimons à rappeler ici l'interprétation que certains ont donnée de cette Fantaisie et que Marcel Dupré rappelait naguère dans un article du *Monde musical* (août 1934), cité à la bibliographie : « Il faudrait voir dans cette pièce, une description philosophique des trois âges de la vie : l'insouciance de l'enfance ; l'âge mûr durant lequel l'homme peine et travaille sans arrêt, sans répit ; puis le crépuscule de l'existence dans le repos et la préparation à la mort [14]. »

Notons enfin que le père François Florand avait publié, un an avant M. Dufourq, un ouvrage sur l'œuvre d'orgue de Bach [15] qui contient également un chapitre intitulé « Bach et les symboles ». Le Père Florand n'échappe pas à la tendance « symbolique à outrance ». Il mentionne au sujet de la *Fantaisie* en sol majeur, l'interprétation citée plus haut en hésitant un peu (« Je ne sais cependant si j'oserais en généraliser l'interprétation [16] »). Il cite Spitta pour la grande fugue en mi mineur pour orgue, qui y voit, entre autres choses, « une bourrasque de printemps dans une nuit de mars [17] » !

Dans *l'Œuvre littéraire et ses significations* [18] nous nous étions attardé à une analogie entre la structure d'une fugue et la structure de la *Justine* de Sade, toutes deux à tendance obsessionnelle, disions-nous. Abandonnons Justine à son triste destin, sûrement symbolique... et tentons une analyse des significations de divers éléments de la première fugue du premier livre du *Clavier bien tempéré* de Bach pour déboucher, si possible, sur certains aspects symboliques qui y seraient mis en jeu.

Nous choisissons à dessein une fugue parce qu'il s'agit d'une forme musicale particulièrement « pure », abstraite, c'est-à-dire éloignée de tout élément descriptif. Cette « pureté » n'implique aucun jugement de valeur : *Wozzeck* n'est pas une œuvre moins importante que telle ou telle fugue de Bach (*Wozzeck*,

---

13. Norbert Dufourq, *op. cit.*, p. 248.
14. *Ibid.*, p. 248, note 2. Faut-il insister sur la « psychologie facile » d'une telle interprétation ?
15. *Jean-Sébastien Bach l'œuvre d'orgue*, Paris, Editions du Cerf, 1947.
16. *Ibid.*, p. 57.
17. *Ibid.*, p. 85. En 1947, une année « chanceuse » pour Bach, Boris de Schloezer, dans son *Introduction à J.-S. Bach* (Gallimard), s'intéresse aussi à la thèse de Pirro.
18. Montréal, Les Presses de l'Université du Québec, 1970.

ou une fugue de Bach sont-ils d'ailleurs des œuvres importantes ? Qu'est-ce qu'une œuvre importante ?) Mais nous estimons qu'une tentative d'analyse symbolique doit s'attaquer à la forme de texte musical le plus éloigné de toute signification « immédiate » et qu'à ce titre l'opéra, comme la mélodie, le lied ou la chanson est à éliminer pour nous à cause de la collusion texte-musique [19] et que la musique descriptive (la Sixième de Beethoven, les poèmes symphoniques, la musique de ballet) est également à écarter puisqu'elle se veut, dans une certaine mesure, traduction d'une histoire ou d'éléments identifiables du « réel ».

---

19. C'est peut-être à tort que nous éliminons ces genres. Si on examine *Au clair de la lune*, on se rend compte que cette mélodie est constituée de quatre phrases musicales dont trois, la première, la seconde et la dernière sont absolument identiques

la troisième étant seule de son espèce

Nous avons trouvé deux versions quant aux mots de cette enfantine, toutes deux de trois couplets et qui ne diffèrent que par le troisième. Nous avons donc quatre couplets d'*Au clair de la lune*. La phrase musicale qui revient trois fois sert de support aux mots suivants :
1. « Au clair de la lune, Mon ami Pierrot 2. Prête-moi ta plume, Pour écrire un mot [...] 3. Ouvre-moi ta porte, Pour l'amour de Dieu. » 4. Au clair de la lune, Pierrot répondit : 5. « Je n'ai plus de plume, Je suis dans mon lit [...] 6. Car dans sa cuisine, On bat le briquet. 7. (troisième couplet de la première version) Au clair de la lune, On n'y voit qu'un peu; 8. On cherche la plume, On cherche le feu. [...] 9. Mais je sais que la porte Sur eux se ferma. 10. (troisième couplet de la seconde version) Dans son lit de plume, Pierrot se rendort. 11. Il rêve à la Lune : Son cœur bat bien fort. [...] 12. La Lune lui donne Son croissant d'argent.

Il est bien évident que cette phrase musicale ne cherche pas à se plier à ces multiples variantes du signifié... Et nous avons éliminé les paroles de la version érotique de notre enfantine, version chantée par Colette Renard et la version aseptique de notre *crooner* national Pierre Lalonde...

Et nous choisissons à dessein une fugue de Bach puisque cet auteur a été, comme nous l'avons vu, victime d'une « offensive symbolique » de longue durée...

Signalons d'abord un premier élément de signification d'une très grande importance, l'intertextualité [20] et examinons, à propos de notre fugue, deux rapports intertextuels.

Le premier concerne les rapports, les « relations » entre cette fugue en do majeur du *Clavier bien tempéré* et le prélude qui la précède. Ce prélude d'une ouverture maximale puisqu'il n'est constitué que d'arpèges de style « improvisé » est le modèle même de la liberté textuelle, liberté telle qu'un Gounod viendra y plaquer une mélodie « simplette », le célèbre *Ave Maria,* bien symptomatique du pluriel de ce texte capable de susciter un tel affront [21]. À ce texte d'une ouverture très grande s'oppose (?) la fugue dont le moule particulièrement organisé constitue un modèle de texte clos, fermé sur lui-même, la volonté d'organisation étant limitatrice par essence même dans le cas de celle qui se voudrait ouverte...

Le second rapport intertextuel est peut-être le plus important à constater puisqu'il n'apparaît pas immédiatement dans le texte de la fugue. Il s'agit des rapports entre notre fugue en do majeur et la Fugue, cette Fugue qui recèle tous les possibles de la fugue, la Fugue archétypale, oserions-nous dire, la Fugue qui Est mais qui n'existe pas et dont chaque fugue existante est une réalisation plus ou moins complète et plus ou moins heureuse (si l'on suppose possibles des critères de qualité applicables à la réalisation d'une œuvre d'art) [22].

---

20. Nous empruntons à Julia Kristeva la notion d'intertextualité qu'elle définit comme une comparaison « de types de textes différents » (Semeiotike, Paris, éditions du Seuil, 1969). Nous en élargirons la définition en y incluant les rapports entre une fugue, la Fugue et la fugue classique. C'est à dessein que nous empruntons à la sémiologie la notion d'intertextualité. Il ne nous semble pas en effet y avoir de distinction fondamentale, dans les faits, entre sémiologie et symbolique, l'une et l'autre inventant leur propre métalangage (parfois commun comme le montre le mot symbole « surutilisé » par Kristeva) pour rendre compte de façon nécessairement fragmentaire (malgré les prétentions de certains analystes utilisant l'un ou l'autre métalangage) de l'œuvre qui, existentiellement, se refuse à se livrer dans toute sa pluralité...

21. On s'étonne moins de ce « sacrilège » de notre pauvre « faiseur » que du succès, hélas toujours réel, de son *Faust,* dans les maisons d'opéra, autre pénible exemple des « talents » de ce misérable fabricant d'insanités musicales. (Et nous nous excusons de ce jugement de valeur.)

22. Cette Fugue n'a rien à voir avec quelque théorie des essences que ce soit ; un ordinateur grassement subventionné pourrait la révéler aux entêtés...

Notons que Bach est, de tous les compositeurs, celui qui s'approche sans doute le plus de la Fugue dans ses innombrables tentatives d'accession à cet archétype. Et cette ultime quête est d'autant plus remarquable que le Cantor la tente à un moment où le style contrapuntique est en train de laisser la place au style concertant.

Cette Fugue repose sur un élément fondamental, le sujet qui s'exprime habituellement dans sa solitude « royale » (!) au début de l'œuvre. Ce sujet est susceptible de diverses transformations : augmentation, diminution, renversement, inversion, etc. Bach ne se prive pas de certaines de ces possibilités. Dès la fugue VI du premier livre du *Clavier bien tempéré* on trouve le sujet renversé. La fugue VIII donne un exemple de sujet tantôt renversé, tantôt augmenté. La diminution est peu utilisée par Bach mais reste un possible du sujet comme l'inversion. La Fugue peut comporter deux, trois sujets ou plus dans la ligne des possibles : Bach écrit une célèbre triple fugue pour orgue dans laquelle on veut absolument voir un symbole de la Trinité (autre exemple de symbolisme un peu facile...).

Notre fugue pousse loin l'économie des moyens quant au sujet: celui-ci ne sera ni diminué, ni augmenté, ni renversé, ni inversé et il ne connaîtra pas les heurs et malheurs de la « famille », en fils unique égoïste qu'il est...

On connaît bien le second élément fondamental de la Fugue, le contre-sujet qui accompagne habituellement toute réitération du sujet et qui se doit d'être aussi différent que possible de celui-ci tant au plan mélodique que rythmique. Sur ce point notre fugue se distingue : elle ne comporte pas de contre-sujet. Cette absence n'est significative que pour l'auditeur ou le lecteur qui connaît la fugue classique [23] souvent dotée d'un contre-sujet.

C'est l'intertextualité qui rend significative une dérogation à la loi des modulations de la fugue classique qui ne se permet habituellement de moduler qu'aux tons voisins ! Dans la grande fugue en do majeur pour orgue, des modulations en sol mineur, do mineur et fa mineur, acquièrent une signification exceptionnelle étant donné l'économie des modulations de la fugue classique, économie qui ne concerne pas seulement les modulations et qui apparente la fugue classique au théâtre classique, fort « avare » comme on sait...

---

23. La fugue classique constitue un archétype secondaire par rapport à la Fugue : elle n'a en effet retenu qu'une partie des possibles de la Fugue et elle a une ordonnance « statistique » qui permet de mesurer les écarts de telle ou telle fugue par rapport au cheminement « habituel » de la fugue classique.

Un élément d'intertextualité est particulièrement frappant dans notre fugue en do majeur. On sait que la fugue classique, habituellement après ses « voyages » aux tons voisins, pratique souvent un resserrement qu'on appelle la strette : le sujet y est traité en canon et le fin du fin de la fugue est de resserrer de plus en plus les canons.

Par rapport à la strette de la fugue classique, notre fugue est significative puisqu'elle manifeste une grande impatience de se livrer aux jeux de la strette : l'exposition est à peine terminée qu'une strette commence et ce jeu canonique se poursuivra jusqu'à la conclusion.

Notre fugue présente une seconde caractéristique qui frappe immédiatement l'auditeur rompu à la fugue classique : elle ne possède aucun divertissement.

Nous ne nous sommes livré qu'à une esquisse d'analyse de la Fugue archétypale. Une analyse systématique constituerait l'objet d'une recherche quasi illimitée et peut-être inutile... Nous n'avons également fait qu'indiquer de façon fragmentaire dans quelle mesure notre fugue en do majeur prend certaines significations par rapport à la fugue classique, elle-même réductrice de la Fugue.

Il y aurait évidemment un troisième niveau d'intertextualité qui se livrerait à l'analyse « comparative » de notre fugue en do majeur et des quarante-sept autres fugues des deux recueils du *Clavier bien tempéré*. Et faudrait-il privilégier les rapports entre notre fugue en do majeur et la fugue en do majeur qui ouvre le second recueil ? Laissons aux « intertextualistes » le soin de se livrer à cette analyse et de répondre à notre question...

Laissons-leur également le plaisir d'évaluer les rapports entre notre fugue et le ricercare, entre notre fugue et diverses autres formes musicales, la sonate par exemple, et, pourquoi pas, entre notre fugue et une œuvre dodécaphonique... ou une chanson des Rolling Stones [24].

---

24. Si l'on considère les *Variations et fugue sur un thème de Haendel* de Brahms, on voit que cette longue fugue qui suit toute une série de variations joue un rôle situationnel différent de celui de notre fugue en do majeur. C'est aussi le cas des fugues qui forment les derniers mouvements des sonates opus 106 et 110 de Beethoven.
L'analyse intertextuelle pourrait également privilégier ces insipides productions que sont les *Préludes et fugues* pour piano de Shostakovich, sinistres reflets du conformisme esthétique soviétique.
L'analyse intertextuelle pourrait également sortir du domaine musical et relever toute trace transhistorique, parapsychologique ou infra-épistémologique...

Après cette ébauche d'analyse intertextuelle, venons-en à l'analyse textuelle de divers éléments de notre fugue. Puisque le sujet joue un rôle primordial regardons-le avant de le disséquer :

Un fait nous frappe immédiatement au plan mélodique : tout le sujet tient à l'intérieur de l'intervalle d'une sixte. De nombreux sujets de fugue chez Bach, s'inscrivent dans un intervalle aussi restreint [25]. Voici par exemple le sujet de la fugue en mi bémol mineur du premier livre du *Clavier bien tempéré* :

D'autres sujets poussent encore plus loin le sens de l'économie sur ce plan comme le sujet de la fugue en do dièse mineur du premier livre du *Clavier bien tempéré* :

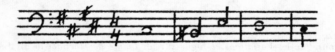

---

25. Nous abandonnons bien vite notre promesse de nous en tenir à l'analyse textuelle... C'est qu'il est difficile de définir sans comparer.

Mais il y a des sujets célèbres qui se livrent à des écarts beaucoup plus grands comme celui de la grande fugue pour orgue en sol mineur :

ou celui de la grande fugue en la mineur également pour orgue :

Ces deux derniers sujets dépassent l'octave. Ils sont beaucoup plus étendus (comportent beaucoup plus de notes) que le sujet de notre fugue en do majeur. Enfin ils sont remarquables par leur personnalité rythmique accusée. Notre fugue en do majeur pratique donc, quant à son sujet, l'économie tant au plan mélodique que rythmique.

Cette économie du sujet est un élément particulièrement significatif pour l'analyse de notre fugue, d'autant plus significatif qu'elle ne comportera pas de contre-sujet réel. Nous nous trouvons donc devant une œuvre où ce n'est pas tant la phrase musicale-sujet qui est importante que l'utilisation, l'économie relationnelle qu'en tire Bach. La fugue vérifie ici une constatation de Roland Barthes au sujet de l'écriture classique :

> Dans le langage classique, ce sont les rapports qui mènent le mot puis l'emportent aussitôt vers un sens toujours projeté ; dans la poésie moderne, les rapports ne sont qu'une extension du mot, c'est le MOT qui est « la demeure », il est implanté comme une origine dans la prosodie des fonctions, entendues mais absentes [26].

Si cette affirmation s'applique de façon particulièrement heureuse à notre fugue en do majeur, elle s'avère cependant moins adéquate lorsque l'on songe aux fugues en sol mineur et la mineur pour orgue aux sujets particulièrement bien individualisés.

Et comment s'élabore l'économie relationnelle qui préside au traitement du sujet de notre fugue par Bach ? Nous l'avons vu, il n'y a ici ni contre-sujet réel ni divertissement ; après l'exposition commence une série de strettes qui ne s'arrêtera qu'avec la conclusion de la fugue elle-même. Nous avons donc un type unique de procédé de développement : le canon. L'archétype de la répétition, si fréquent en musique, trouve ici son expression privilégiée.

Nous avions évoqué cet archétype de la répétition à propos de notre fugue dans *Lecture de Justine* :

> Le sujet, la réponse reprenant ici textuellement le sujet, revient intégralement vingt-trois fois dans cette œuvre qui dure environ deux minutes sans compter les fragments du sujet qui sont repris tout au long de l'œuvre plusieurs fois [27].

---

26. *Le Degré zéro de l'écriture*, Paris, Gonthier, 1969, p. 44.
   Nous ne sommes pas absolument certain de la vérité des affirmations de Roland Barthes au sujet de la poésie moderne quand nous songeons, par exemple, à l'œuvre d'Henri Michaux. D'autre part cette affirmation ne s'avérerait pas exacte, par extension, pour toute la musique moderne, l'écriture dodécaphonique poussant peut-être encore plus loin que la fugue l'obsession des rapports au détriment de la « série ».

27. *L'Œuvre littéraire et ses significations*, Montréal, Les Presses de l'Université du Québec, 1970, p. 134.
   Il nous faut avouer pour notre plus grande honte que le sujet revient intégralement vingt-deux fois et non vingt-trois... Il revient vingt-quatre fois si l'on compte deux reprises non complètes (mesures 14,15, 16, 17, entrées au ténor et au soprano).

Parmi ces fragments du sujet qui sont repris, il en est un qui joue un rôle prépondérant, constituant d'ailleurs une sorte de contre-sujet, celui qui est formé des quatre dernières notes du sujet :

Répété deux fois, on le retrouve immédiatement comme contrepoint à la réponse (mesure deux) ; on le revoit trois fois renversé au soprano au moment de la reprise du sujet (mesure quatre) et, à nouveau au soprano, doublant à la sixte ce fragment même de la reprise du sujet (mesure cinq) ; toujours au soprano, le voilà, deux fois seulement et inversé, accompagnant la quatrième entrée de l'exposition (mesures cinq et six) et enfin au ténor, tout juste avant son affirmation à la réponse de la basse (mesure six) qui le réitère deux fois au début de la première strette (mesure sept). Il est inutile d'insister (!) et de continuer cette description fort difficile, par le truchement des mots, comme les descriptions d'orgies dans Sade, et si limpide à la lecture de la fugue...

À cet archétype de la répétition à tendance obsessionnelle se superpose un archétype de la fluidité, de la mobilité qui est le propre de la musique et plus particulièrement de l'écriture contrapuntique qui ne souffre à peu près jamais le silence de toutes les voix d'une fugue même si elle accepte la disparition momentanée d'une ou de plusieurs d'entre elles [28]. C'est grâce à l'intertextualité que l'arrêt complet, vers la fin de la fugue qui accompagne la grande passacaille en do mineur pour orgue de Bach, comme celui qui se situe également vers la fin de la fugue en la mineur du premier livre du *Clavier bien tempéré*, prend une signification exceptionnelle [29].

---

28. Sur ce plan d'ailleurs les fugues à quatre voix sont habituellement beaucoup plus souvent à trois qu'à quatre voix tout le long de leur développement.
29. Beethoven dans la fugue qui termine la sonate opus 110, poussera beaucoup plus loin la signification de l'arrêt en le faisant suivre d'une longue variation sur l'arioso dolente qui précède la fugue pour reprendre ensuite celle-ci sur le sujet renversé en sol majeur, ce qui nous situe fort loin de la tonalité de la bémol du début de la fugue. Notons que Beethoven ne se limite pas à cette seule « dislocation » de la fugue qu'il abandonne de nouveau à la fin de l'œuvre, se contentant d'utiliser le sujet de la fugue comme thème accompagné de broderies dans le style flamboyant de la plus pure virtuosité pianistique.

Cet archétype de la mobilité appartient plus spécialement à l'écriture contrapuntique pour une autre raison : c'est que celle-ci ne laisse qu'un rôle secondaire à l'harmonie qui peut être un grand facteur de stabilité ailleurs par le retour plus ou moins fréquent d'accords sur la fondamentale.

Un dernier élément, rythmique, vient accentuer l'impression de mobilité dans notre fugue, la syncope qu'on trouve dans le sujet (et donc forcément dans toute la fugue).

Cette analyse fragmentaire de la fugue en do majeur qui ouvre le *Clavier bien tempéré* nous a permis de dégager deux types de significations symboliques : le premier, révélé principalement dans les rapports de notre fugue avec son prélude, la Fugue et la fugue classique, nous est livré par l'intertextualité ; le second, révélé par l'analyse textuelle, nous montre la superposition de deux archétypes quasi contradictoires, répétition à tendance obsessionnelle et mobilité.

Nous avons voulu sortir des ornières d'une symbolique un peu simpliste dans la ligne d'un Schweitzer ou d'un Pirro peut-être pour tomber dans les pièges d'une symbolique qui recherche des « cases vides » nécessairement plus « abstraites ». Mais nous persistons à croire que c'est dans cette dernière voie, à peine explorée par nous, que doivent se situer les recherches d'une analyse symbolique de textes musicaux.

APPENDICE I

Nous n'avons exploré dans notre article qu'un petit nombre d'éléments de notre fugue porteurs de signification. Passons brièvement en revue les autres (sans assurer que notre inventaire soit complet)...

1. *L'instrument pour lequel cette fugue a été écrite*. M. Gille, dans l'article déjà cité, suggère l'étude d'une symbolique des instruments (sur ce plan, l'orgue nous apparaît assez inquiétant...). Mais nous nous trouvons ici devant une œuvre particulièrement ouverte : prélude et fugue écrit pour *clavier* ; clavicorde, clavecin ou orgue ? et avec quelle régistration pour ces deux derniers instruments ? Et que faut-il penser de tous les pianistes qui se sont approprié l'œuvre pour clavier de Bach ? Comment condamner la « transcription » d'œuvres d'un auteur qui s'est lui-même livré à de nombreuses transcriptions de ses œuvres comme de celles d'autres compositeurs ?

2. *La tonalité choisie par Bach pour notre fugue* (do majeur). Il nous semble difficile de dégager une signification de cet élément pour une raison déjà connue : on sait que notre *do* majeur de 1970 est beaucoup plus élevé que celui du temps de Bach, le diapason n'ayant cessé de monter depuis le dix-huitième siècle :   si Bach nous entendait jouer sa fugue en do majeur, il serait fort surpris (serait-il surpris ?) de l'entendre en ré majeur ou en mi b majeur. On sait que certains chefs d'orchestre ont songé à transcrire la Neuvième de Beethoven en do, le diapason qui a monté rendant la tâche des choristes particulièrement difficile.   Il nous semble donc gênant de nous rallier à la « symbolique » traditionnelle des tonalités qui veut par exemple, que do majeur soit une tonalité particulièrement claire et limpide... Et quelle est la symbolique du mode ? Doit-on s'en tenir à ce sujet, aux « explications » un peu simplistes du symbolisme traditionnel ?

3. *Le nombre de voix.* Y aurait-il lieu de s'interroger sur l'intérêt, au plan symbolique, du nombre de voix d'une fugue ? Y a-t-il plus qu'une gradation qui va de la « clarté » des fugues à deux et à trois voix jusqu'à la relative « opacité » du ricercare à six voix de l'*Offrande musicale*, opacité relative d'ailleurs selon l'instrument ou les instruments chargés de la traduire (sur ce plan, l'*Offrande musicale* est particulièrement ouverte puisque, pour la plus grande partie de l'œuvre, aucun instrument n'est indiqué).

4. *L'interprète.* Catégorie particulièrement importante... et ouverte : il ne faut pas perdre de vue qu'il n'y a pas d'indications de tempo, de toucher, de régistration pour le *Clavier bien tempéré* [30]. Il ne faut donc pas se surprendre qu'un interprète puisse singulièrement modifier la portée symbolique d'une œuvre par la signification symbolique qu'il y voit et celle qu'il transmet.

Laissons notre fugue parler d'elle-même :

---

30. On sait que les compositeurs modernes, souffrant sans doute de « scientifite aiguë », cherchent à tout noter, même le *rubato* ! C'est ce qu'a fort bien remarqué Arthur Honegger dans *Je suis compositeur* (Paris, Editions du Conquistador, 1951) : « Messiaen est venu me jouer ses « *Vingt Regards sur l'Enfant Jésus* », tandis qu'on faisait mon portrait. Je gardais la pose, ce qui atténuait beaucoup la vivacité de mes réactions. Il y avait là un excellent musicien de la génération de Messiaen, Alfred Désenclos. L'une des pièces me parut être parfaitement claire et lumineuse : « Comme c'est limpide ! », m'écriai-je. A quoi Désenclos, qui suivait sur la partition, riposta : « Moi, je trouve cela bien compliqué ». — « Vous voulez rire », rétorquai-je. « Tenez, me dit Désenclos, voyez plutôt ». Et, en effet, je m'aperçus que ce que j'attribuais à une inflexion pianistique était, en fait, soigneusement noté. Ces points, ces demi-unités de valeurs donnaient au graphisme une complication extrême. L'œil s'épouvantait, quand l'oreille avait seulement perçu un morceau à trois temps, joué avec un certain *rubato*. » (p. 170-171).

FUGA I.

Et nous oserions même affirmer que la vue d'un interprète X jouant notre fugue en do majeur peut superposer une « image » qui, si accessoire soit-elle à l'œuvre, peut encore en modifier la perception, jouant ainsi le même rôle de surimpression que la biographie d'un auteur joue, entre autres, par rapport à son œuvre. Pour notre part, il nous est difficile, à l'audition du Concerto en ré mineur de Mozart, de ne pas revoir Clara Haskil, toute frêle, « s'effacer » derrière cette œuvre, véritable « symbole » de la « fragilité souveraine » du texte de Mozart, ou d'oublier à l'audition du Concerto pour violoncelle de Schumann, Jacqueline Dupré l'exécutant au Royal Festival Hall de Londres [31].

5. *L'auditeur.* En plus de toutes les « relativisations » symboliques déjà citées, ajoutons-en une : le lecteur ou l'auditeur, plus ou moins sensible à tel ou tel aspect de notre fugue en do majeur, « symbolisera » de façon différente d'un autre lecteur ou auditeur plus sensible à un ou plusieurs autres éléments de l'œuvre.

Rappelons enfin que l'œuvre dans sa totalité nous semble dépasser en signification toutes les significations attribuées à chacun des éléments analysés. Cela ne viendrait-il pas en partie du fait qu'on ne semble pas avoir encore découvert de méthode d'analyse qui permettrait de dégager non seulement la signification des éléments isolés mais celle de deux, trois et finalement de tous les éléments d'une œuvre ?

APPENDICE II

L'analyse symbolique de textes musicaux ne peut se concevoir sérieusement que comme seconde étape d'un processus qui doit nécessairement commencer par l'analyse objective de ces textes. Il existe, à notre avis, un admirable modèle d'analyse objective d'un texte musical, celle de la *Rêverie* de Schumann qu'a tentée Alban Berg dans un article intitulé « l'Impuissance musicale de la

---

31. Ce rôle de la présence physique de l'interprète peut être fort important chez l'auditeur. Nous avions été particulièrement impressionné par une interprétation du concerto pour violon de Tchaikovski au théâtre des Champs-Elysées de Paris. Quelle ne fut pas notre stupéfaction de constater lors d'une retransmission de ce concert à la radio, que l'exécution de ce concerto était d'une « malpropreté » étonnante, ce qui nous avait échappé sans doute grâce à la présence de l'interprète.

Nouvelle Esthétique de Hans Pfitzner », article publié en 1920 et traduit en français dans les *Écrits* d'Alban Berg (Monaco, Éditions du Rocher, 1950). Berg y esquisse d'abord une analyse intertextuelle de la *Rêverie* en soulignant la place centrale de ce texte dans les *Scènes d'enfants* et l'armure en bémols qui le distingue de toutes les autres pièces des *Scènes d'enfants* à l'exception d'*Au foyer*, pièce qui suit immédiatement la *Rêverie*. Berg se livre ensuite à une analyse textuelle de la *Rêverie* en soulignant certains aspects objectifs de l'œuvre tant aux points de vue mélodique, rythmique qu'harmonique.

Il n'y a qu'une réserve à formuler sur ce modèle. Berg semble voir dans les « raffinements », dans les « subtilités » que son analyse objective de la *Rêverie* permet de découvrir, la preuve de la beauté de cette œuvre, faisant ainsi montre d'un esthéticisme, à notre avis, justement dépassé :

> Plutôt que dans le nombre de ses motifs, la beauté de cette mélodie ne réside-t-elle pas dans leur prégnance exceptionnelle, dans les rapports multiples qu'ils entretiennent entre eux et dans leur emploi prodigieusement varié ? Et ne sont-ce pas là les caractéristiques d'une mélodie véritablement belle [32] ?

Les arts primitifs, entre autres, nous ont habitués à considérer comme suspecte la corrélation subtilité-beauté qui est en partie le produit d'une certaine préciosité, chère à l'esthétique occidentale, qui refuse de voir qu'elle n'est elle-même au fond qu'un misérable voile pour qui ne peut supporter le cri-coup de poing de l'expression viscérale.

JEAN LEDUC
Département d'études littéraires
Université du Québec à Montréal

---

32. Alban Berg. *Écrits*, Monaco, Editions du Rocher, 1950, p. 53-54.

Les rites insolites dans la dramaturgie d'Arrabal : en particulier **Fando et Lis**

C'est avec prudence que nous voulons tenter une interprétation de *Fando et Lis,* car nous sommes consciente de la circonspection des spécialistes. Nous ne prétendons pas résoudre les énigmes, mais en nous appuyant sur les études de Gilbert Durand [1] qui favorisent notre orientation dans l'univers des archétypes, en nous fondant sur les recherches de Mircea Eliade [2] relatives aux sociétés archaïques et à leurs religions et en nous guidant d'après les expériences de Carl G. Jung [3] et de ses collaborateurs, nous explorerons diverses possibilités d'explication.

Pour analyser ce qui a trait à l'ordre des signifiants, c'est-à-dire le discours dramatique comme tel, nous nous inspirerons de la théorie d'Antonin Artaud [4], qui précisément conçoit le signifié comme solidaire du signifiant. L'objet du théâtre consiste, selon lui, à « exprimer des vérités secrètes, à faire venir au jour par des *gestes actifs* la part de vérité enfouie sous les formes dans leur rencontre avec le Devenir [5] ». Il faudrait redonner au théâtre « son aspect religieux et métaphysique, le réconcilier avec l'univers ». Ceci « fait apparaître l'idée d'une certaine poésie dans l'espace qui se confond elle-même avec la sorcellerie [6] ».

1. Gilbert Durand, *les Structures anthropologiques de l'imaginaire,* Paris, Bordas, 1969.
2. Mircea Eliade, *Traité d'histoire des religions,* Paris, Payot, 1964. *Naissances mystiques,* Paris, Gallimard, 1959. *Le Mythe de l'éternel retour,* Paris, Gallimard, 1969.
3. Carl Gustav Jung et *al., l'Homme et ses symboles,* Paris, Port-Royal, 1964.
4. Antonin Artaud, « le Théâtre et son double », *Œuvres complètes,* Paris, Gallimard, 1964.
5. *Ibid.,* p. 106.
6. *Ibid.,* p. 106.

D'une première lecture de *Fando et Lis* émergent des dominantes étranges, espèces de « pratiques réglées de caractère sacré ou symbolique [7] », ce sont là des rites. Encore nous proposons-nous de dresser un inventaire, en vue d'une analyse, des rites insolites. Ne semble-t-il pas y avoir paradoxe entre *rite* (coutume) et *insolite* (du latin *insolitus*, radical *solere :* avoir coutume de et *in* privatif, d'où n'avoir pas coutume de) défini comme ce qui « étonne, surprend par son caractère inaccoutumé, contraire à l'usage, aux habitudes [8] » ? Il s'agira effectivement de dénoncer les anomalies dans « un geste archétypal accompli *in illo tempore* (au début de l'Histoire) par les ancêtres ou par les dieux [9] ».

Mais nous donnerons à la notion de *rites* une acception encore plus vaste. Pour l'homme des cultures archaïques les actes ne prenaient leur valeur réelle, c'est-à-dire sacrée, et ne devenaient rites que dans la répétition d'un geste primordial, lui permettant de se projeter au-delà du temps, dans l'éternité. Or la notion de sacré envahissait non seulement les rythmes lunaires, les changements de saisons, l'organisation sociale, le symbolisme spatial, mais encore la vie physiologique et la vie organique. Le rite effectivement a pour fonction de conférer à tous les gestes humains une portée spirituelle.

Le rite tel que nous l'entendrons portera sur le même contenu mais sera traité dans une optique différente. Dépourvu toutefois de son caractère sacré, il aura la force de l'incantation. Il s'affirmera par la répétition, la violence, le sadisme.

Au premier chef, *tous les personnages de Fando et Lis manifestent leur qualité d'humains par des rites.* Le dramaturge possède effectivement le sens de la cérémonie, il en fait une praxis. Pourtant, le rite ne va-t-il pas à l'encontre de l'« individuation [10] » de l'homme moderne, si pour le primitif « la répétition de l'archétype » est son unique possibilité de « devenir réel » ?

Lis incarne la conscience collective dans son expression : « Alors, ce que tu dois faire, c'est te battre dans la vie [11] », déclare-t-elle à Fando, dès le début, répétant ce qu'elle a entendu dire par les adultes sans trop en comprendre le

---

7. Définition du *rite* d'après le *Dictionnaire Robert*, Paris, Société du Nouveau Littré, 1969.
8. *Ibid.*, définition de *insolite*.
9. Mircea Eliade, *Traité d'histoires des religions*, Paris, Payot, 1964, p. 40.
10. Marie Louise von Franz, « le Processus d'individuation », *l'Homme et ses symboles* (Carl G. Jung), Paris, Port-Royal, 1964, p. 160-230.
11. Fernando Arrabal, « Fando et Lis », *Théâtre I*, Paris, éd. Christian Bourgois, 1968, p. 66.

sens. « ... Ce qui compte c'est que ça nous serve [12] », ajoute-t-elle, pareillement. À Fando qui s'émerveille de voir qu'elle trouve solution à tout, elle remarque « ... C'est que je mens en disant que j'en ai trouvé. » — « ... Mais on ne me demande jamais rien, c'est la même chose. » — « ... Personne ne demande rien. Ils sont tous très occupés à chercher la manière de se mentir à eux-mêmes. » Ainsi Lis accomplit-elle le rite commun du mensonge, en simulant la découverte de solutions. Quand Fando, irrité, lui demande où elle voit des arbres, elle répond doucement : « On dit ça, la campagne avec ses beaux arbres [13]. » Comme si cette dernière réplique avait jailli d'une bande magnétique.

De même que la manière de penser de Lis semble le reflet des « on-dit », *celle de Fando s'extériorise par le paraître ou le rite du geste :* « Si, Lis, moi je me souviendrai de toi et j'irai te voir au cimetière avec une fleur et un chien [14] », annonce-t-il dès le lever du rideau, prophétisant la fin de la pièce alors qu'il actualisera sa parole. Il promet de chanter à son enterrement, il jure ensuite, preuve de son amour, « Lis, je veux faire beaucoup de choses pour toi [15] ». Puis, « ... comme ça, c'est moi qui te promène [16] », affirme-t-il, fier de sa force. Et Lis de remémorer un autre des hauts faits de son fiancé : « ... souvent, comme tu n'avais rien à me raconter, tu m'envoyais beaucoup de papier hygiénique pour que la lettre soit volumineuse [17] ». « Veux-tu que je joue du tambour pour toi ? » demande-t-il anxieux, face au mutisme de Lis. Et plus tard, auprès des trois étrangers, qui ne daignent pas lui témoigner de considération, il insiste : « Je sais faire beaucoup de choses. Je peux vous aider si vous me parlez... je sais de jolies chansons comme la chanson de la plume. Vous allez voir ce que vous allez voir [18]. » Revenant vers Lis après sa défaite, il lui propose de se livrer à une exhibition et il s'exécute en un cocktail d'acrobaties et de bouffonneries. Il ne sera donc pas autrement étonnant de constater dans la gestuelle de Fando, à un moment donné, de la démesure, comme en témoigneraient soudain les propos de quiconque, puisque Fando agit sa parole, *n'existe que par l'agir.*

---

12. Fernando Arrabal, « Fando et Lis », *Théâtre I,* Paris, éd. Christian Bourgois, 1968, p. 66.
13. *Ibid.,* p. 69.
14. *Ibid.,* p. 63.
15. *Ibid.,* p. 65.
16. *Ibid.,* p. 68.
17. *Ibid.,* p. 72.
18. *Ibid.,* p. 83.

Quels sont maintenant *les rites par lesquels s'incarnent les trois hommes au parapluie?* À peine Mitaro, Namur et Toso existent-ils. Ils constituent une société, c'est-à-dire une somme d'individus ordonnés en vue d'un bien commun, et sont différenciés uniquement par des attitudes ou des points de vue, non par des attributs intrinsèques. Chacun s'identifie à une orientation. Toso marque le présent : « Ce qui importe, c'est de dormir [19] », — leitmotiv du deuxième tableau — et « ... Nous devons nous mettre en route vers Tar [20] », refrain du troisième tableau. Mitaro s'intéresse au passé : « D'où vient le vent [21] ? » concrétise son effort d'autorepérage, comme sa curiosité le porte à s'enquérir des expériences antérieures de Fando. — Namur représente l'avenir : « Où va le vent [22] ? » résume la précaution qu'il estime essentielle, comme « il faudra le dire à Fando » (l'annonce de la mort de Lis) l'acte nécessaire à poser. « ... ensuite, nous nous mettrons en route tous les quatre [23] » conclut-il, en forme de stéréotype d'une projection vers le futur.

Bien qu'il se rencontre souvent un décalage homologique entre les rites et les mythes dont ils se réclament [24], pour fin d'unité et de logique, nous recourrons au processus suivant : premièrement, nous signalerons un rite et ferons la description de son orchestration dans l'œuvre dramatique, en démasquant bien entendu son aspect insolite ; deuxièmement, nous tenterons de rattacher ce rite à un mythe, regroupant sous ce mythe tous les symboles concourant à sa dynamique — car « le mythe apparaît toujours comme un effort pour adapter le diachronisme du discours au synchronisme des emboîtements symboliques et des oppositions diaïrétiques [25] ».

En ce qui concerne les rites de *l'essence des actants, Fando et Lis,* la première étape du processus se trouve réalisée. Ceux-là ont été mis en relief et reconnus insolites. De quels mythes sont-ils la filiation ? Voilà ce qu'il importe maintenant de préciser. Le comportement adolescent de Fando et de Lis relie leur rite respectif : conformisme intellectuel de la jeune fille et « souci des apparences » du jeune homme, au mythe de *l'univers adulte.* Quant à la

---

19. Fernando Arrabal, « Fando et Lis », *Théâtre I*, Paris, éd. Christian Bourgois, 1968, p. 78.
20. *Ibid.*, p. 88-101.
21. *Ibid.*, p. 78-82.
22. *Ibid.*, p. 78-82.
23. *Ibid.*, p. 122.
24. Gilbert Durand, *les Structures anthropologiques de l'Imaginaire*, Paris, Bordas, 1969, p. 432.
25. *Ibid.*, p. 431.

proaïrétique de Namur, Mitaro et Fando, elle relève du mythe de la *composition d'une société,* la réduisant à trois fonctions primordiales : délibération, contestation, exécution.

> On peut identifier les images de la pensée à un rêve, qui sera efficace dans la mesure où il sera jeté avec la violence qu'il faut [26]. [...] Et le théâtre doit être un spectacle qui ne craigne pas d'aller aussi loin qu'il faut dans l'exploration de notre sensibilité nerveuse, avec des rythmes, des sons, des mots, des résonnances et des ramages dont la qualité et les surprenants alliages font partie d'une technique qui ne doit pas être divulguée [...] hors des mots, du développement dans l'espace, d'action dissociatrice et vibratoire sur la sensibilité [27].

Artaud gardait la nostalgie des mystères médiévaux mettant en scène les puissances ténébreuses pour créer du relief à la vertu. Conséquemment il désirait subjuguer le spectateur par une magie incantatoire génératrice d'effroi, d'émerveillement, d'exultation. Arrabal provoque le destin, le « fatum », dès le préambule de *Fando et Lis* : « Mais je mourrai, et personne ne se souviendra de moi [28] », prédit l'héroïne de son désert intime. Glas auquel répond le clairon de l'amour : « Si, Lis, moi Fando je me souviendrai de toi... [29]. » — « Tu m'aimes beaucoup [30] », constate Lis à cette affirmation doublée d'un serment. Et voici que le chant funèbre s'éclaircit et devient un chant d'amour.

RITE D'AMOUR DE FANDO ET LIS

Ce rite d'amour s'instaure dès le début du premier acte. Si nous en observons le déroulement, ne décelons-nous pas un élément suspect ?

Après la déclaration d'amour et le jeu, notons, en effet, l'agression et le départ au lieu de l'issue normale d'un rituel élégiaque. Le second épisode de la confrontation des amoureux provoque une nouvelle stupéfaction. Le fiancé passe encore de la sollicitude, de la tendresse, de l'anticipation du bonheur à deux, à une violence et à une brutalité sans limite. Voyons comment Arrabal

---

26. Antonin Artaud, « le Théâtre et son double », *Œuvres complètes,* Paris, Gallimard, 1964, p. 103.
27. *Ibid.,* p. 107.
28. Fernando Arrabal, « Fando et Lis », *Théâtre I,* Paris, éd. Christian Bourgois 1968, p. 63.
29. *Ibid.,* p. 63.
30. *Ibid.,* p. 64.

anime ce rite absurde et tragique. L'œuvre est dans l'axe du « théâtre de la cruauté », prôné par Artaud. Elle atteint la grandeur du théâtre grec, elle électrise et pétrifie l'auditoire. Le destin agit de l'intérieur par les pulsions de l'inconscient, alors que dans *Électre* ou *Œdipe,* il emprisonne le héros dans un labyrinthe (réseau). Si ce drame libère une telle charge émotive c'est en raison de la différence notoire de potentiel entre les instants décisifs. D'une part, l'état pathétique de la petite infirme, sa douceur, le charme de son immaturité, — « Je te crois parce que lorsque tu parles, tu ressembles à un lapin et quand tu couches avec moi, tu me permets de prendre tout le drap et tu attrapes froid [31]. » — son extrême dépendance — « Combien je regrette ma paralysie [32] ! » — se conjuguent avec l'état d'innocence un peu buté de Fando — « Je ferai un effort pour pleurer mais je ne sais pas si je pourrai [33] » — oscillant entre l'absence totale d'assurance — « Mais Lis, je ne sais pas pourquoi je dois me battre, et [...] si j'en avais la force, je ne sais pas si elle me servirait à vaincre [34] » — et les fuites occasionnelles d'hybris [35] qui le poussent à l'infatuation — « Ça n'a pas d'importance [36] » est sa façon d'accepter l'éloge —, avec les délires de Fando, oscillant entre le rêve d'un futur merveilleux et le désespoir à la crainte de ne pas être vraiment aimé — (découragé) « Non, Lis, non. Ce n'est pas comme ça. Essaye encore une fois [de dire] je te crois [37]. » — Avec cette tendresse enfantine et cette extase facile, faites de prévenances et d'exclamations [38] — « Comme tout est simple pour toi [39]. » « Que tu es intelligente, Lis [40]. » — Ce contexte est véhiculé par un langage, « direct et dru comme une volée de pierres » selon l'expression de Geneviève Serreau dans la préface, par un langage qui désaugure la poésie et la recrée, même à partir d'éléments discordants [41], d'un vocabulaire restreint, de quelques images saisissantes et fonction-

---

31. Fernando Arrabal, « Fando et Lis », *Théâtre I,* Paris, éd. Christian Bourgois, 1968, p. 65.
32. *Ibid.,* p. 68.
33. *Ibid.,* p. 64.
34. *Ibid.,* p. 66.
35. Joseph L. Henderson, « les Mythes primitifs de l'homme moderne », *l'Homme et ses symboles* (Carl G. Jung), Paris, Port-Royal, 1964, p. 130-131.
36. *Ibid.,* p. 65.
37. *Ibid.,* p. 65.
38. Roman Jakobson, *Essais de linguistique générale,* Paris, Minuit, 1963, (fonction émotive).
39. *Ibid.,* p. 66.
40. *Ibid.,* p. 67.
41. *Ibid.,* p. 67 et 72. Différence de niveaux selon les classiques, entre autre la rhétorique d'Aristote. (du sublime au grotesque). On reproche à Arrabal de se complaire dans la scatologie. Il l'utilise à dessein pour l'apprivoiser et garder à l'esprit que l'homme est bête et ange.

nelles. Cette ambiance se dégage du décor composé d'objets évoquant le monde des enfants : ballon, tambour, en même temps qu'un arsenal d'itinérants : couverture roulée, poêlon, canne à pêche, le tout attaché à une voiture d'enfant. La juvénilité, la candeur s'accompagnent également de gestes sobres et d'intonations transparentes. Tous les états d'âme filtrent en surface, l'auteur précise chaque inflexion. Il indique aussi le rythme, qui est un rythme fait de lenteur uniforme, ponctué de réflexion, de temps de silence (souligné dans le texte dix fois : il réfléchit, pause, un temps), de doux bavardages.

D'autre part, dans cette atmosphère sereine, dont l'apogée est marquée par le geste de Fando prenant Lis dans ses bras pour la promener et se livrer avec elle à un jeu d'imagination, retentit brusquement un coup de tonnerre et le paysage « blés ensoleillés [42] » passe au rouge cruel des crépuscules sanglants. C'est la chute de potentiel annoncée. Il y avait pourtant quelques oiseaux planant bas, le décor indexait outre, la fraîcheur, la décrépitude : voiture noire, vieille et écaillée avec des roues de caoutchouc épais et des rayons rouillés [43]. En outre, Lis avait déjà remémoré des souvenirs de mauvais traitements et manifesté des appréhensions : « Tu me dis que tu vas m'attacher avec une chaîne pour que je ne puisse plus bouger [44]. » Un autre indice (celui-ci sur le plan linguistique) laissait présager des points de friction, il s'agit du style d'opposition du langage, marqué par des conjonctions. L'ouverture même du dialogue : « Mais (...) et personne ne se souviendra de moi. » — « Si, Lis, moi je me souviendrai... [45]. » Un peu plus loin : « Tu me trompes toujours. » — « Non, Lis, je te dis vrai [46]. » Et le style d'opposition se poursuit : « Crois-moi, Lis. » — « Mais croire quoi [47] ? » Peu après le démenti de l'héroïne : « Non, pour moi aussi tout est très difficile », est à demi infirmé par Fando : « Mais tu trouves des solutions à tout [48]. » À l'émerveillement de Fando sur son intelligence, Lis riposte : « Mais ça ne me sert à rien, tu me fais toujours souffrir. » Il proteste encore. « Non, Lis, je ne te fais pas souffrir... » — « Si... [49]. » En dépit de ces ombres, l'atmosphère était pourtant relativement douce.

---

42. Cf. Peintures de Van Gogh.
43. Fernando Arrabal, « Fando et Lis », *Théâtre I*, Paris, éd. Christian Bourgois, 1968, p. 63.
44. *Ibid.*, p. 67.
45. *Ibid.*, p. 63.
46. *Ibid.*, p. 64.
47. *Ibid.*, p. 64.
48. *Ibid.*, p. 66.
49. *Ibid.*, p. 67.

Soudain, à une inoffensive contradiction de la part de Lis — qui n'entre pas spontanément dans la simulation de Fando — fait écho une irruption de violence sournoise, qui s'exprime par des ordres donnés sur un *ton* cassant, des *cris,* des reproches trahissant de la hargne, et par un *geste* abominable : il laisse choir brutalement la petite infirme. Celle-ci laisse échapper un *gémissement,* qu'elle compense par des efforts d'« euphémisation », suggérant même la reprise du jeu. Fando la tire lâchement par la jambe en l'insultant, tandis qu'elle se confond en humilité et en remerciements. Il l'entraîne par un bras vers la petite voiture. N'y tenant plus, *elle éclate en sanglots.* Il lui fait grief d'être un fardeau à sa charge, lui interdit de pleurer et pour comble la menace d'un abandon définitif. Elle paraît atrocement démunie et lui, sinistrement tyrannique... on en demeure sidéré.

Ce rite bizarre de l'amour s'instaure de nouveau au quatrième acte et conserve tout l'impact de l'apparition du monstre sacré, en raison de *la loi des contrastes* que nous avons découverte la première fois. La position de Lis atteint un seuil de précarité inexorable : paralysée, malade et souffrante, prisonnière d'une chaîne, elle retient la pitié au point que Fando l'implore tristement : « Ne meurs pas, hein [50] ? » Elle ne subit pas son mal, car elle se plaint. Elle n'est ni soumise, ni dupe de la sollicitude de Fando. Cette fois, c'est elle qui prend l'offensive et qui s'affiche comme la victime de son fiancé. À lui maintenant de se faire abreuver de reproches et de fondre en excuses. Il semble plus évident, en cette seconde occurrence que les oiseaux volant en rase-mottes exerçaient dès le début un pouvoir de provocation. Elle insinue, en effet : « Et puis, tu me dis toujours que tu vas me passer les menottes comme si je n'avais pas assez de la chaîne [51]. » Le rite, dans l'ensemble, revêt les mêmes caractéristiques qu'au premier acte : les réminiscences négatives alternent avec les regrets, les allusions aux sévices virtuels avec le déni, la brutalité avec le repentir. Mais alors que Lis atténuait ses remises en question par une apesanteur subite, jugulant ainsi l'agressivité de Fando, elle s'ancre résolument dans le rôle du picador, précipitant le drame, en lui imprimant une charge d'autant plus violente que Lis paraissait plus vulnérable. Le rite devient une sorte d'incantation, où Lis multiplie les allusions méfiantes, Fando les dissimulations — incantation au rythme accéléré, empreinte d'angoisse, suggérant par inversion,

---

50. Fernando Arrabal, « Fando et Lis », *Théâtre I,* Paris, éd. Christian Bourgois, 1968, p. 104.
51. *Ibid.,* p. 105.

l'excitation sexuelle. L'objet redouté « les menottes » catalyse deux désirs qui s'opposent au lieu de se conjuguer : elles sont voilées, exhibées, dissimulées. Cette phase se résout en un intermède élégiaque avec rêverie édénique. L'objet ramené en surface amorce une nouvelle phase de violence. Lis suggère les étapes de son tourment, Fando les exécute. C'est une véritable orgie : *cris, pleurs, gémissements, respiration haletante, onomatopées, coups, danse macabre,* surdéterminés par des *objets hideux* : chaînes, menottes, fouets s'opposant « au tambour ». Deux cœurs ont battu à se rompre. Le tambour est crevé, Lis meurt. Il y a du sang sur sa bouche.

> Le théâtre ne pourra redevenir lui-même, i. e. constituer un moyen d'illusion vraie qu'en fournissant au spectateur des précipités véridiques des rêves, où son goût du crime, ses obsessions érotiques, sa sauvagerie, ses chimères, son sens utopique de la vie et des choses, son cannibalisme même, se débandent, sur un plan non pas supposé et illusoire, mais intérieur [52].

Ainsi parlait Artaud. Ainsi l'entendait Arrabal. Et le théoricien avait précisé :

> C'est ici qu'intervient, en dehors du langage auditif des sons, le langage visuel des objets, des mouvements, des attitudes, des gestes, mais à condition qu'on prolonge leur sens, leur physionomie, leurs assemblages jusqu'aux signes en faisant de ces signes une manière d'alphabet. Ayant pris conscience de ce langage de l'espace, le théâtre se doit de l'organiser en faisant avec les personnages et les objets de véritables hiéroglyphes, et en se servant de leur symbolisme et de leurs correspondances sur tous les plans [53].

Arrabal a su exploiter ce langage total au profit d'évocations symboliques percutantes. Si le problème de l'interprétation en cause nous apparaît majeur, c'est que nous sentons la double polarité du symbolisme reconnue par Paul Ricœur [54] ; d'une part, le niveau d'interprétation archéologique des herméneutiques, qui plonge dans le passé biographique, sociologique, philogénétique, alors on pratique avec Freud, Lévi-Strauss, Marx une démystification ; d'autre part le niveau d'interprétation eschatologique, rappel à l'ordre essentiel, interpellation de l'ange, où l'on remythifie avec Eliade, Bachelard, etc. À la suite

---

52. Antonin Artaud, « le Théâtre et son double », *Œuvres complètes*, Paris, Gallimard, 1964, p. 109.
53. *Ibid.*, p. 107.
54. Gilbert Durand, *l'Imagination symbolique*, Paris, P. U. F., 1964, p. 106.

de Gilbert Durand et aussi de Jung nous puiserons aux deux niveaux. Demandons-nous de quel mythe pourrait bien se réclamer le rite d'amour de Fando et Lis ? Peut-être, celui de Dionysos [55], si nous considérons l'ivresse mentale de Fando comme l'état préalable à la révélation des mystères de l'initiation sexuelle. Celui d'Orphée [56] offrirait sans doute un meilleur appui, car alors le sacrifice du monstre pour délivrer Eurydice serait homologué par l'anéantissement chez Lis de l'infirmité et de la maladie afin de la promouvoir à un amour éternel. Des mythes plus modernes et dérivés, à une immense distance des mythes cosmogoniques de l'union primordiale Terre-Ciel [57], ou Déméter et Jason [58], s'apparentent probablement davantage au rite d'amour de *Fando et Lis*. Ce pourrait être Tristan et Iseult, Pâris et Hélène de Troie, Dante et Béatrice, Paul et Virginie, Jocelyn, Moïra et son prince, et pourquoi pas Roméo et Juliette, comme le suggère Arrabal lui-même [59] ? La liste de ces mythes pourrait progresser à l'infini. Ils ont des correspondances respectives en ce sens qu'ils témoignent d'un destin amoureux tragique. L'amour ne peut s'épanouir en raison de la mort de l'un des protagonistes ou des deux. L'obstacle qui fait passer de l'hymen au trépas, comme disaient les Romains, est de nature diverse, allant de la censure : conscience ou tabou — c'est-à-dire l'interdit familial ou national — jusqu'à l'anomalie sexuelle. En raison de la diversité des causes de tribulations changeant le rite d'amour en rite funèbre, ces mythes procèdent d'ensembles symboliques distincts. Afin de pouvoir élucider la question, l'occasion serait idéale pour instaurer la démystification de nous référer au niveau d'interprétation classé par Ricœur comme *archéologique*.

Un sondage de la *biographie* de l'auteur rappelle cette atmosphère de silence, de ténèbres, cette mystique scabreuse dans laquelle il a baigné. Les questions sur les mystères de la nature demeuraient sans réponse, l'exemple lui révélait les relations d'amour avec Dieu liées au masochisme et occasions de sadisme (*via la tante*), et d'érotisme trouble. L'amour était confondu avec la souffrance, et le sexe faisait figure honteuse dans un univers où l'aspect érotique était en exil. Cette façon d'entrevoir l'amour aurait pu amener des déviations sexuelles. Elle ouvrait du moins la voie à un écrivain qui en réfléchirait les

---

55. Joseph L. Henderson, « les Mythes primitifs et l'homme moderne », dans Carl G. Jung, *l'Homme et ses symboles*, Paris, Port-Royal, 1964, p. 141.
56. *Ibid.*, p. 141-148.
57. Mircea Eliade, *Traité d'histoire des religions*, Paris, Payot, 1964, p. 209.
58. *Ibid.*, p. 224.
59. Alain Schifres, *Arrabal*, Paris, éd. Pierre Belfond, 1969, p. 119.

stigmates en temps opportun. Si l'on conjugue ces circonstances avec le fait qu'Arrabal, jeune homme se croyait horriblement laid et redoutait le ridicule, particulièrement les moqueries des jeunes filles, on ne s'étonne pas de trouver chez ses personnages masculins une appréhension pathologique des relations avec la femme. Fando comme Lis, au point de vue comportement, sont des incarnations de ce passé. Joie et souffrance se confondent chez eux inextricablement. Fando jouit du mal qu'il inflige à Lis, son grand amour. Il éprouve du plaisir à la battre, peut-être est-il même responsable de son infirmité. Il vit au niveau de l'éros les transes et l'agonie de sa fiancée. Celle-ci, bien qu'elle redoute la souffrance l'appelle et en jouit, seule façon pour elle de se sentir posséder, de réaliser sur le plan physique le don de sa personne.

Si nous recherchons à présent la genèse sociologique, de ce rite bizarre nous percevrons l'écho de cette Espagne troublante. Rappelons-nous que les oraisons de même que les cérémonies religieuses impliquaient la manifestation de sacrifices, comportaient le déploiement d'instruments de torture et d'humiliation : chaîne, croix, cilice, fouets, etc. En conséquence, l'amour mystique se révélait inséparable des douleurs. D'autre part, dans l'Espagne d'alors comme dans celle d'aujourd'hui, l'État contraignait l'individu à dénoncer et à livrer l'être le plus cher à l'incarcération et à la mort. On consacrait ainsi la dualité amour-souffrance.

Que nous révélerait maintenant l'aspect philogénétique ? L'inventaire de l'œuvre d'Arrabal jette une lumière vive sur les motifs possibles de ce rite d'amour.

Dans le Grand Cérémonial, dont le héros Cavanosa, ainsi que le suggère Bernard Gille [60], pourrait être Fando plus jeune, c'est la crainte de l'impuissance — conséquemment la peur de l'acte sexuel — qui précipite le passage du jeu érotique au meurtre. Le lien maternel se resserre au lieu de se rompre, car cette mère possessive envoûte son fils et le castre psychologiquement.

La Cérémonie pour un Noir assassiné met de nouveau en scène un rite d'amour accompagné d'un chant funèbre, mais qui procède alors d'une horreur du sexe. L'accomplissement sexuel y est perçu comme une malheureuse déviation de l'amour noble, une perversion, comme une transgression du code moral. Vincent et Jérôme sont épris de Luce.

---

60. Bernard Gille, *Arrabal*, Paris, Seghers, 1970, p. 75.

« Notre amour est sincère », médite le premier, « et on ne peut rien faire de *mal* avec elle. Mais elle apprécierait sûrement d'avoir des amants grands et beaux qui lui feraient des choses laides. Des amants avec des lances et des fenêtres brisées qui provoquent sa pluie et sa braise [61] ».

Il insiste encore : « Elle nous a nous, pour l'aimer avec le cœur, mais le reste lui manque [62]. » Ils imaginent donc de confier cette mission ténébreuse à François d'Assise. Le choix du nom est significatif. Symboliquement, par le medium d'un saint ils lavent la souillure attachée à l'acte. Ils vont même au-delà, ils ajoutent un nouveau rite de purification, assassinant François, martyr dont le sang conjurera le mal. Cette œuvre présente en outre un complexe sanguinaire de l'adolescence lié à l'érotisme, car les deux jeunes gens laissent entendre qu'ils ont antérieurement immolé une enfant qu'ils aimaient et Jérôme compose l'état de ravissement que lui procure la vue de Luce endormie avec une morbide envie de lui couper la gorge. — Au lieu, comme dans le mythe de la Belle et la Bête, de prendre conscience de l'amour humain dissimulé sous la forme animale mais authentiquement érotique, et « de sortir d'une vertu exclusive et irréelle [63] », ils se soustraient à l'initiation. Ou plutôt, ils font leur initiation à rebours. En effet, refusant d'assumer totalement leur humanité, en particulier le sexe, et d'accepter l'ombre [64] ils immolent l'objet de leur amour, empêchant ainsi ce sentiment de réaliser son pouvoir.

Le Cimetière de voitures ne présente pas comme les œuvres citées précédemment, la substitution d'un rite de mort à un rite d'amour, mais on pourrait y trouver en quelque sorte une isologie du même phénomène. On l'observerait cette fois à la périphérie. Car, contrairement aux drames antérieurs, les relations sexuelles sont la réponse à un besoin de la nature au même titre que l'alimentation et le logement. L'amour chez le commun des habitués du *Cimetière de voitures* est réduit à un produit de consommation, seule manifestation d'amour que condamne le dramaturge [65] du reste. Milos, par défaut de virilité, détruit l'image de l'amour en contraignant celle qu'il aime à se prostituer, meurtre

---

61. Fernando Arrabal, « Cérémonie pour un Noir assassiné », *Théâtre III*, Paris, éd. Christian Bourgois, 1969, p. 204.
62. *Ibid.*, p. 204.
63. Joseph L. Henderson, « les Mythes primitifs et l'homme moderne » (Carl G. Jung) *l'Homme et ses symboles*, Paris, Port-Royal, 1964, p. 138.
64. Marie-Louise von Franz, « le Processus d'individuation », dans Carl G. Jung, *l'Homme et ses symboles*, Paris, Port-Royal, 1964, p. 168-176.
65. Alain Schifres, *Entretien avec Arrabal*, Paris, éd. Pierre Belfond, 1969, p. 75.

symbolique cette fois. Et à la jouissance sexuelle est substitué le plaisir du voyeur, la complaisance dans l'humiliation de l'homme trompé et la réduction en esclavage de sa partenaire.

Dans *Une tortue nommée Dostoïevski*, l'amour ne peut trouver encore son épanouissement par suite de la séparation violente des amants, une tortue géante ayant avalé le mari. C'est l'incarnation du mythe de Jonas [66] avec cette nuance que le héros ne fait pas que retrouver l'abri et le bien-être du ventre maternel, mais il y atteint sa transcendance, c'est-à-dire la totalité de sa psyché, l'union du *soi* au *moi*, par une espèce de révélation mystérieuse. Plutôt que de parvenir à son individuation, par la médiation de la femme dans l'amour réalisé, il y atteint seul tandis que sa femme meurt de désespoir.

L'Architecte et l'empereur d'Assyrie expose, comme la pièce précédente, l'échec de la consommation de l'amour par la fuite du mari. Ce dernier, assassin, se soustrait à la justice par l'exil. Chez lui, il s'agit d'une difficulté à libérer son anima [67]. Il lui est impossible de trouver pour elle une issue au labyrinthe maternel. Cet aspect déficient de sa personnalité, qui l'a empêché de connaître vraiment l'amour avec sa femme, est mis à jour dans les navrantes parodies de la femme que l'empereur joue devant l'aborigène. Ses divagations de mythomane, les portraits qu'il peint de sa mère et de son épouse trahissent cruellement son problème.

La Communion solennelle propose une réflexion à une pucelle. Rite d'amour ne s'identifiera-t-il pas pour elle à rite de mort ? Ne sera-t-elle pas encline à s'évanouir, tel l'adolescent de la mythologie qui avait été témoin de l'union du dieu Isis au cadavre d'Osiris [68] ? Tandis qu'une aïeule prépare sa petite-fille à la communion solennelle, cette dernière est initiée aux mystères de la nature par un schizophrène, exhibitionniste se livrant à la nécrophilie. Par suite d'une superposition inconsciente la grand-mère — qui confond l'ordre naturel et le surnaturel, de même que le plan de la responsabilité et celui de la sexualité — institue l'inventaire des fonctions de l'épouse au lieu de celles de la jeune chrétienne. Elle escamote par surcroît dans ses propos l'aspect érotique, en dépit des inquiétudes de la fillette au spectacle dont elle

---

66. Gilbert Durand, *les Structures anthropologiques de l'imaginaire*, Paris, Bordas, 1969, p. 234.
67. Marie-Louise von Franz, « le Processus d'individuation », dans Carl G. Jung, *l'Homme et ses symboles*, Paris, Port-Royal, 1964, p. 177.
68. Mircea Eliade, *Traité des religions*, Paris, Payot, 1964, p. 128.

est témoin. Cet abstentionnisme associé à la fermeture du cercueil sur la morte et le maniaque concourent à l'identification des rapports sexuels avec la morbidité et la mort.

De *Guernica* émane une impression d'impuissance de l'amour à conjurer la mort. C'est un rite de faibles velléités d'un homme amoureux pour arracher à l'ensevelissement celle qui l'adore. Le manque de virilité empêche l'amour d'irradier protection, défense, salut.

Dans *les Deux Bourreaux,* l'amour trahit et s'il n'occasionne pas la mort, il concourt sadiquement à l'aggravation de la souffrance, en l'occurrence celui d'une femme à l'endroit de son mari. Conséquemment, la conjoncture amour-mort s'opère par la trahison, l'infliction personnelle de cruautés et pour comble l'incitation de ses deux fils à des gestes analogues contre leur père.

Nous pourrions faire le tour des œuvres d'Arrabal et y trouver toujours la dualité Eros et Thanatos. Nous nous limiterons à l'une de ses dernières œuvres mise en scène à Paris en 1970 : *le Jardin des délices.* Cette pièce, très complexe et extrêmement intéressante sur le plan symbolique, livre une orgie où le sadisme atteint son apogée. Homosexualité, sodomie, anthropophagie déchirent les personnages. Le rite d'amour y est une profanation scandée d'abominables cris et gestes. Tout y est confondu : sentiment, sexualité, souffrance, cruauté, mort. La jouissance sexuelle s'y trouve à la fois exorcisée et « reluciférisée ». Arrabal ne dompte même plus le monstre de l'ombre. Il l'accepte et, se réconcilie avec cette partie de l'humain, la laisse proliférer démesurément et submerger l'esprit.

Le rite d'amour présente en général dans la dramaturgie d'Arrabal ce caractère insolite à cause de l'incapacité de l'homme à se réaliser sur le plan sexuel, impossibilité pour lui d'atteindre à sa virilité. Peur du sexe ou crainte de l'impuissance sont des manifestations d'angoisse trouvant leur origine dans le complexe d'Œdipe, dans l'aliénation par une mère dévorante, nouvelle incarnation de la Terre mère, « chez qui le ventre digestif et sexuel sont en symbiose [69] ». Sur le plan de l'individuation, c'est le fait d'un être qui ne peut arriver à la transcendance [70] parce qu'il est inapte à libérer son anima. Étant incapable

---

69. Mircea Eliade, *Traité d'histoire des religions*, Paris, Payot, 1964, p. 221.
70. Marie-Louise von Franz, « le Processus d'individuation », *l'Homme et ses symboles,* dans Carl G. Jung, Paris, Port-Royal, 1964, p. 196-211.

d'aimer en adulte, c'est-à-dire d'assumer la pulsion du désir, il ne pourra pas se réaliser dans l'amour, d'où l'apparition de déviations. À l'acte sexuel sera substituée la mort, ou dans cet ordre ses équivalences : avalement, fuite, cécité, trahison. Enfin il y aura, antithèse déconcertante, libération totale dans une absolue perversion.

Par ailleurs, si l'on revient à *Fando et Lis*, après ce tour d'horizon, on pourrait expliquer l'issue dramatique du rite d'amour par les motifs que nous avons cités de façon générale mais l'ambivalence de la libido signalée par Platon dans le Banquet [71] — Éros étant désigné comme fils de Ressource et de Pauvreté — permettrait une nouvelle version tout aussi plausible. Alcibiade, y souhaitait l'anéantissement de celle qu'il aimait. État d'âme confirmé du reste par l'évolution d'un fait mythologique connexe : la Vénus romaine, Vénus libitina (de *libitum*, désir) s'est graduellement mutée en déesse des funérailles. Freud pourtant différencie une libido purement hédonique « d'un instinct de mort [72] ». Cette dichotomie n'est cependant pas constante, puisque « la libido s'empare des instincts de mort pour les projeter sur l'objet du désir dans le sadisme » — l'instinct de mort étant le désir de retourner à l'inorganique. « L'amour peut, effectivement, tout en aimant, se charger de haine ou de désir de mort, tandis que réciproquement la mort pourra être aimée en une sorte d'*amor fati* qui imagine en elle la fin des tribulations [73]. » Ainsi Fando a pu projeter sur Lis le désir de mort, confondant le procès d'attraction temporel et le désir d'éternité dans son ambivalence entre « la pulsion aveugle et la volonté de suspendre le destin mortel [74] ». D'autre part, Lis, qui provoqua résolument Fando malgré la douleur et l'appréhension des tortures, ne paraît-elle pas subir l'attraction de l'autre pôle de la libido, chérissant la mort — anticipation du terme des épreuves ? Selon Jung l'énergie libidinale affecte trois aspects différents. Tantôt elle « ne tolère de la pulsion que son agressivité mâle [75] » ; — en d'autres instances, elle valorise la projection féminine avec incurvation vers la régression, tel chez Cavanosa du *Grand Cérémonial* ; tantôt, le désir d'éternité semble vouloir organiser « l'énergie vitale en une liturgie dramatique qui totalise l'amour, le devenir et la mort [76] ». C'est la convergence d'Eros, Chronos et Thanatos.

---

71. Gilbert Durand, *les Structures anthropologiques de l'imaginaire*, Paris, Payot, 1969, p. 222.
72. *Ibid.*, p. 222.
73. *Ibid.*, p. 222.
74. *Ibid.*, p. 223.
75. *Ibid.*, p. 222.
76. *Ibid.*, p. 224.

Cette troisième perspective conçue par Jung transcende le désir érotique, de même que le désir de régression, qui sont des pulsions freudiennes. Elle ouvre sur l'eschatologique et rejoint la voie de convergence des herméneutiques privilégiées par Ricœur. Celle-là « médite la récollection du sens vendangé dans toutes ses redondances en une épiphanie instaurative [77] ». Il n'est pas prouvé qu'Arrabal ait cherché à déboucher sur l'éternité, mais il demeure acceptable de retenir l'hypothèse de l'espérance. Lis qu'appelle, en dépit de l'effroi, la tyrannie et l'inconnu tragique de la mort, s'appuie sur l'intuition d'une transfiguration. Elle se préoccupe moins, semble-t-il, de mettre un terme à ses tourments physiques et à la lassitude de vivre diminuée, que d'atteindre un bien suprême. Sa poursuite de Tar constitue l'objectif de sa vie. Il suffit de se reporter au texte pour juger à quel point elle y attachait d'importance et combien Fando déployait son activité pour y tendre. Déçue, elle a pris conscience que l'espoir ne tient pas. Elle a reconnu le mythe. Échapper au temps sacré (celui du mythe), abolir le temps profane, peut-être entreverra-t-elle le bonheur dont elle est assoiffée ? Spontanément, elle substitue au voyage initiatique l'initiation totale [78] par la mort. C'est l'attrait de la pénétration des mystères. C'est l'accès à la transcendance, où le *moi* se confondrait avec le *soi*, symbole de totalité de la psyché [79]. C'est le dépassement des obstacles à l'amour.

Parallèlement au rite insolite de l'amour de *Fando et Lis* se grave en contrepoint un rite non moins bizarre, celui de la circonscription de Lis.

RITE DE LA CIRCONSCRIPTION DE LIS

Le rideau se lève sur un décor comportant une voiture d'enfant et la présence d'une jeune fille aux deux jambes paralysées. Celle-là est confinée de ce fait à la voiture ou aux bras de celui qui l'aime, dans ses déplacements. Elle n'éprouve aucune velléité de lui échapper. Ce serait d'ailleurs irréalisable. Et pourtant, plus Fando lui manifeste d'amour, plus il l'encercle. Alors que déjà ses jambes la clouent sur place, il lui retire toute possibilité de mouvement. Les étapes du rite sont progressives jusqu'à ce que l'héroïne soit totalement liée et impuissante.

---

77. *L'Imagination symbolique*, Paris, P. U. F., 1964, p. 106.
78. Mircea Eliade, *Naissances mystiques*, Paris, Gallimard, 1959, p. 268-269.
79. Joseph L. Henderson, « les Mythes primitifs et l'homme moderne », dans Carl G. Jung, *l'Homme et ses symboles*, Paris, Port-Royal, 1964, p. 151.

À l'image du rite d'amour, le rite de la circonscription s'organise également en un rituel répétitif comportant trois temps. Premièrement, Lis agite un phantasme qui l'obsède : « ... Tu me dis que tu vas m'attacher avec une chaîne pour que je ne puisse pas bouger [80]. », rappelle-t-elle. En un deuxième temps, Fando allègue ses bonnes intentions, et projette le mirage de Tar en guise de diversion : « ... Quand nous serons arrivés à Tar, je t'amènerai voir la rivière [81]. »

Il jure de son dévouement jusqu'à l'utopie : « J'aurai des enfants, comme toi aussi [82]. » Et il invente un jeu pour elle. Mais dans un troisième temps, il devient nerveux et se fait bourreau. Cette issue est laissée à l'imagination du spectateur lors de la première phase du rite de circonscription. Seule la mise en scène marque le troisième temps : « Une grosse chaîne de fer attache un des pieds de Lis à la petite voiture [83]. » En ce cas, le décor ne crée pas de redondance du geste et du discours mais joue le rôle d'informants [84]. La nouvelle étape de l'aliénation progressive de Lis est ainsi amorcée : « Qu'est-ce que tu portes dans ta poche [85] ? » annonce la hantise des menottes (premier temps) ; « Non, Lis je ne te les passerai pas [...] Je t'aime beaucoup [86] » et l'évocation de Tar et son auréole de rêve, marquent encore cette fois la dissimulation accompagnée de promesses mirifiques (deuxième temps). Il propose de nouveau un jeu, ce sera son tambour et ses chansons. Puis, soudain la nervosité le gagne, il s'exécute en un geste ostentatoire : « Donne-moi tes mains [87]. » Il lui passe les menottes. — La troisième et dernière phase du rite ne saurait apporter de progression dans la réduction de la liberté physique, mais elle marque une apogée — coïncidant pour ainsi dire avec celle de l'œuvre. C'est une condensation des stades de la tyrannie (le rite dans le rite), la vérification odieuse de la réussite : « Traîne-toi [88] ! » Et, « Fando la regarde, palpitant d'émotion [89] » (selon les indications du metteur en scène).

---

80. Fernando Arrabal, « Fando et Lis », *Théâtre I*, Paris, éd. Christian Bourgois, 1968, p. 67.
81. *Ibid.*, p. 67.
82. *Ibid.*, p. 68.
83. *Ibid.*, p. 73.
84. Roland Barthes, « Introduction à l'analyse structurale des récits », *Communications*, no 8, Paris, Seuil, 1966, p. 11.
85. Fernando Arrabal, « Fando et Lis », *Théâtre I*, Paris, éd. Christian Bourgois, 1968, p. 107.
86. *Ibid.*, p. 107.
87. *Ibid.*, p. 112.
88. *Ibid.*, p. 112.
89. *Ibid.*, p. 113.

Ce rite évoque des séances de chamanisme tant il est cadencé, tantôt projeté, tantôt retenu, de plus en plus violent, à la fois conjurable et inéluctable. Il ensorcelle, gagnant la connivence du spectateur dans une flambée de sadisme. Aux suppliques, aux pleurs répondent des cris, des intonations cruelles. Les gestes de mystification, de désinvolture, de repli atteignent un point culminant avec l'arrêté du tyran. Le mouvement de Lis, sous la coercition de Fando — recherché comme vérification d'inertie achevée — comporte une dynamique farouche malgré son avortement. Les objets, que nous avons évoqués, donnent à ce rite une dimension sensorielle douloureuse.

À quel mythe pourrait s'apparenter ce rituel très curieux ? Nous songeons d'abord à celui d'Ouranos [90], rapporté par Eliade. Ce dieu céleste procréait des monstres ne ressemblant en rien aux êtres peuplant la terre. Comme il concevait à leur endroit haine et horreur, il s'empressait de les lier avant de les enfouir dans Gaïa, la Terre, jusqu'au jour où l'un de ses descendants, Kronos, réussit à le castrer. Un autre mythe, celui de Varuna [91], servirait d'origine au rite qui nous intéresse. Les textes védiques considèrent Varuna comme un « dieu lieur ». Il est d'ailleurs toujours représenté une corde à la main. Maître par excellence de la *mâyâ*, du prestige magique, il exerce sa souveraineté, son pouvoir de dominer l'univers en liant, comme le suggère Dumézil. Cette faculté que déjà son nom trahit se trouve encore accentuée par les influences chtonienne et lunaire.

Si nous nous reportons au mythe d'Ouranos, nous suggérons deux interprétations du rite de la circonscription. Dans la première interprétation, Fando, ne pouvant supporter davantage les diminutions [92] de Lis, tenterait inconsciemment pour les réduire, de lier tels des monstres, infirmité et maladie. La seconde hypothèse, trouverait son fondement, à la fois dans ce mythe et dans les autres œuvres d'Arrabal, déjà évoquées. Le héros lierait la chair, qui lui inspire une crainte sacrée ou dont il refuse la réalité en vue d'un amour platonique considéré comme plus noble.

D'autre part, le mythe de Varuna permet de considérer une troisième perspective découlant du discours même de l'œuvre. Tel Varuna, Fando chercherait à exercer son pouvoir sur Lis. À défaut de moyens de séduction adé-

---

90. Mircea Eliade, *Traité d'histoire des religions*, Paris, Payot, 1964, p. 74-75.
91. *Ibid.*, p. 71.
92. Teilhard de Chardin, *le Milieu divin*, Paris, Seuil, 1957, p. 80-86.

quats, il s'affirmerait par la force. Comment inspirer la confiance avec tous ses « Je ne sais pas [93] ? » Comment s'attirer l'admiration alors que sa personnalité est si limitée ? « Je chanterai que c'est joli un enterrement [...] dont l'air est si facile à retenir [94] », déclare-t-il. — « J'en inventerai d'autres (chansons) beaucoup plus belles [...] dans lesquelles je parlerai non seulement de plumes, mais aussi (il réfléchit) de plumes d'oiseaux et aussi de ... plume d'aigle et aussi ... et aussi [95] ... » La faiblesse de son inspiration ressort encore du subterfuge de la lettre épaisse, à laquelle nous avons déjà fait allusion. Fando n'arrive pas non plus à apporter la sécurité à la jeune paralysée. Elle se sent lamentablement à sa merci, le suppliant de ne pas la faire souffrir [96], l'implorant de ne pas l'abandonner : « Non, Fando, ne m'abandonne pas, je n'ai que toi au monde [97]. » En raison de toutes ses lacunes, Fando parie pour la force. Il va tenter de s'approprier Lis par les contraintes physiques de l'encerclement. Sachant qu'elle a besoin de lui, il lui importe encore davantage de la savoir sienne, à défaut d'être assuré de son amour. La coercition s'affirme progressivement d'abord sur le plan psychologique : Fando, négligeant de convaincre, arrache de force un aveu de confiance. De même, il contraint Lis, même par jeu, à voir des fleurs. Cette impulsion parcourra tout le drame jusqu'à l'aliénation définitive.

Le rite de la circonscription, l'un des plus fascinants, mériterait une étude psychanalytique approfondie. Nous suggérons sur ce plan une dernière interprétation. Fando, par projection, ne tenterait-il pas de rendre Lis impuissante, lui qui ne peut se réaliser sur le plan sexuel ? N'ayant pas liquidé le complexe d'Œdipe, il projetterait sur Lis sa propre dépendance maternelle (même si l'objet est absent) en la rendant parallèlement dépendante de lui. *Le Grand Cérémonial* suggère ce point de vue. Cavanosa poussait bien au-delà ce rite insolite. Non seulement il liait l'héroïne, mais il la réduisait en esclavage, la soumettant à cette mère pieuvre de laquelle il ne parvenait pas à s'affranchir.

Nous avons tâché de dissiper l'énigme relative à ce rite sadique après en avoir marqué les tournants et lui avoir trouvé des antécédents mythologiques. Un autre rite capital donnant à *Fando et Lis* son unité, conférant à cette œuvre une valeur de transposition chargée de poésie, c'est le voyage vers Tar.

---

93. Fernando Arrabal, « Fando et Lis », *Théâtre I*, Paris, éd. Christian Bourgois, 1968, p. 64, 4 fois.
94. *Ibid.*, p. 64.
95. *Ibid.*, p. 110.
96. *Ibid.*, p. 101.
97. *Ibid.*, p. 70.

RITE DU VOYAGE VERS TAR

Mobile de tous les personnages, il sous-tend le dynamisme de la pièce, il en est l'un des principaux ressorts dramatiques. Voyage bizarre sans but énoncé, sans itinéraire précis, réalisé avec des moyens dérisoires : véhicules symboliques, absence d'instruments de repérage. Le fait tellement insolite suggère le mythe. Il se caractérise effectivement par un projet, une mise en marche, un perpétuel retour au point de départ. Quelle est son organisation dans le discours littéraire ? Pour Lis, aller à Tar marque l'expression de la volonté. Tout son être y converge, comme le révèle le comportement de Fando, mais elle ne le verbalise qu'une seule fois, laconiquement, sans projection de rêve : je désire « que nous nous mettions en route pour Tar [98] ». Fando, plus expansif, laisse chanter son rêve. Le mirage comporte une rivière, il possédera une barque [99]. Il offrira à Lis des merveilles : « Les cafards, les scarabées, les papillons, les petites fourmis, les crapauds [100]. » Il se dépassera, trouvant l'inspiration musicale [101]. Bref, ils seront heureux, il en a la certitude, même s'il désespère en plusieurs occasions d'y arriver. La poursuite de la ville fantôme, en ce qui a trait aux trois hommes, équivaut à une entreprise pragmatique datant de plusieurs années, dont l'issue demeure possible si personne n'y est encore parvenu [102]. Dans un décor absolument nu, s'accomplissent haltes et départs avec seule variable, l'heure : jour ou crépuscule. Les modes de déplacement respectifs mettent en scène deux objets illusoires : Lis voyage dans une voiture d'enfant, à la fois abri, contenant tout leur bien, et véhicule ; les hommes se meuvent sous un parapluie, maison et signe de locomotion. Les gestes qui accompagnent parole et dispositif scénique dans la présentation de ce rite consistent pour Fando à sortir Lis de son landau avec précaution, à la déposer par terre, à l'entourer de soins, à chaque halte. L'installer et pousser la voiture est le rituel de chaque départ pour une nouvelle étape. Namur, Mitaro et Toso exécutent un cérémonial clownesque [103] : flairant le sol, mouillant un doigt, maintenant à l'état de velléité la recherche des points cardinaux, et se groupant pour dormir sous le parapluie. Si le bivouac est complexe, le signal du départ consiste à mouvoir

---

98. Fernando Arrabal, « Fando et Lis », *Théâtre I*, Paris, éd. Christian Bourgois, 1968, p. 71.
99. *Ibid.*, p. 67.
100. *Ibid.*, p. 109.
101. *Ibid.*, p. 110.
102. *Ibid.*, p. 85.
103. *Ibid.*, p. 77-78.

leurs six jambes propulsant la mince carapace sous laquelle ils se sont réunis [104]. Le rite, à la répétition, s'amplifie quand les cinq voyageurs optent en faveur de la solidarité. Pour mettre en relief l'absurdité de leur démarche et en particulier de leur raisonnement, voici la constatation de Mitaro : « Vous êtes en de meilleures conditions que nous. Vous avez une petite voiture. Ça vous permet d'aller mieux et plus vite [105]. » Fando reprend naïvement l'argument : « Oui, j'ai une bonne avance sur eux [...] mais j'ai la petite voiture [106]. » Nous serions privés d'un signifiant très particulier si nous omettions dans ce rite, le « métarite », c'est-à-dire l'événement qui se raconte lui-même : « Veux-tu que je te raconte de jolies histoires, comme celle de l'homme qui conduisait une femme paralytique à Tar dans une petite voiture [107] ? » propose Fando. Et : « Tu l'as fait pleurer comme si c'était un homme qui aille à Tar avec une femme dans une petite voiture [108] », reproche Mitaro.

Cet emboîtement du récit ferait de ce dernier, s'il ne constituait déjà un archétype, un mythe, celui de « l'éternel retour [109] ». Il est fondé sur la recherche du « centre », et sur la maîtrise du temps par la répétition. Ce mythe se retrouve chez les primitifs comme dans toutes les civilisations et dans la littérature, qu'il s'agisse de la quête du Saint-Graal, de la Toison d'Or ou de la légende d'Ulysse. De nombreux chercheurs, parmi lesquels nous pourrions signaler Lévy-Bruhl, P. Mus, Radcliffe-Brown, Eliade se sont penchés sur son étiologie. L'analyse des faits permettrait d'en articuler ainsi le symbolisme : au centre du monde, il y a la « Montagne sacrée» rencontre du Ciel et de la Terre. Or toute ville sacrée est assimilée à une « Montagne sacrée », et par elle passe l'*axis mundi* puisqu'elle se trouve au centre cosmique [110]. Mais d'où vient la notion d'espace sacré, sinon de l'idée de répétition de l'hiérophanie primordiale. La consécration d'un territoire, d'une nouvelle ville s'opère par analogie avec la création de l'homme et des mondes, par la répétition du geste souverain. D'après la tradition mésopotamienne, l'homme a été façonné au « nombril de la terre [111] ». De même le paradis où Adam fut tiré du limon se trouve au centre du Cosmos,

104. Fernando Arrabal, « Fando et Lis », *Théâtre I*, Paris, éd. Christian Bourgois, 1968, p. 102.
105. *Ibid.*, p. 86.
106. *Ibid.*, p. 104.
107. *Ibid.*, p. 68.
108. *Ibid.*, p. 89.
109. Mircea Eliade, *le Mythe de l'éternel retour*, Paris, Gallimard, 1969, p. 17-22.
110. *Ibid.*, p. 17-22.
111. *Ibid.*, p. 23.

« sur une montagne plus haute que toutes autres », selon une croyance syrienne [112]. La création, c'est-à-dire l'acte cosmogonique, le passage du chaos au cosmos est donc effectué à partir d'un centre. Et dans ce lieu, l'hiérophanie se répète devenant une source intarissable de force et assurant à celui qui y pénètre la communion à cette sacralité. Dès lors cette quête acharnée d'un centre ainsi valorisé, symbole d'immortalité, fontaine de Jouvence n'a rien d'étonnant. Que l'itinéraire en soit ardu, l'accès bien gardé — la fonction du labyrinthe dans les rites d'initiation visait la défense d'un centre — en rend la poursuite plus fascinante. Il n'est qu'à songer aux circonvolutions compliquées du temple Barabudur, aux pèlerinages aux lieux saints : La Mecque, Hardwar, Jérusalem, aux tribulations des expéditions héroïques : luttes contre les monstres, égarements dans des dédales invraisemblables [113]. Le combat des épreuves, l'accomplissement du voyage est assimilable à une initiation. Pour Éliade, il représente surtout « un rite de passage du profane au sacré, de l'éphémère et de l'illusoire à la réalité et à l'éternité, de la mort à la vie, de l'homme à la divinité [114]. Le point de vue d'Henderson, commentateur de Jung, diffère essentiellement. Selon lui, l'initiation serait un processus d'individuation, visant à libérer l'homme en assurant « l'union du conscient et des contenus inconscients de son esprit, pour engendrer la fonction transcendante de la psyché [115] ». Que l'on opte pour une interprétation ou une autre, « le rite consacre l'abolition du temps profane et la projection de l'homme dans le temps mythique », c'est-à-dire dans cet *illo tempore* ou *ab origine* du geste accompli pour la première fois par un dieu ou un ancêtre [116].

Tar symbolise bien cet *omphalos*, ce nombril du monde, que l'on ne sait comment atteindre. Un labyrinthe imaginaire l'entoure puisqu'on évolue vers la ville sacrée par des déplacements cycliques, perpétuel échec dans la douleur et la mésentente. Elle incarne la nostalgie du Paradis. Elle illustre l'ambivalence des espaces sacrés ouvrant sur la vie comme sur la mort. Peut-être l'immolation sacrificatoire de Lis en vaudra-t-elle l'accès à Fando ?

Le « rite de voyage » vers Tar met à jour par son contenu et sa poésie des afflux de l'inconscient d'Arrabal dont *Fêtes et rites de la confusion* recélait

---

112. Mircea Eliade, *le Mythe de l'éternel retour*, Paris, Gallimard, 1969, p. 319.
113. *Ibid.*, p. 30.
114. Mircea Eliade, *Traité d'histoire des religions*, Paris, Payot, 1964, p. 321.
115. Joseph L. Henderson, « les Mythes primitifs et l'homme moderne », dans Carl G. Jung, *l'Homme et ses symboles*, Paris, Port-Royal, 1964, p. 151.
116. Mircea Eliade, *le Mythe de l'éternel retour*, Paris, Gallimard, 1969, p. 33.

la richesse. On retrouve la fluidité du temps profane, dont il est impossible de suivre le cours, tant il semble immobile. Surgit à nouveau le problème de la mémoire confuse et des coups de théâtre du devenir, néanmoins résolus par la maîtrise du temps dans l'instauration du temps sacré et du rythme cyclique d'une constante reprise de l'aventure. L'épilogue le confirme, le mythe de Tar prévalant sur l'authenticité historique. Les métamorphoses si fréquentes de *Fêtes et rites de la confusion* sont anticipées dans *Fando et Lis* : — d'ordre psychologique celles-là — les passages brusques chez le héros de la tendresse à la violence, et dans la vision antinomique de Tar chez Fando et Lis on assiste à une transformation radicale. Enfin les deux œuvres montrent la femme jouant similairement le rôle de médiatrice. Lis suscite un meilleur contact entre Fando et la société. On présume que sa mort même servira de médiation à Fando dans la recherche de la transcendance via la cité sacrée.

Tar et le « Rond-Point » de la géante [117], — Babylone, croyons-nous — se trouvent sur la même trajectoire symbolique, Babylone, selon la légende, « était une *Bâb-ilâni* », une « porte des dieux ». C'est là que les dieux descendaient sur terre. Le « Rond-Point » du songe d'Arrabal rejoint l'archétype. Il équivaut à la « Porte d'Apsu », liaison entre le ciel, la terre et les régions inférieures, étant le théâtre de joies, d'orgies, de drames mortels. De même autour de Tar, image du centre paradisiaque, se joue le destin terrestre.

Après avoir mis l'accent sur l'aspect mythique polarisant du « rite de voyage vers Tar », nous désirons mettre en relief certains symboles qui s'y greffent. Ils se rattachent au régime nocturne de l'image, selon les classifications de Gilbert Durand. Les hiérophanies lunaires font appel à la répétition, au déroulement cyclique. Les phases de la lune ont inspiré la mesure du temps. Il s'en dégage une vision rythmique du monde, alternance des contraires, clarté et ténèbres, consolation et blessures, vie et mort. L'hermaphrodite lunaire, affiche cette dualité. Mais la lune est également promesse explicite de regénération, certitude de « l'éternel retour ». L'expédition vers Tar condense tout cet imaginaire. Son mode cyclique abolit la distinction entre le temps et l'espace, le temps étant spatialisé par le cycle [118]. Il resserre en quelque sorte les humains dans un cercle dont ils cherchent le centre. Ceci nous amène à parler du mandala tantrique, qui en des figures circulaires, enfermait des images de divinités.

---

117. Arrabal, *Fêtes et rites de la confusion*, Paris, Eric Losfeld, 1967.
118. Mircea Eliade, *Traité d'histoire des religions*, Paris, Payot, 1964, p. 317.

Le terme signifie cercle. Il est lié à la symbolique de la maison, du temple, du lieu sacré. Durand [119] y voit davantage un symbole d'intimité qu'un impérialiste mouvement de totalisation de la psyché, comme le soutient Jung. Le véhicule des voyageurs : la voiture d'enfant avec ses roues, qui rappellent le mandala, le parapluie dans sa forme circulaire ou semi-sphérique, participent à la même dialectique. Il en est encore ainsi du bagage de Fando et Lis, comportant des objets ronds : poêlon, couverture roulée, ballon. Le tambour rajoute à ce symbolisme un symbole de nature érotique, l'évocation du frottement sexuel. Nous nous gardons bien de l'interprétation de symboles dispersés fondée sur des archétypes, si pourtant nous tentons leur regroupement à partir de la dynamique de l'œuvre. Les objets qui aliènent Lis : menottes, chaînes subissent le magnétisme de la constellation du mandala. Évoquons à nouveau le landau et le parapluie, cette fois en tant que demeure, rappelons aussi l'allusion à la barque, ils sont des microcosmes de l'habitation, comme la maison est la « gullivérisation » du lieu géographique de la ville. Tous se rattachent à l'intimité féminoïde. « L'espace courbe, fermé et régulier serait donc par excellence signe de douceur, de paix, de sécurité [120] »

---

119. Gilbert Durand, *les Structures anthropologiques de l'imaginaire*, Paris, Bordas, 1969, p. 324.
120. *Ibid.*, p. 284.

CONCLUSION

Œuvre statique, ainsi que celles de Beckett ou d'Adamov, *Fando et Lis* ne se fonde pas sur la profondeur psychologique des personnages, comme chez les classiques, elle ne se propose pas non plus de mettre en lumière une idéologie, comme chez Sartre ou chez Brecht. Si elle méduse néanmoins le spectateur, elle se dérobe aux critères d'analyse traditionnelle.

En quoi la notion de rite s'est-elle révélée opératoire ? Avons-nous capté par ce biais des concepts théâtraux qui nous auraient échappé autrement ? Elle nous a effectivement permis de reconnaître le théâtre d'Arrabal comme un art total, de mettre en relief l'orchestration du discours proprement dit, c'est-à-dire, d'insister sur l'importance du son, du jeu, du rythme, du spectacle. Le rite, en effet, implique ces adjonctions pour opérer l'incantation, pour exercer sur l'auditoire cette espèce de sortilège.

Grâce à cette approche, nous avons accédé à divers mythes et dépisté certains archétypes qui étaient à leur origine. Nous avons été amenée à caractériser plus rigoureusement la manière d'être des différents personnages, jusqu'à la stylisation. De même, la poursuite constante de l'inaccessible, dans la perspective du rite de voyage vers Tar a pris tout son sens. Il a relié le petit groupe humain de l'œuvre dramatique, par le mythe de *l'éternel retour*, à l'être universel, répétant la quête de l'île heureuse, de la ville mythique, du centre, où le bonheur doit s'accomplir. Le rite a conféré à la recherche de Tar la signification d'un voyage initiatique, de la poursuite de la totalité psychique.

Que révèlent les concepts de rite, d'anomalie dans leurs rapports avec la violence, l'érotisme ? Ils manifestent par la répétition d'un mouvement continu, où alternent brusquement amour et sadisme, une caractéristique de l'œuvre, à portée significative, alors qu'envisagée comme phénomène isolé, la brutalité aurait pu sembler accidentelle ou indexer une « infirmation de l'amour véritable ».

Il en est de même de la vision de la circonscription de Lis. Chaque étape considérée en soi, plutôt que comme progression d'un même rite insolite, aurait pu prêter à une interprétation laborieuse ou demeurer énigmatique, alors que dans l'optique en question il a été possible d'émettre plusieurs hypothèses : soit que Fando lie, ainsi que des monstres issus d'Ouranos, l'infirmité et la maladie de Lis, soit qu'il lie la chair pour laquelle il éprouve de la crainte. Il pourrait également s'agir pour Fando, comme pour Varuna, d'affirmer son pouvoir sur Lis ou encore de projeter sur elle son impuissance sexuelle.

La notion de rite féconde des courants vigoureux qui unifient et dynamisent le spectacle, donnant à la violence et à la cruauté plus de force que la réalité elle-même. Ces grands courants, en outre, orientent l'interprétation ainsi que nous l'avons démontré.

L'analyse de l'œuvre d'Arrabal, du point de vue des rites, pourrait-elle être généralisée à tout un ensemble ? Nous avons la conviction que le résultat serait positif et nous rêvons de poursuivre cette entreprise fascinante. Nous saisirions sous ce jour les principales voies explorées par l'auteur dans les divers rites de transgression : « immolation » dans *le Grand Cérémonial, Cérémonie pour un Noir assassiné, la Bicyclette du condamné,* « trahison et torture » dans *les Deux Bourreaux,* de même que dans *le Jardin des délices.* Nous détecterions les phases des rites d'initiation : « initiation sexuelle » fortuite dans *la Communion solennelle,* « initiation militaire » dans *Pique-nique en campagne* et *Guernica.* Nous ferions l'inventaire de « rites érotiques » entre autres dans *Bestialité érotique,* de rites mystiques par *Une tortue nommée Dostoïevski* ou du rite de la Rédemption par *le Cimetière des voitures.* Il y aurait encore le rite du théâtre dans le théâtre, exploité au cours de *l'Architecte et l'empereur d'Assyrie* comme dans *Cérémonie pour un Noir assassiné.* Bref, l'œuvre entière d'Arrabal pourrait être auscultée de la sorte et la liste des rites perçus serait inépuisable. La notion de rite est-elle génératrice de concepts nouveaux, permet-elle un type d'analyse exceptionnel ? Arrabal s'avère un auteur de choix pour qui en désire faire la preuve.

COLETTE FORTIER-LÉPINE
Département d'études littéraires
Université du Québec à Montréal

Éléments pour une phénoménologie du sport

UN MOT DES AUTEURS

Ce texte que nous présentons aujourd'hui nous a fait revivre et analyser la somme des expériences que nous avons vécues, en tant que téléspectateurs, des divers reportages sportifs vus et parfois revus. Nous avons pensé qu'il fallait nous méfier, dans la mesure du possible, de nos enthousiasmes et de notre fascination ; à cet effet, nous avons procédé à un tri rigoureux des données dont nous disposions.

Il nous a semblé souhaitable de différencier, dans la première partie, nos deux cheminements de pensée et de nous en tenir au parallélisme de nos deux exposés inauguraux, signés individuellement.

La seconde partie est conçue de la façon suivante : chacun de nous a posé des questions écrites — et cela, après avoir pris connaissance de son texte ; l'ensemble est donc constitué par les questions et les réponses ainsi obtenues.

La troisième partie, la conclusion, est commune, tout comme cette introduction.

H. A. et A. Y.

« *Unitas, Unitatis...* »

Il n'est pas de mon propos d'esquisser ici une psychologie de la consommation de spectacles sportifs. Plus modeste, mon intention est aussi plus précise, plus délimitée : je compte établir l'extraordinaire influence des mass media sur la forme même des sports-spectacles et aussi — par conséquent — sur l'attitude du public en face des sports en question.

J'ai mentionné les mass media : je pourrais plus simplement dire la télévision, car c'est la télévision principalement qui a modifié la perception des sports-spectacles et leur forme visuelle. Le petit écran a opéré une vraie révolution dans ce domaine. Les spectateurs d'une partie de hockey à la télévision savent, d'expérience, qu'ils peuvent regarder le match, tout en lisant un journal ou un livre et — surtout — en gardant l'assurance de ne jamais rien perdre de ce qui se déroule sur la glace. En effet, aussitôt qu'un but a été marqué, une explosion sonore avertit le spectateur distrait qu'un incident vient de surgir : le spectateur lève alors la tête vers le petit écran et, dans les secondes qui suivent, l'écran lui présentera plusieurs reprises du jeu crucial : d'abord à la vitesse normale, puis à diverses vitesses de ralenti magnétoscopique. Ainsi, le spectateur aura rattrapé son absence et pourra revoir, grâce aux moyens techniques de la télévision, la trajectoire du disque, l'angle du lancer ; et ce n'est pas tout : les prises à la caméra isolée lui permettront d'observer la manœuvre préparatoire de l'auteur du but, la moindre erreur commise par les joueurs de la défensive et même, au ralenti extrême, le geste de surprise du gardien quand ce dernier prend conscience qu'il vient d'être déjoué.

Mais je n'ai rien dit encore, car je n'ai pas parlé du football américain qui, actuellement, est le sport des sports et le spectacle des spectacles ! Aucun lyrisme indû n'inspire mes propos : je dis, le plus nettement possible, ce qui est. Le football américain (ne pas confondre avec le « soccer » qui est le football européen) est magnifiquement potentialisé par la retransmission qui en est faite à la télévision. Son déroulement n'atteint pas la vitesse excessive (parfois chaotique...) du hockey, ce qui permet la réalisation de certaines stratégies : au hockey, la performance est parfois fulgurante, mais la stratégie presque impraticable. Le disque va toujours trop vite et même les super-joueurs ont du mal à le contrôler pendant quelques secondes : on ne compte plus les passes interceptées par le club adverse, non plus que le rôle, souvent manifeste, du hasard. De plus, les règlements imposés au hockey depuis une dizaine d'années n'ont fait que contribuer à accélérer ce jeu en le rendant continu. Au football américain, c'est l'opposé : le jeu peut, au gré des joueurs et des stratèges, être fractionné, discontinu (temps de jeu plus long) ou, si cela est avantageux, le jeu peut « manger » beaucoup de temps (temps raccourci). Une manifestation banale de cette différence entre le hockey et le football réside dans le fait que, dans une partie de hockey tout comme dans une partie de football, la partie officielle ne dure que 60 minutes : et chacun sait qu'une partie de hockey dure 2h 15 environ, tandis qu'une partie de football dure 3h 45 environ.

On m'a bien compris si l'on visualise le hockey comme une durée irrésistible et vertigineuse, le football américain comme une durée *maîtrisée*, à rythmes variés et dont les écarts d'accélération temporelle et de décélération sont possiblement très grands.

Loin de moi l'intention de proférer des propos séditieux contre notre sport « national » ! C'est pour dissiper tout soupçon de cet ordre que je vais, maintenant, tenter de définir le football américain par rapport au baseball. Est-il besoin de rappeler que le baseball est en baisse (en dépit des Expos !) et que d'ancien sport national américain, le baseball a rétrogradé considérablement ! C'est tout juste si les parties de baseball ne sont pas inscrites au programme des émissions de télévision pour les enfants. Pour un lecteur qui n'aurait jamais assisté à une partie de baseball, je rappelle qu'elle se déroule lentement, de façon linéaire ; cela revient à dire que la partie procède selon un schéma de succession temporelle et sans que, tout au long de la partie, deux mouvements se superposent. Je crois, franchement, qu'on peut observer une partie de baseball — sans rien rater — tout en lisant *la Somme de saint Thomas* ; à la limite, certains spectateurs dantesques pourraient s'offrir le luxe et le plaisir de lire le

Virgile de Florence en vieux toscan, tout en suivant l'évolution d'une partie opposant les Expos de Montréal aux Astros de Houston...

Mais il n'en va pas de même pour le football américain : une bonne partie (disons entre les Colts et les Vikings...) a de quoi mobiliser l'attention des spectateurs tout autant que les tragédies d'Eschyle et d'Euripide plongeaient les Grecs (légendaires...) dans une transe cathartique... Ne remontons pas aux Romains qui, c'est chose connue, préféraient le cirque au théâtre, mais aux Grecs — à ces publics fiévreux qui se passionnaient pour les malheurs d'Antiope et s'identifiaient au chœur des Nymphes du Sipyle : ceux qui soudain focalisent leurs yeux sur les lignes hallucinantes du petit écran quand celui-ci diffuse des images d'une grande partie de football, risquent — par une ellipse de plus de vingt siècles — de tomber en fascination devant la folie meurtrière des Bassarides et les déplacements, souvent masqués, d'une équipe de football porteuse du ballon...

* * *

Je dois maintenant démontrer que le football américain (tel qu'il est représenté à la télévision) écrase, et de beaucoup, les spectacles de théâtre qu'on a accoutumé de valoriser hautement depuis la plus lointaine antiquité. Je postule d'emblée la popularité incontestable du football par rapport aux autres sports ; mais sa représentation télégénique m'importe encore plus ici et je vais tenter de fournir les données fondamentales qui permettent de cerner la qualité particulière de cette représentation.

La télévision a opéré une révolution dans la vie de notre société : elle véhicule, de façon insidieuse, une reproduction hyperactive de notre réalité collective et de notre vie quotidienne ; oui, elle ponctue l'existence de chacun, en y établissant des points de repère communs, en introduisant dans le mode de vie des enfants une *gestalt* nouvelle dont nous n'avons pas fini de mesurer l'importance et en se substituant au foyer mythique qui regroupait les membres d'une même famille autour du feu. S'il est un détail à rajouter à cet éloge pondéré de l'innovation formelle que la télévision instaure dans nos vies, ce serait le suivant : la télévision est irréductible à un reflet de notre société ou de nous-mêmes. Elle constitue non pas un reflet, mais une prolongation de nous-mêmes ; ce n'est pas un miroir, c'est plutôt l'installation de l'électricité dans toutes les maisons !

Le football américain figure — sur le plan mimétique — le rituel le plus explosif auquel il nous est donné de participer ; à cet égard, on pourrait même dire que le football américain ne reflète en rien notre existence quotidienne, il en constitue un couronnement d'autant plus riche en possibilités qu'il se révèle, aux initiés, toujours trop rare !

De plus, le football se présente comme un jeu fondé sur la maîtrise de l'intelligence et sur la volonté. Certains préjugés l'hypothèquent encore en le considérant comme le paradigme de la brutalité ; mais ces préjugés ne résistent pas à une analyse loyale de ce sport-spectacle.

Parce que la télévision est un médium « froid » (image à faible définition [1]), une participation en profondeur est sollicitée des spectateurs. Inutile de dire que le mot « participation » a une connotation incendiaire, lui ! (Les plaisanteries paraîtront toujours faciles...) Le football américain, confectionné selon les préceptes les plus secrets de l'art de la mosaïque, favorise justement une attitude « co-créatrice » chez le spectateur. On pourrait même appliquer à ce sport-spectacle la terminologie de l'ouverture de l'œuvre, si bien utilisée par Umberto Eco [2].

* * *

La télévision a magnifié la gestuaire du football grâce aux moyens magnétoscopiques dont elle dispose maintenant : les reprises sont de plus en plus perfectionnées, les extraits retransmis en fin de partie ou au bulletin des sports nécessitent une sélection encore plus serrée des bons moments ; les émissions spéciales constituées par des séquences enregistrées au magnétoscope et « rediffusées » n'ont fait qu'accroître l'inventaire des éléments situationnels du football américain dont nous disposons. Ainsi, chaque spectateur est familier avec les multiples passes (reçues, voilées, feintes, doublement feintes...) du football ; il connaît aussi les diverses possibilités du jeu selon les règlements, les innombrables (et imprévisibles) relations qui existent entre le quart-arrière et son receveur, les manœuvres de diversion opérées par les receveurs possibles du ballon, les prouesses échevelées de certains receveurs qui tournent sur eux-mêmes, semblent tomber, perdre l'équilibre, se diriger sans boussole, simuler des

---

1. Je réfère le lecteur aux pages brillantes de Marshall McLuhan dans *Pour comprendre les mass media*, traduction de Jean Paré, Montréal, HMH, 1969, 390 pages, p. 257-269, l'auteur y décrit fort bien la spécificité du médium « froid » qu'est la télévision.
2. Umberto Eco, *l'Œuvre ouverte*, Paris, Le Seuil, 1965, 315 pages.

douleurs protéiformes, puis, parfois, se redresser « miraculeusement » pour recevoir un ballon lancé avec précision et attrapé du bout des doigts... Et qui n'apprécie pas encore l'intérêt fabuleux que représentent les reprises « à la caméra isolée » ? Et j'en passe...

J'en passe, car je sais trop bien que les sports croupissent encore dans une carence ontologique qui les rend indignes de toute observation académique sérieuse. Ils me font penser à cette minable paire de bottes avant que Van Gogh ne la fasse accéder à un statut supérieur du seul fait qu'il l'a représentée sur un tableau. Date illustre, selon les historiens de l'art, car elle constitue une charnière : avant, une discrimination implacable sévissait dans les arts plastiques (et la littérature...) entre les sujets nobles et les sujets triviaux : après, un tableau figurant une paire de bottes pouvait, autant qu'un portrait en pied, avoir une cote ascendante. Sa valeur marchande n'était plus plafonnée selon son « contenu » ! Il est temps, je crois, que nos esprits, déformés par des siècles de conditionnement discriminatoire, reconnaissent aux sports-spectacles le même intérêt et la même valeur qu'ils confèrent d'emblée aux tableaux non figuratifs, aux enluminures irlandaises, aux kenningar et au journal intime d'André Gide... Ce renversement des valeurs apporterait une bouffée d'air frais dans la vie intellectuelle et infuserait une seconde jeunesse aux parois trop poussiéreuses de nos cerveaux ! On oublie parfois que l'esprit ne s'encrasse pas nécessairement à procéder autrement que selon la tradition livresque... et vice versa !

* * *

Le football américain ne se réduit pas, en termes de spectacle, à une partie plus ou moins enlevée entre deux équipes aussi soucieuses, l'une que l'autre, de l'emporter ; il existe aussi un para-spectacle qui se déroule pendant la mi-temps, entre la fin du deuxième quart et la reprise du troisième quart. Aussitôt que les joueurs ont évacué le terrain, une armée de majorettes, de danseuses, de danseurs, de musiciens et parfois de chanteurs ou chanteuses envahit le terrain de football.

Ce para-spectacle est plus conforme à la notion de spectacle telle qu'on l'entend depuis l'antiquité, que la lutte savante et rusée qui oppose deux équipes de football ; on pourrait, à l'occasion du para-spectacle, parler de carnaval, de fête populaire, etc. Mais l'intégration de ce para-spectacle au match de football est telle qu'il serait, à mes yeux, contre-indiqué de dissocier ces deux actes d'une même pièce.

Ce para-spectacle se poursuit, en mineure, pendant la partie avec les fameuses *cheer leaders* (des agitatrices ! ...), ces super-majorettes dont le rôle est de souligner bruyamment les performances de leur équipe, mais, surtout, de diriger le public en le faisant manifester de façon rythmée et au bon moment !

Ces agitatrices (*cheer leaders*...) sont généralement court-vêtues, aux couleurs de leur équipe ; de plus, elles exécutent leur numéro avec l'habileté de danseuses. Et comme elles doivent se déployer juste au pied des estrades, elles procèdent par bonds rythmés afin d'être vues des spectateurs situés en haut des estrades. Pour faciliter cette signalisation, elles disposent de deux baguettes munies, chacune, d'une touffe de brindilles qui obéissent bien aux secousses qu'elles leur impriment : elles battent la mesure, dirigent le public qui scande ses slogans, ordonnent la « fonction » du public. Aussitôt que, dans leur dos, le jeu va reprendre, elles font un bond final en faisant signe que tout est fini pour le moment, car le silence est de rigueur pendant la partie. Ce silence obtenu, elles tournent le dos au public et s'accroupissent, au bas des estrades, pour voir la partie se dérouler. Elles n'existent plus quand le jeu reprend ; leur rôle se borne à dresser le public.

Les *cheer leaders* n'ont plus l'importance spectaculaire qu'elles avaient avant la télévision, cela est compréhensible ; elles sont toujours en activité parce qu'en plus de la transmission à la télévision, le match de football se déroule dans un lieu réel et en présence d'une foule réelle ! Elles sont des reliquats, tout comme le public « réel » !

Et je ne dis pas cela à la légère. Il se peut fort bien que, dans un avenir plus ou moins rapproché, les équipes de football se rencontrent sur un terrain « neutre » et sans spectateur. Seules les caméras de télévision seraient admises — en plus des joueurs et de leur personnel technique habituel. La chose n'est pas inconcevable : au contraire, elle serait plus normale ainsi, car le terrain ne serait pas celui d'une équipe et d'une ville, mais analogue plutôt à un vaste studio de télévision.

* * *

Il m'importe, maintenant, d'établir une distinction fondamentale entre les sports et les sports-spectacles. Selon mon point de vue, le sport-spectacle ne peut être assimilé à un affrontement physique ; la forme physique des participants, si nécessaire soit-elle, n'est qu'un « prérequis » au sport-spectacle, tout comme l'agilité de l'esprit est nécessaire à un professeur qui se dirige vers une salle de cours afin d'y accomplir sa performance. Le sport-spectacle, s'il postule cette forme physique, ne fait que l'utiliser sans la magnifier.

Selon ce schème, l'affrontement physique figure le lieu métaphorique d'une rencontre entre deux équipes ; mais cette rencontre implique bien d'autres facteurs et d'autres capacités. Cette dimension confère une complexité très grande à une partie de football ou de hockey ; on pourrait dire : une marge d'imprévisibilité qui, précisément, définit la spécificité du sport-spectacle. Si le sport-spectacle se ramenait à un simple affrontement de force physique, il n'y aurait pas de quoi parler de complexité si grande, ni d'imprévisibilité. Mais aussitôt que l'imagination, le calcul, la lucidité (la pensée, quoi...) entrent en jeu, le tableau se complexifie. (Ce néologisme est de Teilhard de Chardin...)

On peut, à partir de ce point, comprendre que les qualifications exigées de certains joueurs de football, par exemple, justifient la valorisation financière liée à leur travail. En 1970-1971, on dit que le salaire de John Unitas a été, sans doute, d'environ $300 000, et sa présence sur le terrain a été sciemment rare ! En 1969-1970, il aurait gagné plus de $100 000 pour une apparition d'une durée de deux ou trois minutes. L'écart entre les deux chiffres montre à quel point ils relèvent de la spéculation. J'ajoute, aussitôt, que ce qui est attendu de lui est hautement valorisable : il doit penser la stratégie de son équipe quand celle-ci est porteuse du ballon (à l'attaque), il doit aussi imaginer et exécuter des jeux mystifiants pour l'équipe adverse ; il doit, en quelque sorte, supporter le poids d'une défaite toujours possible ou être le pilier de la victoire. Il est compréhensible, dès lors, que la stratégie de John Unitas comporte une entropie indéchiffrable même pour les spectateurs ! À chaque saison, John Unitas doit avoir, en réserve, quelques ruses nouvelles, sans quoi il serait rapidement débouté. Ses mystifications seraient élucidées s'il ne les renouvelait pas ; ainsi, sans pour autant mettre une calculatrice électronique sur ce problème, il serait facile de calculer la valeur en argent de chacune de ses passes réussies ; lorsqu'il a fait, dans la saison 1970-1971, deux passes réussies coup sur coup contre les Bears de Chicago (de 76 verges chacune), il a inventé le style « victoire en fin de partie ». Les Bears ont été battus 21 à 20, et il ne restait plus qu'une minute et quelques poussières de jeu !

John Unitas est le quart-arrière exemplaire : il a inculqué à son jeu une initiative informelle qui jette par terre les prévisions des commentateurs sportifs. Avec Unitas, et depuis quelques années, le rôle du quart-arrière s'est transformé considérablement : la conscience qu'il a de sa propre valeur le rend d'une ruse et d'une prudence inégalées et le confine, surtout, à user de toute son imagination.

Quand on parle de sport, on fait souvent allusion, implicitement, à la force physique, au poids, aux muscles bien exercés, à la brutalité... Cet implicite est, peut-être, bien commode pour des intellectuels qui doivent se faire une image du sport où rien d'autre que physique ne contribue au jeu !

Il existe aussi des techniques marginales qui se développent en fonction de chaque partie de football ; il s'agit des systèmes de communication par *walkie-talkie,* l'espionnage avant et pendant la partie, le secret qui entoure les pratiques d'une équipe... Ce secret peut paraître excessif ; il ne l'est pas si l'on considère que, lors des pratiques, une équipe déploie ses jeux les plus audacieux, ses ruses ultimes, ses tactiques propres à emporter la victoire... Les pratiques, d'ailleurs, se déroulent toujours sur des terrains clos, inconnus ou inaccessibles. Une passe de Unitas (ou d'un autre quart-arrière), rapide et surprenante, n'est parfois utilisée qu'une seule fois au cours de toute la saison : il va de soi que sa réussite repose sur son effet de surprise.

* * *

La grande diffusion des sports-spectacles a modifié leurs propres définitions. En quelques années, par exemple, les passes du football américain ont baissé (en termes d'altitude) considérablement et la partie s'est fractionnée manifestement. Au hockey, il n'y a plus de passes impunies (ou lentes) : le jeu est de plus en plus trépidant, la continuité a multiplié l'accélération et vice versa ! Somme toute, le public, si dispersé soit-il, engendre une tension à laquelle les sports-spectacles ne résistent pas ; cette tension, propagée en quelque sorte mais non manifeste, traduit en termes clairs la concurrence qui régit le monde des sports-spectacles.

La concurrence, je sais, n'est pas toujours considérée comme un stimulant valable pour la production de qualité ; sur ce point, les opinions se sont diversifiées depuis 1850 (hé oui !...), mais sans apporter des éclaircissements incontestés. Comme il s'agit d'une question litigieuse, je prends l'initiative d'informer le lecteur que je suis partisan du système concurrentiel, et cela, en dépit des aberrations qu'il peut parfois entraîner ! Les théories (masquant mal des rationalisations abusives !) de l'art-échec, du sport-flop, de la littérature-ennui me paraissent autant de valorisations futiles et abracadabrantes de ce qui n'a pas de valeur, ou si peu... Je sais que ma dernière assertion peut sembler injuste, voire irrecevable ; mais, lecteurs ou spectateurs, n'avons-nous pas le droit de ne nous intéresser qu'à ce qui exerce positivement une attraction sur nous ? Et ne sommes-nous pas, en fin de compte, le critère désastreusement final de tout ce que nous consommons ? Voilà, à mon gré, le vrai visage de la concurrence !

J'aimerais, à ce point, aborder une question difficile à trancher, délicate pour le moins... celle du style ! Sans abuser de termes généralemnt réservés à la production artistique, ne peut-on pas parler du style d'une équipe de football ?

La première difficulté qui me vient à l'esprit est la suivante : s'il est d'emblée acceptable qu'un auteur ait un style saisissable dans une seule page de son œuvre choisie au hasard, cela ne tient-il pas au fait qu'il est le créateur « personnalisé » et seul de son œuvre ? Si l'œuvre en question est le fruit d'une création collective, peut-on appliquer les mêmes notions de stylistique ? Cette dernière question n'a pas été envisagée, jusqu'à ce jour, dans les livres majeurs de critique et d'histoire de l'art ; et cela n'arrange rien..., car je me vois réduit, moi seul, à devoir formuler une hypothèse à partir de ma seule intuition et de ma compréhension (au premier degré d'abstraction) des choses ! Pourtant, j'aurais aimé traiter, même brièvement, de ce problème du style du football et, en général, des sports-spectacles...

Le style, je sais, se réfère à la présentation qualitative d'un phénomène ; j'ai essayé de prendre le problème par le biais de la qualité. Rien à faire : la création collective me retient au sol, je suis, à toutes fins pratiques, plaqué !

Il me reste une solution-limite. Faisant mine d'oublier que je me préoccupe de déceler dans les sports-spectacles des connotations stylistiques, je me concentre sur le fait suivant : la communication entre le producteur et le consommateur, ou plutôt la transaction entre le producteur et le consommateur. Le style (cf. Buffon) qui confère des propriétés qualitatives à un écrit devrait, idéalement, favoriser la transaction entre le producteur (écrivain) et le consommateur (lecteur), tandis que l'absence de style nuirait à cette transaction ! À partir de cette réflexion, je peux aisément constater qu'un sport-spectacle réussi indique une transaction intense et surmultipliée entre le producteur et le consommateur... (Ceux qui, à ce point, ne sentent pas pointer le syllogisme feraient mieux de se méfier...) Inversant l'ordre style-transaction, j'en conclus que la transaction réussie suppose le style la favorisant. Donc, il serait possible, en étayant mon syllogisme, de démontrer que le sport-spectacle (football ou hockey ou boxe...) possède un style du seul fait qu'on peut démontrer que le sport-spectacle établit incontestablement une transaction réussie entre le producteur et le consommateur...

D'ici à ce qu'on m'ait confondu, qu'on me permette d'éprouver une certaine sécurité à me complaire dans les « Philadelphia » de Pergame et dans le *Superbowl* « isthmique » du 17 janvier 1971 opposant les Colts de Baltimore aux Cowboys de Dallas. Les Colts l'ont emporté par 16 à 13.

Et aussi, qu'on me laisse m'extasier sur les propriétés de la gérousie du tube vidiconique — véritable solution basale de la révolution survenue dans la vie quotidienne : je sais que la télévision a instauré dans notre société de quoi la refaire de fond en comble...

HUBERT AQUIN

Mars 1971

QUESTION DE ANDRÉE YANACOPOULO (Q. A. Y.)

1. Cet aspect de participation, de communion ne risque-t-il pas d'être atténué par un intermédiaire ; la télévision en l'occurrence, ce petit écran qui s'interpose entre les joueurs et les spectateurs ?

RÉPONSE DE HUBERT AQUIN (R. H. A.)

Cette participation « nouvelle » du téléspectateur à une émission de télévision ne ressemble nullement à la « communion » propre à tout spectacle vécu en direct. Bertolt Brecht a introduit, dans notre vocabulaire, une expression nouvelle : la distanciation. Je crois que cette notion révolutionnaire se prête à des adaptations et à des analogies multiples ; elle constitue le germe le plus puissant introduit dans le monde du spectacle depuis la trop célèbre « catharsis » aristotélicienne. La distanciation brechtienne se révèle, en fin de compte, l'anti-catharsis, mais non pas l'anti-participation.

Ainsi, le spectateur de la télévision, s'il participe à ce qu'il voit, accommode sa participation d'une dose équilibrante de distanciation. Phénomène banal, en quelque sorte, parce qu'il est courant ; mais n'est-il pas la clé de la question posée ?

Chaque téléspectateur (nous tous ?...) sait dans quelles conditions, il regarde son spectacle favori : au milieu des siens, en pleine quotidienneté, tout en continuant (la plupart du temps) une conversation engagée au repas et dans un éclairage qui n'a rien à voir avec les pleins feux du théâtre ! N'est-ce pas suffisant pour confiner à une distanciation assez régulière et qui n'a rien de dramatique ?

Imaginons, maintenant, le téléspectateur qui n'a d'yeux que pour la partie de football qu'il a attendue pendant des semaines...

Ma foi, ce spectateur est comparable à un lecteur (innocent...) de *Lolita* (Ce sont des choses qui arrivent dans les meilleures familles...) Ce lecteur de *Lolita* (roman futile...) vit, seul, une grande aventure ; rien ne le détermine à être de mauvaise humeur si un être de bonne foi interrompt sa lecture pour lui proposer un Chivas Regal... Un phénomène indescriptible le retient au monde, l'empêche de décoller comme une fusée Polaris ou d'esquisser une pâle imitation de sainte Thérèse d'Avila ; et si ce n'est la distanciation salubre (et forcée !) de sa lecture, c'est la discontinuité de son expérience livresque : le téléphone qui retentit, le Chivas Regal, l'enfant qui s'est chicané avec un voisin, sa femme qui lui demande les clés de l'auto, un ami de Rouyn-Noranda qui surgit, hilare, etc.

Je mettrais ma main au feu que tous ces facteurs de discontinuité ne nuiront en rien au souvenir inavouable qu'il gardera de *Lolita* ; en est-il autrement s'il s'agit d'une partie de football ? Je ne crois pas ; la discontinuité est même incorporée au jeu !

La participation du téléspectateur, très différente de l'extase d'un spectateur de théâtre, n'est pas moins riche d'attention, valable, voire intense... La discontinuité n'amoindrit pas la participation.

Q. A. Y.

2. Que reste-t-il de l'assertion de Roland Barthes : le sport, c'est la domination de la nature, l'appropriation du sol et du climat ?

R. H. A.

Roland Barthes, formulant sa pensée en 1960, faisait avancer d'un grand pas la compréhension que nous avions du sport ; de plus, il réussissait à intégrer le sport à une vague idéologie, latente en chacun de nous, selon laquelle une activité, dépourvue de finalité naturelle, est corrélativement dépourvue de sens et d'importance... J'ai endossé, en 1960, l'assertion de Roland Barthes ; aujourd'hui, en y repensant, j'ai le sentiment que cette idée de Barthes ne mène à rien. « La domination de la nature » ne veut rien dire, sinon pour les climatologues ! Les grandes performances de Fausto Coppi paraîtraient dérisoires si on les entachait d'une philosophie de la nature qui n'éclairerait ni son courage sur-humain, ni son intelligence fulgurante, ni sa capacité d'introduire dans la course cycliste, une stratégie dévorante et presque toujours victorieuse... Il serait logique, de ma part, d'ajouter que Roland Barthes, penseur original et homme intelligent, n'a qu'un handicap : sa démarche n'est pas réflexive au point de lui faire découvrir que ce qu'il comprend en France est plus déterminé qu'il ne le croit par certains caractères spécifiques de la France !

Cet argument peut sembler une arme à double tranchant : je ne crois pas qu'il en soit ainsi. La France marque au poinçon ses enfants ; et il n'en va pas ainsi de tous les pays. L'important, en tout cas, n'est pas de déclencher à ce sujet une guerre entre les nations, non plus que de couvrir la France de tous les torts pour les seules commodités du raisonnement... Ce qui compte, c'est de comprendre que l'idée de « nature », invoquée par Roland Barthes en 1960, est, de nos jours, une idée périmée. La « nature », le « style naturel », le « naturel », voilà autant de notions qui ne veulent plus dire grand-chose et qui se rapportent à un appareil de pensée assez proche du XVIIIe siècle... C'est pourquoi je ne puis, maintenant, abonder dans le sens de la phrase de Roland Barthes... Il y a aussi un autre obstacle : je crois que la seule hypothèse féconde permettant de comprendre le clivage entre le sport amateur et le sport professionnel, ainsi que l'extraordinaire expansion du sport professionnel est à chercher du côté du spectacle commercialisable ! Rien, vous l'aviez deviné, n'est plus contre-nature que le sport-spectacle (décidément, je ne ferai jamais un « bon sauvage » !). Cet élément « contre-nature » nous conduit directement et efficacement aux moyens de communication — lesquels ont fourni aux sports professionnels le levier le plus important que l'on puisse imaginer. Plus encore : l'élément spectaculaire, de plus en plus, s'impose comme l'élément primordial et premier d'une phéno-ménologie du sport...

Psychosociologie du sport

Voici plusieurs années que j'ai renoncé à faire ce que, depuis ma prime jeunesse, on m'a présenté comme de la « science ». Objectivité, exhaustivité, certitude... relents d'un monde clos, fini, déterminé : un monde mort.

L'histologiste qui tente de pénétrer le secret de l'activité cellulaire renonce à « fixer » ses préparations et, en mettant directement son prélèvement sous le microscope, choisit des conditions d'examen plus difficiles, plus aléatoires, mais plus réconfortantes aussi, parce que plus vraies. Je ne suis pas sûre que la sociologie soit prête à cette observation *in vivo*. Le lourd arsenal des diverses techniques de cueillette des données, de leur traitement et de leur interprétation — sous l'égide de la toute-puissante statistique — immobilise, fixe la réalité, la paralyse sous prétexte de mieux la voir, et tout compte fait la détruit. Au mieux, la connaissance s'essouffle à courir derrière cette création continue, cette synthèse sans fin qu'est la vie.

Je crois donc qu'il faut oser, si on est sociologue en titre, présenter un ensemble de réflexions inachevées mais actuelles, que leur souplesse même rend adaptables à l'imprévisible futur.

À chaque heure du jour et de la nuit, la radio diffuse un bulletin d'informations (locales, nationales, internationales) qui se termine invariablement par les « nouvelles du sport ». Mais qui a jamais tentendu annoncer : « Et voici maintenant les nouvelles de la religion » ou « de la science » (seules exceptions épisodiques : les cotes de la Bourse ou les prix de gros du Marché). Si, comme moi, vous ouvrez souvent la télévision, vous savez que le mercredi soir est consacré au hockey, le samedi après-midi à divers sports, le dimanche après-midi au football américain, etc. D'ailleurs, *TV hebdo*, en la personne de Serge Brind'Amour, exprime statistiquement le fait :

> D'année en année, le hockey et certains autres sports continuent à occuper une place très honorable dans les cotes d'écoute, et il n'est jamais difficile de leur trouver de commanditaires importants.
>
> Vers la fin de la saison de football et le début de celle du hockey, Radio-Canada consacrait au sport 10 % de son horaire, le canal 7, 8,9 % et le canal 13, 9,1 %. Le canal 10, avec les quilles et la lutte, 2,5 % de son temps. Dans le cas de la télé d'Etat et de ses stations affiliées, les pourcentages connaissent une baisse considérable avec la fin du football, puisque ne demeurent plus à l'horaire régulier que le hockey, le golf et les quilles.
>
> Les canaux 2, 7 et 10 consacrent à peu près le même temps aux nouvelles sportives, soit respectivement 2 %, 2,1 % et 2 %. C'est à Trois-Rivières que les sportifs sont les mieux informés, avec 3,9 % de l'horaire.

À titre de comparaison, nous trouvons dans le même article les indications suivantes : les émissions pour enfants représentent environ 10 % de l'horaire au 2 et au 7, 7 % au 10. Les téléromans et téléthéâtres : 2,5 % au 2, 1,2 % au 10. Les émissions éducatives : 9,9 % au 2, 7,5 % au 7 et .9 % au canal 10.

Le sport occupe donc, dans les mass media, une place de choix, et ce n'est pas seulement parce qu'il est commercialement très rentable, sinon nous aurions, à chaque bulletin de nouvelles, les échos du spectacle, de la chanson, des films, etc. Je suis donc justifiée de me poser la question : quelle est la signification du sport, quels rapports entretient-il avec l'ensemble de la structure sociale ? Que représente-t-il dans la mentalité collective ? Autrement dit, peut-on comprendre le sport comme un phénomène psychosociologique, et comment ?

Première remarque intéressante : dans les nombreux ouvrages de sociologie et de psychologie que j'ai pu consulter, je n'ai rien trouvé qui m'encourage à mon étude. Dédaigné des chercheurs et des spécialistes attitrés, le sport n'a retenu l'attention (à ma connaissance en tout cas) que de quelques penseurs : Roland Barthes, dans le commentaire qu'il a fait du film *le Sport et les Hommes* (production O. N. F., 1960) et dans son livre *Mythologies* (éditions du Seuil, 1957) ; Georges Magnane, dans *Sociologie du sport* (« Idées », 1964) ; Roger Caillois, un des premiers peut-être, avec ses réflexions sur *les Jeux et les Hommes*, repris en 1958 par la collection « Idées » ; Marshall McLuhan, *Pour comprendre les media* (éditions HMH, 1969). Il y a, de façon assez courante, un antagonisme entre les « intellectuels » et les « sportifs » (remonte-t-il à l'ancien dualisme philosophique de l'âme et du corps ?). Un exemple parmi bien d'autres : on pourrait affecter aux quotidiens d'information un coefficient d'« intellectualisme » fondé sur la proportion entre le nombre total de pages et celui des pages consacrées au sport. *Le Monde, le Devoir* auraient les coefficients les plus élevés...

Seconde remarque (que je ne détesterais pas inclure dans la première) : les définitions que donnent les dictionnaires du terme « sport » sont pauvres. Celle de l'*Abrégé du dictionnaire de Littré* par A. Beaujean (éd. 1959), est franchement laconique « tout exercice en plein air ». Celle du *Dictionnaire du français contemporain*, de Larousse (éd. 1966), est un peu plus étoffée : « Activité physique pratiquée sous forme de jeux individuels ou collectifs, en observant certaines règles. » Pour avoir un certain nombre d'éléments de départ, il nous faut faire des associations libres : sport, rapidité, agilité, énergie, dépense physique, défi, compétition, rivalité, loyauté (*fair play*), acclamations, victoire... Ces associations ne tenteraient pas un psychanalyste car elles n'ont rien de bien personnel, elles correspondent plutôt à ce qu'en psychosociologie on appelle un « stéréotype », et dans la vie quotidienne un « cliché », à savoir une image instantanée, synthèse de ces connaissances que chaque génération transmet, sans s'en douter, à la suivante.

Je ne sais pas à quelle époque il faut situer l'apparition, dans le vocabulaire, du mot « sport ». C'est un terme qui nous vient de l'anglais, et qui est une abréviation de *disport*. *To disport*, c'est, en vieux français : « se desporter », se divertir, s'amuser, se distraire. Le sport est donc ce qui s'oppose au travail, c'est un jeu ; on dit d'ailleurs « jouer au hockey », « jouer au tennis ». Mais c'est un jeu qui comporte une activité physique, une dépense d'énergie corporelle : les échecs ne sont pas un sport. Et c'est effectivement dans les jeux de l'Antiquité, surtout l'Antiquité gréco-latine, que nous pouvons trouver les ancêtres du sport. Des expressions courantes comme « les Jeux Olympiques », « les Jeux d'hiver » etc., nous ramènent à cette filiation.

Comme le jeu, le sport comporte des règles, fixées d'avance et qu'il est convenu de respecter. Qui dit règles n'est pas loin de dire rites. De fait, les jeux publics grecs, contrairement aux nôtres qui sont profanes, étaient des cérémonies sacrées ; ils avaient donc un caractère religieux, ils étaient une forme du culte (Victor Chapot). De même, nous apprend Jérôme Carcopino, la religion

> affleure à la surface des vieilles solennités que les Romains ne manquaient pas d'accomplir, mais qu'ils ne comprenaient plus et dont ils avaient oublié le sens et la raison. Ainsi, le 8 juin, le concours de pêcheurs à la

ligne que présidait le préteur urbain en personne se terminait sur la pierre du Volcanal par une friture dont les lauréats devaient faire prosaïquement leurs délices, mais qu'une notice de Festus, impossible à révoquer en doute, assimile au sacrifice de substitution dont se contentait le dieu Volcanus à la place de victimes humaines... De même, le 15 octobre, avait lieu sur le Forum une course de chevaux dont l'issue révèle l'inspiration primitive. Malheur au coursier gagnant ! Le flamine de Mars l'immolait aussitôt après sa victoire. De son sang, deux parts étaient faites : l'une était tout de suite versée sur le foyer de la *Regia*, l'autre était envoyée aux Vestales qui la mettaient en réserve pour les lustrations de l'année. Quant à sa tête, qu'avait tranchée le couteau du sacrificateur, les riverains de la Voie Sacrée et les habitants de Subure luttaient entre eux avec l'acharnement qu'on admire aujourd'hui chez les « contrade » de Sienne au « palio », pour savoir auquel de leurs quartiers respectifs reviendraient l'honneur d'exposer sur le mur de l'un de ses édifices le trophée du « cheval d'Octobre ».

Cet aspect religieux se retrouve aussi dans les jeux (les luttes, les courses) que la République romaine instaura « en l'honneur de Jupiter, d'Apollon, de Cérès, de Cybèle et de Flora... Il s'agissait non seulement de réjouir les dieux, mais de capter leur énergie momentanément incarnée dans le magistrat triomphant, dans les acteurs des drames et dans les vainqueurs des tournois ». (J. Carcopino)

Inhérents au culte, les jeux révélaient aussi leur proche parenté avec la guerre :

La signification de ces coutumes étranges s'élucide aussitôt que l'on remonte aux périodes lointaines de leur formation. Au retour de la campagne guerrière qui, chaque année, commençait au printemps et finissait à l'automne, les Latins de la vieille Rome offraient une course aux dieux en actions de grâces ; et ils leur sacrifiaient le cheval vainqueur pour purifier la Ville par l'effusion de son sang et la protéger par le fétiche de son squelette. (J. Carcopino)

Quelques sports actuels proviennent de l'art guerrier : l'équitation, le tir à l'arc. Dans le commentaire du film *le Sport et les Hommes*, Roland Barthes décrit le Tour de France comme un « combat très ancien », qui a son état-major, ses voltigeurs, son intendance, ses correspondants de guerre ; qui s'arrête le soir pour reprendre à l'aube, etc. McLuhan cite un article de *Life*, expliquant les jeux guerriers des gens d'une tribu de Nouvelle-Guinée :

Deux ou trois fois par mois, les Ouiligiman-Oualaloua et leurs ennemis se livrent un combat en règle sur l'un de leurs champs de bataille traditionnels... Ces échauffourées ressemblent davantage à un sport dangereux qu'à une véritable guerre. Chaque combat ne dure qu'une journée et cesse toujours avant la nuit (à cause du danger des esprits) ou avec la pluie (personne ne veut voir sa coiffure et ses ornements abîmés par la pluie). Les combattants se servent de leurs armes avec beaucoup de précision — ils pratiquent ces jeux guerriers depuis l'enfance — mais savent également bien esquiver les coups, de sorte qu'ils sont rarement touchés. La partie la plus meurtrière de cette guerre n'est pas la bataille rangée, mais la série de raids éclair et d'embuscades furtives où l'on massacre non seulement les hommes, mais les femmes et les enfants... Ce carnage perpétuel n'a rien à voir avec les raisons habituelles de la guerre. Il n'y a pas de gains territoriaux, pas de prisonniers ni de dépouilles... Ces gens se battent parce qu'ils y trouvent un profond plaisir, parce qu'il s'agit pour eux d'une fonction vitale de l'homme complet et parce qu'ils estiment devoir venger l'esprit de leurs frères assassinés.

E. Mireaux nous donne, à propos des Grecs anciens, une description comparable :

> Il fut un temps, en effet, où les jeux funèbres n'étaient pas des jeux, mais des combats véritables, des luttes successorales, à l'issue souvent tragique, où les compétiteurs se disputaient les charges, les honneurs, les biens meubles du défunt... D'après la tradition légendaire courante, les jeux publics, ceux notamment qui sont devenus les grands jeux panhelléniques, jeux olympiques, jeux isthmiques, jeux néméens ou jeux pythiques, ne seraient en leur principe pas autre chose que des jeux funèbres, célébrés auprès des tombeaux d'antiques héros ou d'anciens génies, ceux de Pélops, à Olympie, de Mélicerte à Corinthe, d'Opheltès à Némée, de Python à Delphes. Cette assimilation semble toutefois difficilement conciliable avec le renouvellement régulier des célébrations à travers les générations et avec leur périodicité... Les jeux publics célébrés à échéances fixes sont en effet très vraisemblablement destinés à pourvoir au renouvellement des énergies souterraines qui assurent la perpétuité de la vie et président à sa restauration régulière...

C'est de la même façon que les Indiens de nos régions pratiquaient le jeu de la crosse : les règles du jeu, son exécution s'inspiraient du rituel de la guerre. Et il est intéressant de rappeler qu'une branche moderne des mathématiques, la théorie des jeux, est appliquée à la compréhension des conflits humains, et de ce conflit suprême qu'est la guerre.

Il y a deux sortes de sport : ceux que l'on pratique et ceux que l'on regarde. Les sports qu'on pratique, ce peut être tout simplement l'activité que l'on se donne pour se tenir en forme, pour ressentir un bien-être physique et mental indispensable à l'équilibre général « *mens sana in corpore sano* » : marche à pied, course, tennis, chasse, pêche, hockey, peu importe, le sport pratiqué pour lui-même, pour le plaisir, il est en quelque sorte désintéressé. L'autre type de sport, c'est celui que d'autres pratiquent à des fins commerciales, c'est ce qu'on appelle le sport professionnel, puissamment inséré dans la structure sociale ; c'est ce que, nous avons convenu d'appeler « sport-spectacle », c'est-à-dire une compétition entre des individus (à titre isolé ou réunis en équipe) et faisant l'objet d'un spectacle. C'est surtout ce sport-spectacle que je veux avoir en vue ici.

Et, bien sûr, nous revenons à l'Antiquité, et à J. Carcopino. Les Romains, sous l'Empire, étaient dévorés par leur convoitise du ravitaillement et des spectacles « *panem et circenses* ». Dédaigneux des jeux athlétiques, ils avaient emprunté aux Grecs les jeux dits scéniques, et leur avaient donné une luxuriance et un raffinement (voire une cruauté) qui nous effarent encore aujourd'hui. Offerts par l'empereur « au Forum, au théâtre, au stade, à l'amphithéâtre, dans les naumachies », ils constituaient des « divertissements sans cesse renouvelés ». « Les jeux par excellence étaient ceux du cirque » courses de chevaux ou de chars. Mais les amphithéâtres présentaient aussi des spectacles d'exercice et de compétition fort appréciés, qui duraient en général de l'aube au crépuscule : combats de gladiateurs soit sur la terre ferme, soit sur l'eau des naumachies ; luttes contre les rétiaires, qui opposent aux gladiateurs armés d'épées ou de poignards leurs filets et leurs tridents ; combats dans l'arène contre les bêtes fauves (ce sont les célèbres *venationes*), ou duels de l'hoplomachie ; les variantes étaient innombrables, et germaient avec facilité de l'esprit d'empereurs plus ou moins sanguinaires, parfois même atteints de folie.

Loin de rester indifférente, la foule manifestait violemment son accord ou son désaccord, ses encouragements, contrairement à ce qui se passait pour les représentations théâtrales. Cette différence est aujourd'hui encore valable. Roland Barthes l'exprime ainsi : « Alors qu'au théâtre, l'homme est spectateur, voyeur, dans le sport il est spectateur et acteur, il participe. » C'est cette *participation* qui rend compte de l'aspect psychosociologique le plus important du sport. Car elle n'est pas univoque : le joueur est sensible à ces cris, ces huées, ces clameurs qui viennent de la foule, il modifie son jeu ou son comportement à l'intérieur de son équipe, en fonction d'elle. En retour, la foule lui fait connaître d'instant en instant son sentiment. Il y a donc, entre le public et les joueurs, communication, interaction.

Cette interaction existe aussi, forcément, entre les joueurs : c'est justement ce qui différencie le jeu libre de l'enfant du jeu réglementé : étant donné que les règles fixent ce qu'il est permis de faire, ainsi que le but à atteindre, les réactions des joueurs sont organisées de telle sorte que l'attitude de l'un appelle l'attitude de l'autre. Prenons l'exemple très simple de la balle qu'échangent entre eux des enfants : on constate (George-Herbert Mead) que chacun guette, sur le visage ou le corps de l'autre, le mouvement auquel il va avoir à répondre, il y a entre eux une communication subtile liée à l'influence que chacun a sur l'autre, et qui réalise l'interaction dans ce qu'elle a de plus élémentaire. Il n'est pas besoin d'expliquer plus longuement la spécificité humaine de ce phénomène : c'est grâce à lui que l'enfant se développe et, pourrait-on dire, s'humanise : élevé par des loups, il ne peut accéder au niveau humain, et perd à jamais ses capacités de marcher debout et de parler un langage symbolique articulé, car le développement psychomoteur a ceci de caractéristique que non seulement il exige, pour être total, la présence constante d'un environnement humain et des contacts étroits avec des êtres humains privilégiés (le père et la mère, en général), mais également que chaque virtualité physiologiquement inscrite soit actualisée, grâce à cet environnement, aux périodes fixées par les lois de l'espèce : une fois passé le moment, il est trop tard ! Ainsi, la dimension sociale est partie constituante des êtres humains, et le sport nous fournit une bonne illustration de l'indissociabilité du biologique (du physique) et du social (du socio-culturel). Cette communication qui existe entre la foule et les joueurs, c'est ce que McLuhan appelle la « réciprocité », le « dialogue ». — « Le sport, dit-il, en tant que forme d'art populaire, n'est pas seulement une forme d'expression de soi : c'est aussi, nécessairement et profondément, un moyen de réciprocité dans l'ensemble d'une culture. » Ce qui fait que, devant la foule, le joueur tend à réaliser l'image que cette foule attend de lui, il tente de se dépasser lui-même ; en cela, le sport est un mode de projection de l'individu dans un moi idéal. Et si, comme le dit encore McLuhan, le jeu doit « se détacher de l'ensemble de la situation, en être un modèle, sinon le sens du jeu disparaît » on peut admettre que, dans le football par exemple, le ballon représente symboliquement l'ordre social ; il ne faut pas qu'il tombe, car sa chute signifie la rupture de l'ordre social, et celui qui l'empêche de tomber est le « bon » par opposition au « mauvais ». Chaque joueur, donc, identifie sa propre activité à la lutte du *bien* contre le *mal*, et tente de rendre la foule complice, conseillère et glorificatrice de ses efforts. Symbolisme très ancien, qui remonte au moins (en ce qui concerne notre culture occidentale) à la lutte métaphysique des forces du *bien* et du *mal* dans les religions iraniennes (mithracisme et manichéisme), et que le christianisme a repris à son compte : l'ennemi poursuivi est un émissaire de l'enfer, le poursuivant étant le justicier.

> Ainsi, la chasse, naguère justifiée par le stoïcisme comme moyen d'exercer le courage viril, se trouve-t-elle sanctifiée par le christianisme — au moins par un certain christianisme : bientôt vont apparaître les figures de saints veneurs, Hubert et Julien, et surtout celles de cavaliers surnaturels, comme Saint Georges, dont l'adversaire fantastique s'identifie plus clairement encore à l'esprit du mal. (Gilbert Charles-Picard)

On peut même donc parler de communion, pour rendre cette connotation religieuse précédemment évoquée, communion qui exprime, en fin de compte, le sentiment d'appartenir à un même groupe social, bref, le *sentiment national*.

Ce renforcement du sentiment national est bien sûr, au premier chef, le fait des sports que l'on qualifie justement de nationaux : la course cycliste en France (institutionnalisée dans le Tour de France), la tauromachie en Espagne, le hockey au Québec (et au Canada). Leur spectacle donne à tous une occasion de se ressentir comme étant du même groupe. Avant une joute de football ou de hockey, on joue l'hymne national, parfois même un interprète réputé est engagé pour ce faire : personne n'a oublié l'interprétation que fit José Féliciano de l'hymne américain pour l'ouverture d'un match de football ; au Forum, c'est André Bertrand qui prête sa voix aux accents du « O Canada ». Lorsque Maurice Richard a été suspendu, ce sont tous les Canadiens français qui se sont sentis punis et révoltés. Il paraît même que les soupes Campbell, victimes de leur homonymie avec le président de la Ligue nationale, ont alors subi une sérieuse baisse dans leurs ventes. À Toronto, Jean Béliveau se fait huer quand il marque un but. Lorsque les Rangers de New York, en la personne de Rod Gilbert, de Camille Henry, de Phil Goyette ou d'autres Canadiens français, marquent un but, la réaction du public qui suit la partie sur son petit écran, est ambiguë : l'exaltation s'empare autant des New-Yorkais (qui se reconnaissent dans leur équipe) que des Canadiens français (qui se réjouissent de la virtuosité de leurs compatriotes). Au *Superbowl* de 1970, les invités de marque ont été les trois astronautes : Borman, Anders et Lovell, qui revenaient de leur périple lunaire ; la présence de ces héros nationaux a enrichi la signification symbolique nationale du football. La même alliance du sport et du prestige national a été réalisée lors du récent voyage d'Apollo 14 (31 janvier —

9 février 1971) : le premier geste, sur la lune, du commandant Alan B. Shepard, a été de frapper une balle de golf.

Le sport a ceci de commun avec la guerre, il est fondé sur le combat ; il utilise l'agressivité, voire la violence ; il la canalise même, car les règles du jeu imposent justement des limites à la manifestation de cette violence. Même ainsi contenue, elle ne demande pas beaucoup pour déborder. Témoins, les célèbres bagarres du Forum, qui d'ailleurs servent d'exutoire à la violence non seulement des joueurs, mais aussi des spectateurs. Voir, entre autres, les photos parues dans *Perspectives* du 13 mars 1971 : Marc Tardif et Ted Irvine se prennent à bras-le-corps, les mains nues (selon la plus pure tradition), Yvan Cournoyer cherche des adversaires, etc. Tous les sports impliquent cet affrontement, plus ou moins violent, et dans la mesure où ils exigent à la fois de l'individu qu'il se maîtrise tout en maîtrisant le jeu, on voit qu'ils jouent un rôle de contrôle social et personnel, grâce justement à un effet de catharsis savamment dosé (en principe). Cette expression socialement institutionnalisée de la violence n'est d'ailleurs pas forcément modérée : témoins les *munera* de Rome, organisés par ceux qu'on appelait les « entremetteurs de la mort » (J. Carcopino). Le sang coulait en un véritable bain : 5 000 bêtes en un seul jour, lors de l'inauguration du Colisée par Titus ; et surtout les hommes. On se rappelle le fameux « *Ave Caesar, morituri te salutant !* » qui était loin d'être une figure de style. Le combat des duellistes (gladiateurs de même catégorie, mais parfois aussi, pour « corser », Néron organisa des combats de nègres contre nègres, et Domitien, de nains contre femmes) était scandé par les hurlements de la foule, et plus spécialement d'un groupe spécialement mandaté pour exciter l'ardeur homicide de celle-ci. « À chaque blessure que se portaient les gladiateurs, le public, qui tremblait pour ses enjeux, réagissait avec une odieuse passion... ; et les spectateurs n'éprouvaient qu'une joie barbare de la victoire de leur champion lorsqu'ils voyaient son adversaire s'écrouler sous une botte mortelle. » Moins exigeante aujourd'hui, la foule réclame quand même « du sang ». Car le sang témoigne de la dureté du combat, de l'importance du risque et donc de la valeur du vainqueur. Pour reprendre les mots de Roland Barthes : « Le champion sportif n'est pas une vedette, mais un héros. » Et le héros, rappelons-le, est un demi-dieu, vers qui se tourne le peuple, à qui il rend hommage, à qui, dirons-nous en langage moderne, il s'identifie car il voit en lui son modèle exemplaire. Maurice Richard n'a-t-il pas été le héros de la génération précédente ? Le héros fournit ainsi à la société un modèle, une image dont elle a besoin, et qu'en retour elle s'approprie, le rendant prisonnier de sa propre divinité : il est « impossible » d'imaginer Maurice Richard dans une autre équipe que celle des Canadiens ; et Jacques Plante n'a-t-il pas « trahi » en devenant gardien de but pour les Maple Leaf de Toronto ? De plus, le sang a certaines connotations sadiques. Les matches de lutte retransmis à la télévision sont regardés, nous apprend Vance Packard, par deux fois plus de femmes que d'hommes, et

> les organisateurs des matches, prévoyant astucieusement ce qui arracherait le plus de glapissements aux ferventes de ce sport, en accentuèrent le sadisme (hommes se tordant de souffrance), le tout-puissant symbolisme de la masculinité (coups sur la poitrine, fléchissement des muscles) et l'élégance vestimentaire (costumes de plus en plus recherchés pour les lutteurs).

Ainsi, le sport — celui qui est fait pour être regardé — véhicule un certain nombre d'images, à signification collective, qui contribuent à entretenir la cohésion interne du groupe ; leur charge « communielle » se trouve renforcée par la dialectique du contrôle, (voire la sublimation) de l'agressivité, et de la catharsis sous une forme socialement autorisée. C'est tellement vrai que, de tout temps, le sport a été largement utilisé par le pouvoir pour maintenir son emprise sur le peuple : « Le sport, opium du peuple. » Que l'on se souvienne des Olympiades de 1936, à Berlin (immortalisées par le film de Leni Riefenstahl). Et lorsque le nationalisme est suffisamment vécu pour ne point exiger le « fouet » des manifestations à grand spectacle, le sport servira à étayer une politique de prestige, exemple : les équipes françaises de ski.

* * *

Ayant longuement traité du sport-spectacle, je ne voudrais pas pour autant passer sous silence les sports que l'on pratique, parfois seul, parfois avec d'autres, mais toujours par plaisir. Pour l'individu, ils représentent plus qu'une distraction, un délassement ou une mise en condition.

Lorsque l'enfant commence à aller en classe, et quitte le milieu familial qui, jusqu'alors, avait été son principal agent de socialisation, il entre en contact avec différents groupes sociaux : ses compagnons, notamment, vont solliciter son adhésion, et lui-même va ressentir le besoin d'appartenir à des cercles différents du cercle familial. Le sport, les associations sportives vont lui fournir une bonne occasion de s'intégrer à ce nouveau monde social qui s'ouvre devant lui : par l'exercice sportif, il pourra acquérir le contrôle de soi, la valeur de l'effort, l'acceptation d'une compétition et d'une rivalité avec ses pairs ; par son appartenance à un groupe, il fera l'apprentissage des relations sociales, tout en en retirant des normes, des modèles, des façons de faire et de penser, bref, une certaine identité, qui viendra s'intégrer à celles que lui fourniront ses autres groupes de référence.

L'activité sportive est affectée d'un coefficient de signification en ce qui concerne le statut socio-économique : le tennis, le ski il y a une dizaine d'années étaient signe de richesse et témoignaient d'un certain rang social. Plus répandu, le golf, tout en étant réservé aux classes moyenne et supérieure, admet une certaine diversité : il existe des clubs de golf très sélects (avec une cotisation annuelle tout aussi prestigieuse) et d'autres plus populaires. Mais on peut de toute façon appliquer le précepte « Dis-moi qui tu hantes, je te dirai qui tu es ». Ou encore, comme le dit Philippe du Puy de Clinchamps dans son livre sur le snobisme (mais oui !) ; il est certains sports qui sont nobles :

> Hippisme, navigation de plaisance, chasse (en battues ; la chasse à courre, envahie par le commerce et l'industrie, n'est plus qu'un moyen publicitaire, que le grand snob délaissera sauf avec quelques rares boutons, entendons équipages de chasse, au demeurant extrêmement fermés) ou golf (en France ; aux Etats-Unis d'Amérique, en Grande-Bretagne, le golf est du commun).

Dans une société qui valorise la santé, la jeunesse, le sport peut représenter une assurance-vieillesse ; se maintenir en forme, rester actif atténuent la sensation de rejet, de mise à l'écart à l'âge de la retraite (clubs de « has been »). Enfin, le sport (tout comme la musique populaire) permet, aux groupes défavorisés ou aux minorités discriminées, d'accéder à la richesse et au prestige ; il est un instrument d'ascension sociale. Ainsi, la boxe pour les Noirs américains. La boxe est un sport de pauvres : les Noirs y foisonnent. Par contre, le tennis, plus élevé dans l'échelle sociale, est faiblement représenté par ce groupe ethnique : en 1971, Arthur Ash est toujours le seul joueur noir de calibre international. Quant au sport automobile, le moins démocratique qui soit, il ne nous a pas encore présenté de coureur qui ne soit pas « blanc ».

La pratique du sport désintéressé reste pour l'individu un choix personnel ; la plupart du temps, elle entre dans cette partie de notre programme vital que l'on appelle « loisirs » (Europe) ou « dada » (*hobby* en Amérique du Nord). Poussé à l'extrême, elle constitue l'exploit. La conquête mémorable, par Maurice Herzog, Gaston Rebuffat et leurs compagnons, de l'Anapūrnā témoigne d'une volonté de domination qui dépasse amplement la réussite musculaire ; c'est une victoire remportée jour après jour sur l'épuisement, la peur, la tentation de renoncer... C'est un haut fait, une performance, qui procure à ses auteurs la satisfaction intense d'accéder à la pleine réalisation de soi-même. Et d'ailleurs, le sport est parfois utilisé pour favoriser l'ascèse, l'initiation spirituelle : ainsi en est-il du tir à l'arc que pratiquent les adeptes de la philosophie de Zen.

Divergeant du sport-affrontement, dont la portée ultime est l'accomplissement intrapersonnel, le sport-spectacle, à la fois réclame et engendre la communication, la participation : lourd de symboles à forte teneur socio-culturelle, il donne sa marque aux liens interpersonnels et collectifs.

• • •

Telles sont les grandes lignes de force de ce phénomène du sport, dont la richesse socio-affective n'est pas tant inépuisable qu'insatiable. Comme les eaux du fleuve, il est à la fois toujours le même et toujours renouvelé ; il a rapidement intégré les possibilités offertes par le constant progrès de la technologie : télévision, calculatrices électroniques, théorie des jeux, etc. C'est cette force vive que j'ai, pour quelques pages, tenté d'appréhender.

ANDRÉE YANACOPOULO
Département de sociologie
Université du Québec à Montréal

Mars 1971

QUESTION DE HUBERT AQUIN (Q. H. A.)

1. Le sport peut-il être considéré comme faisant partie de la culture ?

RÉPONSE DE ANDRÉE YANACOPOULO (R. A. Y.)

1. Le mot « culture » déclenche automatiquement en moi une mise en garde ; classiquement, on lui reconnaît deux acceptions. Il y a la « culture » au sens général du terme, soit l'ensemble des connaissances littéraires, artistiques, scientifiques, etc. On dira de quelqu'un qu'il est cultivé, qu'il a une bonne culture générale ; cela ne veut pas forcément dire qu'il a tout lu, mais que la variété de ses connaissances et l'utilisation qu'il en fait son témoins de sa grande ouverture d'esprit. Et il y a le sens anthropologique, dans lequel la culture désigne l'ensemble de la production matérielle et non matérielle d'un groupe social, qui lui confère sa spécificité par rapport aux autres groupes : la culture québécoise, la culture occidentale. Ainsi, tel trait de caractère, tel comportement, telle façon de faire peuvent être qualifiés de « culturels » (horaire des repas, pour prendre un exemple simple).

Ces précautions discursives étant prises, il est frappant de constater que notre société (industrielle-moderne-occidentale) ne fait pas facilement entrer l'activité sportive dans l'acquisition de la culture générale. La présence, au niveau dit universitaire, des sciences de l'éducation physique, est non seulement récente, mais elle est pour le moment impuissante à réintégrer officiellement ce secteur dans l'ensemble de la formation intellectuelle.

Par ailleurs, il est incontestable que le sport a une signification culturelle (au sens que lui donnent les sciences sociales) en cela qu'il véhicule certaines valeurs socio-culturelles ; un sport national traditionnel est à l'image de la nation qu'il représente : la corrida est une métaphore de la culture espagnole. Dans les sociétés anciennes, les sociétés non industrielles, la compétition sportive porte sur la force brute et l'adresse. De nos jours, elle semble se centrer sur la stratégie et la vitesse. La course automobile témoigne d'une de nos valeurs les plus caractéristiques : le temps.

Mais deux exemples surtout me paraissent démonstratifs : le football (américain) et la boxe. Le succès du football me paraît être à la mesure de son adéquation à notre monde moderne de mass media : *Unitas, Unitatis* en rend suffisamment compte. De plus chaque équipe est une microsociété ; avec une répartition très stricte des tâches : le quart-arrière, botteur, plaqueur, etc., ont chacun leurs propres qualités, ainsi le plaqueur fait usage de sa force physique, le quart-arrière est un penseur. Ensuite, le football est démocratique (par opposition à la course automobile) : chaque petit garçon peut s'y entraîner, il suffit qu'il ait un ballon.

Mon deuxième exemple est celui de la boxe. Le combat Mohamed Ali (Cassius Clay) - Joe Frazier n'est pas seulement l'affrontement de deux candidats au titre de champion du monde de la catégorie des poids lourds, mais celui de deux conceptions de la boxe : l'une traditionnelle (le crochet brutal, dans la ligne de Joe Louis), l'autre nouvelle (l'« effleurement », dans la ligne de Ray Sugar Robinson). Il est vrai qu'à la limite, se pose une question d'orthodoxie : la technique de Cassius Clay relève-t-elle vraiment de la boxe ? Il est vrai également que l'on souhaiterait voir triompher cette nouvelle tendance qui transforme un sport primitif en un sport plus distancé, plus élégant, moins sanguinaire, et pour tout dire, plus conforme à l'image que nous nous faisons de notre civilisation.

Dans la mesure où, grâce surtout à la télévision, le sport-spectacle acquiert un impact précis dans notre vie, et donc dans notre personnalité et notre perception du monde, je dirai que le sport est véritablement un phénomène culturel en jouant à dessein sur l'ambiguïté de l'expression, car le sport est à mon sens le point-charnière entre les deux acceptions du mot mentionnées au début.

Q. H. A.

2. *Quelle place la femme occupe-t-elle dans le sport ?*

R. A. Y.

Question difficile, à laquelle je ne saurai donner que des réponses partielles. Il y a d'abord le fait que, historiquement, on a longtemps considéré que la condition féminine excluait la pratique du sport : la femme, être fragile, à la musculature gracile (les « formes féminines » excluant « la forme »...) était d'autant moins apte à l'exercice systématique que son activité était régulièrement suspendue plusieurs jours par mois. Le sport n'était pas fait pour la femme, non plus que la femme pour le sport. Peu à peu, la femme émergeant progressivement de l'état d'infériorité auquel elle était confinée, on lui a reconnu la possibilité de se livrer à certaines activités sportives, à condition qu'elles soient modérées (l'exercice violent durcit la musculature et plus spécialement celle de l'abdomen, risquant ainsi de gêner plus tard, l'accouchement) et restent féminines (écarter les jambes n'est pas féminin : les femmes montent en amazone, que ce soit sur un cheval ou une bicyclette. Et à ce propos, notons que la bicyclette « mustang » unisexe ne date que de quelques années). Aujourd'hui, on admet que la femme peut faire du sport, mais ne pourra pas atteindre les records masculins. Or, ces derniers temps, des jeunes filles de 11 à 18 ans ont atteint, à la natation, des records supérieurs à ceux des garçons. Que penserons-nous dans une quinzaine d'années ?

Quant à la place actuelle de la femme dans le sport, on peut constater que : il n'y a pas de femmes dans le hockey, la boxe ; il y en a dans la lutte, le basket-ball, le golf, le tennis, etc. Toutefois, dans le ski, l'athlétisme, le tennis, les épreuves restent séparées. Les tournois de golf, eux, sont ouverts (il est vrai que le golf est décloisonné) : on peut y jouer jusqu'à un âge avancé, et les femmes y ont la même possibilité que les hommes d'accéder au championnat. Le tennis est un exemple très instructif : les épreuves sont strictement séparées, après les finales masculines et féminines, le tournoi « double mixte » oppose les mêmes joueurs, mais regroupés par couples, M. et Mme Manuel Santana se battent contre M. et Mme Roy Emerson. Or, il ne sera jamais donné (du moins, tant que dureront les règlements actuels) à Mme Santana de se battre contre M. Roy Emerson.

Peut-on tirer de ces constatations fragmentaires des conclusions globales ? Les sports utilisant la force brutale excluent la femme (boxe). Si même il existait des championnats mondiaux féminins, on ne saurait concevoir (à moins que je sois moi-même victime de ce que j'essaie de dénoncer !) Chuvallo aux prises avec Mme Une telle (il y a peut-être même un petit relent d'obscénité à imaginer un tel combat, dans la mesure où la boxe est un corps à corps). Par contre, la femme est capable, tout comme l'homme, d'exploits, par exemple : l'alpinisme. Sa résistance physique, tout comme son agilité, sont compatibles avec une activité sportive comparable à celle de son compagnon : les premières courses automobiles (au début du siècle) ont été courues autant par des hommes que des femmes, et ces dernières étaient aussi victorieuses. Plus les années ont passé, moins les femmes ont été présentes. Fangio a formé une femme-pilote, mais on n'en a plus entendu parler. Une autre s'est tuée (ce qui, hélas, n'a rien d'exceptionnel dans ce sport meurtrier entre tous). Cela se passait il y a huit ans environ. Depuis, les femmes ont disparu des grandes épreuves internationales.

CONCLUSION

Le lecteur qui aura suivi attentivement notre démarche aura compris à quel point celle-ci est peu ressemblante à la grande majorité des travaux académiques : nous n'avons pas présenté de bibliographie (parce qu'il n'y en a pas !), nous n'avons pas étalé, non plus, une abondante documentation, nous n'avons pas établi d'index et nous n'avons pas procédé à un découpage rationnel de notre sujet. Nous avons tenté de formuler le plus nettement possible des hypothèses permettant d'élucider et de faire un déblayage préalable de cette pléthore de notions et d'idées liées au sport.

L'idée majeure que nous avons dégagée — celle du sport-spectacle — est le fruit d'une expérimentation patiente (souvent ingrate...) des nombreux spectacles sportifs télévisés que nous avons regardés et analysés ensemble ; manifestement, cette idée ne pouvait nous venir d'une prospection livresque — ou (en d'autres termes) académique, « standard ».

Ceci dit, nous croyons fermement qu'une recherche bien menée sur le sport — ou le sport-spectacle — peut apporter des résultats stimulants pour la pensée. Un sujet atypique, si marginal soit-il au début, n'est pas condamné à cette marginalité !

Il importe aussi que nous fassions mention — maintenant — des expériences respectives qui ont précédé (sinon engendré) cette étude menée en commun sur le sport. Nos confidences, à ce sujet, s'inscrivent dans le désir que nous partageons d'élucider la genèse de ce travail.

Hubert Aquin, en 1960, a réalisé et produit, pour l'Office national du film, un moyen métrage intitulé le Sport et les Hommes ; ce film — le premier film traitant du sport produit par l'ONF — est accompagné d'un commentaire de Roland Barthes. À cette occasion, Hubert Aquin et Roland Barthes (venu à Montréal pour travailler au film) ont échangé abondamment — et quotidiennement — leurs idées sur le sport. Le résultat final, le film, se présente comme une mosaïque de plusieurs grands sports : le football européen (« soccer »), la course automobile, le Tour de France, la tauromachie et le hockey. Par la suite, Hubert Aquin s'est converti au football américain ; mais cela ne fait pas plus de trois ans ou quatre ans ! Cette conversion semble profonde et durable ; inutile de dire qu'elle a éclipsé la fascination exercée sur lui par la course automobile...

Andrée Yanacopoulo, elle (changement de confident) a dirigé des séminaires sur la psychosociologie du sport au Collège Sainte-Marie en 1969 ; elle enseignait alors la psychologie sociale au Département de sociologie. Ces séminaires se sont révélés très féconds en termes de pensée même si, au départ les étudiants s'étaient montrés un peu sceptiques.

Mais (les deux auteurs n'ont plus qu'un discours, une fois de plus...) , nous n'avons jamais considéré que nos cheminements antérieurs nous conféraient quelque titre que ce soit dans un domaine (le sport) habituellement reconnu comme chasse gardée des commentateurs sportifs attitrés. Il existe un cloisonnement radical, dans la programmation de la télévision, entre le sport et les autres activités : musique, téléthéâtre, variétés, continuités dramatiques, service des nouvelles, émissions culturelles... Ce cloisonnement, au fond, ne fait qu'entériner la non-valeur que les intellectuels et les universitaires ont volontiers attachée au sport. Nous pourrions formuler, timidement, l'hypothèse suivante : la discrimination, d'une part, qui semble répondre au cloisonnement (autre forme de discrimination), d'autre part...

Chose sûre, les commentateurs sportifs de la télévision ont une perception du sport très différente de la nôtre : dans leur perspective, les rencontres sportives peuvent toujours être « également » commentées ; il suffit d'en faire des reportages agrémentés de paroles sensées, de *marginalia* plus ou moins prophétiques, d'entrevues avec des journalistes sportifs ou des joueurs blessés, etc. Mais, ce qu'il y a de plus frappant et de plus constant, c'est l'importance et la manipulation de ce que les commentateurs appellent les « statistiques » : poids des joueurs, nombre de lancers, nombre d'assistances, nombre de victoires et de défaites, etc. Cette tendance manifeste à tout quantifier et à postuler que de telles opérations de calcul contiennent la clé de la joute qui va commencer, semble nier le facteur premier de tout sport-spectacle : son imprévisibilité !

On croirait parfois que les commentateurs, de rigoureux mathématiciens (...), agissent comme leurs collègues qui, chaque soir, font leur travail au Parc Richelieu ou au Parc Blue Bonnets : des chiffres, des supputations quantitatives, d'étranges notions de vitesse qui ne tiennent pas compte de l'« attraction » newtonienne — à croire que le poids et le repas ingurgité dans la journée détermineraient la victoire !

En tout cas, mémoire de téléspectateurs, les commentateurs sportifs n'exagèrent jamais et paraissent imperméables à l'humour... Leur cloisonnement « disciplinaire » est tel que la guerre pourrait éclater qu'ils n'en continueraient pas moins de s'extasier sur la célérité de Cournoyer et sur la vigueur débordante de Rod Gilbert ! ! !

Nous n'avons rien contre les commentateurs sportifs officiels de la télévision, sinon quelques restrictions mentales qu'il nous fait chaud au cœur d'exprimer comme nous venons de le faire !

Les universités ont profité du décloisonnement disciplinaire qui les a fait sauter en l'air pour mieux se refaire. Il en serait de même pour le sport s'il ne se restreignait pas à la perspective rigide à laquelle il s'est cantonné.

H. A. et A. Y.

Les symboles dans « l'Épopée de Gilgamesh »

Cette épopée sumérienne très connue et populaire non seulement en Mésopotamie mais également dans les pays de la Méditerranée orientale, en Asie Mineure et en Ourartou, est le premier exemple connu du genre épique et, de plusieurs points de vue, lui a servi de modèle.

J'estime inutile de préciser que cette double affirmation concerne les épopées primitives ou naturelles par opposition aux épopées savantes qui feront leur apparition bien plus tardivement et qui relèvent davantage du domaine de la création poétique individuelle. Mais quel que soit l'angle sous lequel nous abordions l'étude d'une œuvre épique, nous aboutissons inévitablement à la nécessité de distinguer ces deux genres d'épopée et, par conséquent, à celle d'appliquer des méthodes d'approche appropriées à chacun d'eux. Il en va de même lorsqu'il s'agit de la recherche des symboles.

Dans le cas des épopées savantes, le symbole, l'allégorie, l'image poétique, le souci esthétique de l'époque de leur création, le goût personnel du poète s'enchevêtrent parfois si intimement, que le dépistage et la mise en valeur des symboles purs qu'elles contiennent se transforment en une entreprise compliquée et hasardeuse.

Par contre, l'épopée naturelle, dont les origines se situent dans le passé le plus reculé d'un peuple, est, par définition, le fruit d'une imagination collective *polie* au long des siècles, *dépouillée* de ce qui n'est pas conforme à l'évolution de ce peuple dans tous les domaines et elle reflète l'*essentiel* de ses préoccupations d'ordre moral, spirituel, physique, social, politique, économique, etc., depuis plusieurs générations. Par conséquent, l'épopée naturelle *offre l'immense avantage d'avoir déjà procédé à la cristallisation des symboles dont elle se nourrit*. À tel point, que le concept « épopée naturelle » devient pratiquement inconcevable sans ses « symboles-pivot ».

Il suffirait, pour s'en convaincre, de se rappeler que le récit épique primitif s'élabore pendant l'enfance des peuples et que les peuples primitifs offrent de grandes ressemblances avec les enfants dont le pouvoir d'imagination et la faculté de schématisation, d'extrapolation et de symbolisation n'ont pas fini d'émerveiller les psychologues.

Parmi tous les événements importants, ou considérés comme tels, qui auront marqué l'existence d'un peuple en voie de devenir une nation, il s'en trouvera un auquel l'on conférera une qualité représentative particulière pour avoir frappé toutes les imaginations, une valeur symbolique exceptionnelle pour avoir su créer l'unanimité autour de son importance capitale. De ce fait, il sera transmis de génération en génération, de plus en plus purifié de ses imperfections symboliques initiales, de plus en plus confirmé dans sa valeur symbolique pure et de plus en plus identifiable en tant que cristallisation de la philosophie de ce peuple, avec toutes les subdivisions d'ordre métaphysique, moral, esthétique et psychologique que cela comporte ; chacune de ces subdivisions y sera reproduite, à son tour, sous forme de symboles.

Nous arrivons ainsi à une constatation particulièrement intéressante : dans bon nombre d'épopées naturelles, c'est à un triple niveau que se présente le symbole. Au niveau initial, le choix du *héros* et de l'*événement*, parmi d'autres et plutôt que d'autres, confère à ceux-ci une valeur symbolique globale. Au niveau suivant, lors de l'élaboration de l'épopée naturelle par des générations successives d'hommes, une deuxième couche de symboles — multiples cette fois-ci, et représentant différents aspects des préoccupations qui ont forgé les destinées de ce peuple — viennent enrichir les symboles initiaux et les transformer en une entité infiniment plus complète. Et enfin, au troisième niveau, l'épopée naturelle qui, entre-temps, a mérité souvent de s'appeler épopée nationale ou populaire finit par devenir le symbole vivant de la nation ou du peuple concernés.

S'il s'agit d'un peuple disparu, l'étude des symboles de son épopée permet souvent d'humaniser les autres vestiges de sa civilisation, figés dans le temps et dans l'espace. Et si nous sommes en présence d'une nation toujours vivante, pour peu qu'elle ait gardé vivace la philosophie symbolique de son épopée, celle-ci permet de la comprendre et de la définir au même titre que l'étude de son histoire ; parfois, même mieux que son histoire qui peut lui avoir été imposée artificiellement par des nations plus puissantes qu'elle.

Afin d'illustrer par des exemples précis des propos jusqu'ici théoriques, j'ai choisi de me pencher aujourd'hui sur *l'Épopée de Gilgamesh*, témoignage vivant de peuples disparus à jamais. Je me propose d'en faire autant, à la prochaine occasion, avec *David de Sassoun* qui, elle, est l'épopée populaire vivante de la nation arménienne, elle aussi vivante.

* * *

L'épopée de Gilgamesh passe, à juste titre, pour l'œuvre la plus célèbre de la Mésopotamie antique. Si elle n'a pas la perfection d'autres œuvres plus courtes, par son ampleur, par la richesse de ses thèmes, et par le rayonnement qu'elle connut dans tout le monde civilisé d'alors, elle mérite d'être considérée comme l'expression la plus représentative du génie sémitique en Mésopotamie.

Elle n'y fut d'ailleurs pas le produit d'un milieu particulier, d'une époque donnée, ni même d'un seul peuple. Issue de la mythologie sumérienne, elle s'épanouit, pendant plus d'un millénaire, en Assyrie comme en Babylone, et elle déborda largement leurs frontières, puisqu'elle fut con-nue, copiée ou traduite depuis la Palestine jusqu'au cœur de l'Anatolie, à la cour des rois hittites [1].

Et c'est bien grâce à cette large diffusion dont elle bénéficia, qu'il a été possible de compléter certaines des parties manquantes des tablettes les plus anciennes, qui ne sont elles-mêmes que des copies datant du second millénaire. Le cycle original sumérien fut probablement composé à la fin du troisième millénaire. Ce qui nous en est parvenu se présente sous la forme de récits indépendants relatifs à chacun des épisodes de la vie aventureuse du roi Gilga-mesh de la cité d'Ourouk (XXVIIIe siècle avant J.-C.).

Cette matière a été utilisée ultérieurement par les scribes akkadiens pour la constitution d'une épopée unique, divisée en douze « chants » transcrits sur douze tablettes d'environ trois cents lignes chacune.

---

1. Cf. Introduction à la traduction de « l'Epopée de Gilgamesh », dans *les Religions du Proche-Orient*, textes présentés et traduits par René Labat, André Caquot, Maurice Sznycer, Maurice Vieyra, Paris, Fayard-Denoël, « Trésor spirituel de l'humanité », 1970.

Étant donné la grande popularité dont cette épopée semble avoir bénéficié et étant donné un certain nombre de ressemblances frappantes entre Gilgamesh et Ulysse, l'on a tendance à admettre qu'Homère la connaissait probablement et s'en inspira à certains égards. En tout cas, nous y découvrons la plupart des exigences théoriques relatives au genre épique, formulées bien plus tardivement par Aristote [2] d'après le modèle homérique. En effet, *l'Épopée de Gilgamesh,* met en application l'idée du héros principal, de l'unité du sujet et de l'unité psychologique malgré la variété des épisodes, des aventures héroïques, du fantastique et du merveilleux épiques ; nous y découvrons la notion du bien et du mal, les rebondissements des situations qui provoquent le « suspense », l'intervention des dieux ; y sont soulignés quelques thèmes universels importants tels que le sens de la vie, l'interrogation relative à la mort et à l'au-delà, la quête de l'immortalité, la dualité de l'homme à tous les points de vue, l'angoisse de l'homme, sa révolte et bien d'autres thèmes adjacents que nous appelons aujourd'hui globalement la « condition humaine ».

De l'original sumérien et des copies babylonienne, ninivite et hittite de *l'Épopée de Gilgamesh* découvertes à ce jour, celle qui appartenait à la bibliothèque du roi assyrien Assourbanipal (669-629) est la mieux conservée, bien que bon nombre de ses douze tablettes fussent mutilées et inintelligibles par endroits. Cependant, grâce aux efforts inlassables des plus grands spécialistes des langues et civilisations mésopotamiennes, il a été possible de compléter quelques-uns des fragments manquants, à partir de ceux des autres versions qui permettaient de procéder à des recoupements.

Je me référerai donc au texte ainsi reconstitué [3] pour étudier les symboles dans *l'Épopée de Gilgamesh.*

La méthodologie que je compte appliquer permettra d'illustrer l'existence des trois niveaux de symboles dont il était question plus haut. En effet, dans un premier temps, je dégagerai les symboles originels qui peuvent avoir motivé le choix même du héros et du sujet.

Dans un deuxième temps, je me pencherai séparément sur chacune des tablettes de *l'Épopée de Gilgamesh* afin de souligner une multitude de symboles variés se rapportant aux préoccupations des peuples qui l'avaient adoptée.

---

2. Dans *la Poétique.*
3. *L'Epopée de Gilgamesh, op. cit.,* p. 149-226. Les initiales *EG* remplaceront le titre dans les notes infrapaginales qui se rapporteront à cette épopée.

Et enfin, dans la dernière partie, les conclusions s'imposeront d'elles-mêmes.

I — LES SYMBOLES ORIGINELS

Penchons-nous d'abord sur le nom de Gilgamesh. Son nom qui signifie « homme souffrant et joyeux [4] », constitue le premier symbole de cette épopée car il résume déjà, en soi, la dualité de ce héros solaire, qui connaîtra les joies les plus pures et les angoisses les plus cruelles, les victoires les plus enivrantes et les déceptions les plus démoralisantes, les révoltes les plus éclatantes et les châtiments les plus sombres, avant de se résigner à se conformer à sa condition humaine.

La seule signification du nom de Gilgamesh a permis à C. G. Jung d'écrire, en pensant à lui comme exemple :

> Le plus noble de tous les symboles de la libido est la figure humaine, démon ou héros. Avec elle la symbolique quitte le domaine neutre, qui est celui de l'image astrale et météorique, pour prendre forme humaine, donc la figure de l'être qui passe de la souffrance à la joie et de la joie à la souffrance, qui tantôt, tel le soleil, se tient au zénith, tantôt est plongé dans la noire nuit et renaît de cette nuit même pour un nouvel éclat [5].

Ceci, indépendamment du fait que le grand protecteur de Gilgamesh est Shamash, le dieu Soleil, dont notre héros demande la protection avant d'entreprendre ses aventures périlleuses (« S'étant agenouillé, Gilgamesh pria le dieu Soleil [...] Étends sur moi une ombre protectrice [6] »), et à qui il promet une reconnaissance éternelle :

> Si, moi, je puis garder sauve ma vie,
> et jouir alors, chez moi, du bonheur que je te devrai,
> je te ferai asseoir, ô Shamash, sur des trônes [7].

---

4. Cf. Jensen, *Gilgamesh epos*, 1906, et aussi *EG*, première tablette, colonne V, ligne 14 : « Je te montrerai Gilgamesh, l'homme aux joies et aux peines. »
5. C. G. Jung, *Métamorphose de l'âme et ses symboles*, trad. Yves Le Lay, Genève, Librairie de l'Université Georg et Cⁱᵉ, 1967, p. 295.
6. *EG*, deuxième tablette, lignes 215-219, p. 166.
7. *EG*, lignes 232-234, p. 167.

Nous sommes donc en présence d'un héros solaire — principe de dualité — à double titre : à la fois par la signification de son nom qui peut soit avoir joué un rôle prédéterminant, soit avoir fait l'objet d'un choix pour expliquer d'emblée le personnage ; et par cette protection si ouvertement manifestée de la part du dieu Soleil, que le lecteur demeure parfois sous l'impression qu'il existait une sorte de connivence, de complicité tacite, entre Gilgamesh et Shamash. Nous aurons l'occasion d'en parler plus loin. Mais sachons dès à présent que quoi qu'il arrive, « Gilgamesh — le dieu Shamash l'aime [8] ».

La théorie de la formation des épopées naturelles stipule, par ailleurs, l'importance du caractère « historique » de l'événement initial. Or, nous l'avons rapidement vu tout à l'heure, Gilgamesh répond également à cette exigence. Son nom est le cinquième sur la liste des premiers rois sumériens ; il y est même précisé que son règne dura 126 ans. Il passe pour avoir été le fondateur de la ville et du royaume d'Ourouk. Donc, nous sommes en présence d'un personnage important — historiquement parlant ; point de mire de son peuple, sujet d'admiration, indépendamment de la signification de son nom et de l'importance de ses aventures héroïques. En un mot, il est de ceux qu'on a tout intérêt à flatter en enveloppant l'histoire de leur naissance dans un voile de mystère légendaire [9]. Il n'y aura plus qu'à attendre que la légende soit confondue dans les souvenirs avec la vérité des faits ; quelques détails y seront ajoutés afin que cela fasse plus vrai et nous aurons notre héros d'épopée, Gilgamesh :

> Deux tiers en lui sont dieu et un tiers est humain,
> la forme de son corps, les dieux eux-mêmes la parfirent
> et sa mère Ninsoun [la déesse] de surcroît le dota de beauté [10].

---

8. *EG*, première tablette, colonne V, ligne 21, p. 154.
9. Dans une autre tablette sumérienne, l'histoire de la naissance de Gilgamesh est contée en détails. En voici le résumé. Il y avait un roi, père d'une jeune fille. On lui avait prédit que l'enfant mâle issu de sa fille le déposséderait de son royaume. Afin d'éviter ce sort fâcheux, le roi fait enfermer sa fille, sous bonne garde, dans une forteresse. Il s'agissait d'empêcher qu'un homme ne s'approchât d'elle et ne la fécondât. Mais grâce à la participation active d'un des gardes, l'inévitable se produit et la princesse met au monde un enfant mâle. Les gardes, affolés à l'idée de la colère du roi, jettent l'enfant par-dessus les remparts de la forteresse. Mais, à ce moment précis, un aigle se précipite, recueille le nouveau-né sur ses ailes, le dépose sain et sauf dans le jardin d'un homme, qui l'adopte et prend soin de lui.
Dans une autre version sumérienne relatant les origines de Gilgamesh, il est le fruit des amours d'une déesse et d'un mortel insignifiant. C'est cette version qui semble avoir été retenue pour l'épopée, car la mère, la déesse Ninsoun y apparaît, mais le père de Gilgamesh, totalement ignoré, n'est même pas mentionné.
10. *EG*, première tablette, colonne II, lignes 1-3, p. 150.

La dualité caractérielle initiale de l'homme — Gilgamesh (homme souffrant et joyeux) se renforce ainsi d'une nouvelle dualité, originelle cette fois-ci, grâce à laquelle notre héros peut prétendre symboliser l'homme-dieu, capable d'assumer son destin de surhomme. À partir de là, dans chacun de ses agissements, il nous sera possible de discerner la part du divin et de l'humain, de l'ange et du démon, du bien et du mal.

Ajoutons enfin, que nous sommes, sans contredit, en présence d'un être aventureux dont les périples en de lointaines contrées semblent fortement avoir impressionné ses contemporains et ses chantres futurs car les premiers vers de l'épopée, qui en constituent en quelque sorte le prologue, se lisent comme suit :

> Je veux, au pays, faire connaître celui qui a tout vu,
> celui qui a connu les mers, qui a su toutes choses,
> qui a scruté, ensemble, tous les mystères,
> Gilgamesh, le sage universel qui a connu toutes choses :
> il a vu les choses secrètes et rapporté ce qui était caché,
> il nous a transmis un savoir plus vieux que le Déluge,
> Revenu d'une lointaine route, fatigué et serein,
> il grava sur une stèle le récit de tous ses durs travaux [11].

Un tel personnage qui symbolise à lui tout seul la dualité à un double niveau (caractériel et originel), la surhumanité, la souveraineté hiérarchique, la quête de l'aventure, la découverte de vérités inaccessibles aux autres, l'accession à la sagesse universelle et enfin, au terme de sa quête, la résignation à l'échec et la découverte de la sérénité, est, convenons-en, un héros idéal d'épopée, un exceptionnel ancêtre d'Ulysse.

Voilà pourquoi, le choix même de Gilgamesh en tant que personnage central de cette épopée peut s'interpréter, en soi, comme étant hautement significatif quant à la mentalité, l'idéal existentiel et la philosophie des peuples mésopotamiens.

---

11. *EG,* première tablette, colonne I, lignes 1-8, p. 149.

II — LES SYMBOLES PARTICULIERS

Première tablette [12]

Du point de vue de la symbolique, toute la partie de cette tablette qui se rapporte à la création d'Enkidou, le rôle qu'on attend de lui, l'apparence extérieure dont on le dote et la vie qu'il mène dans la nature sauvage avant sa découverte de la « civilisation », est d'une importance primordiale. L'ensemble de ces indications constitue un symbole global extraordinaire, tandis que chacun des détails introduit un thème particulier évident. Le passage tout entier est tellement éloquent de ce double point de vue, qu'il doit être cité ici :

> « C'est toi, Arourou, qui a créé Gilgamesh (dit Anou à la déesse) ;
> crée maintenant, de lui, une réplique,
> qui lui soit pour la fougue du cœur comparable ;
> qu'ils rivalisent l'un l'autre, et qu'Ourouk soit en paix ! »
> Arourou, quand elle eut entendu ces paroles,
> Conçut en elle-même la réplique (demandée) par Anou.
> Arourou lava ses mains,
> découpa un pâton d'argile, cracha dessus,
> (et) créa, dans le désert, Enkidou le héros,
> créature du silence nocturne, bloc de Ninourta [13].
> Velu de poils sur tout le corps,
> il est, de chevelure, fait comme une femme,
> drues comme les blés poussent les touffes de ses cheveux,
> il ne connaît ni les humains, ni pays civilisé,
> comme vêture, il est vêtu tel le dieu Shakkan [14].
> Avec les gazelles, il broute de l'herbe,
> avec les hardes, il se gorge aux points d'eau,
> avec les bêtes sauvages, il se complaît à l'eau [15].

---

12. Résumé de la première tablette : Gilgamesh est le roi tout puissant d'Ourouk. D'essence « aux deux tiers divine », il est beau, fort, illustre, craint et obéi, mais sans scrupules : il enlève les jeunes filles et les femmes qui lui plaisent et malmène les jeunes gens de sa ville. Ses sujets invoquent les dieux et les implorent de trouver une solution pour améliorer leur sort. Anou, le chef des dieux, charge Arourou (la déesse créatrice) de créer une réplique de Gilgamesh. Ainsi prend existence Enkidou, un monstre à demi humain qui vit parmi les gazelles et les bêtes sauvages. Un chasseur l'aperçoit. Gilgamesh en est averti ; il dépêche « une courtisane fille-de-joie » vers Enkidou, avec la mission de le lui amener. La courtisane déniaise Enkidou, lui révèle l'existence de la « civilisation », lui parle de Gilgamesh et de ses rêves prémonitoires. La déesse Ninsoun (mère de Gilgamesh) les avait interprétés comme l'annonce d'un nouvel ami que son fils découvrirait.
13. Dieu de la guerre et de la violence.
14. Dieu des troupeaux et des bêtes sauvages.
15. *EG,* p. 151.

Ces lignes contiennent au moins cinq thèmes différents : 1. celui de la création des êtres par les dieux ; 2. celui de la prédestination des créatures par décision divine ; 3. celui du « double » à la fois identique et rival, mais qui pourrait se confondre ici avec la dualité homme-bête de la nature humaine ; 4. celui de l'essence même de la créature humaine (faite à la fois d'argile et de souffle divin) ; 5. celui de l'homme primitif, tel qu'il était au naturel, avant d'avoir connu la civilisation.

Mais étant donné que cet homme primitif — Enkidou — fut créé pour jouer le rôle du double de Gilgamesh, il incarne, globalement et compte tenu de toutes ses caractéristiques, cette partie animale-créature sauvage-insouciante-naïve de l'homme intelligent ; est-elle la meilleure ou la pire des deux ? D'après ce que nous apprendrons d'Enkidou tout au long de l'épopée, il s'agira moins d'un choix préférentiel que de la complémentarité de ces deux parties de la nature humaine, représentées par Gilgamesh et par Enkidou son double. Près de 5 000 ans avant nous, les Sumériens et les Akkadiens avaient-ils déjà découvert l'un des principes fondamentaux de la psychologie et de la psychanalyse modernes ?...

Un peu plus loin dans cette tablette, « un chasseur, malfaisant de nature », donne l'alerte en ville au sujet de cet «homme venu du fond de la steppe », qui arrache les filets tendus par lui, fait échapper les hardes et les bêtes sauvages ; Gilgamesh lui dit :

Va, chasseur, emmène avec toi une courtisane fille-de-joie ;
lorsqu'au point d'eau il [Enkidou] fera boire la harde,
qu'elle, alors, ôte ses vêtemnts et dévoile ses charmes.
En la voyant, d'elle il s'approchera :
étrangère lui deviendra sa harde, qui a grandi sous sa tutelle [16].

La rencontre de « cet homme primitif, jeune mâle sanguinaire » et de cette courtisane qui, par ses intentions, incarne le monde « civilisé », se solde par la défaite du premier :

La fille-de-joie laissa tomber son cache-seins,
elle ouvrit ses cuisses pour qu'il prît d'elle tout son plaisir ;
elle ne s'échappa pas, elle lui prit son souffle
elle rejeta ses vêtements et il se coucha sur elle ;

---

16. *EG*, p. 152-153.

elle fit à ce primitif l'initiation de la femme,
(et) ses élans amoureux la couvrirent de caresses.
Six jours et sept nuits, Enkidou en rut posséda la fille-de-joie.
Lorsqu'il fut rassasié du plaisir qu'elle (lui donnait),
il voulut retourner vers sa harde.
Mais, en voyant Enkidou, les gazelles détalent
et les bêtes sauvages s'éloignent de lui !
Enkidou s'élança... Son corps était sans forces ;
immobiles restèrent ses genoux, alors que s'en allait sa harde ;
diminué était Enkidou, sa course n'était plus comme avant.
Mais lui-même s'était épanoui, plus vaste d'intelligence [17] !

Indépendamment du réalisme simple et puissant des lignes qui précèdent, leur symbolisme est tellement transparent que je juge inutile de le souligner. Je ferai une exception, cependant, pour les deux dernières lignes qui résument à elles seules toute l'évolution de l'homme primitif dans son cheminement vers la découverte de ses semblables et de la civilisation. Physiquement parlant, il y laisse des plumes, il s'éloigne de la nature, mais il découvre de nouvelles satisfactions, il s'affirme de plus en plus en tant qu'être humain et, parallèlement, se développe son intelligence qui, en définitive, le distinguera du monde animal.

L'épanouissement de l'intelligence est inséparable du réveil de la curiosité suscitée par les récits de la courtisane se rapportant à Gilgamesh ; il est inséparable, aussi, de certaines compromissions que doit consentir l'homme primitif ; il les découvrira au fur et à mesure, mais les toutes premières sont formulées ici par la courtisane :

Pourquoi, avec les bêtes, cours-tu par le désert ?
Viens, je vais te conduire dans Ourouk l'Enclos [18].

Ou bien : « O Enkidou, change ta violence [19] » !

Il lui faudra, également, sinon endosser du moins découvrir, dans une phase d'initiation, une partie des complications que se créent les hommes civilisés ; notamment, l'angoisse, l'interrogation et la recherche d'une interprétation

---

17. *EG*, p. 153-154.
18. *Ibid.*, colonne IV, lignes 35-36.
19. *Ibid.*, colonne V, ligne 20.

possible relatives aux rêves prémonitoires. Ceux-ci tiennent une place assez importante dans la dernière partie de la première tablette. La courtisane relate à Enkidou deux rêves de Gilgamesh et leur interprétation par « Ninsoun la sage », mère de ce dernier. Comme dans la plupart des épopées naturelles, les rêves prémonitoires revêtent ici aussi un caractère symbolique évident, à la fois intrinsèque (avant leur interprétation) et relatif (après l'explication qu'on en donne dans le contexte de l'épopée). Voici le premier des rêves de Gilgamesh :

> Alors qu'il y avait des étoiles au ciel,
> comme un roc d'Anou [20] près de moi est tombé.
> J'ai voulu le soulever : il était trop fort pour moi ;
> j'ai voulu le culbuter : je n'ai pu l'ébranler.
> Ourouk-le-Pays se tenait près de lui [...]
> Moi, comme une épouse, je l'ai couvert de caresses,
> puis, je l'ai déposé à tes pieds [21]
> et toi, tu l'as mis de pair avec moi [22] !

Les étoiles du ciel, la météorite tombée près de l'intéressé, l'incapacité de ce dernier de la soulever malgré la force surhumaine qu'on lui connaît, la curiosité dont fait montre la population en cette occasion, le fait de la déposer aux pieds de sa mère et l'attitude de cette dernière, contiennent autant d'interprétations que l'on voudra. Il suffirait, pour s'en convaincre, de se reporter à une clé des songes et même à un dictionnaire des symboles. Mais dans le contexte de *l'Épopée de Gilgamesh* voici l'explication fournie par « Ninsoun la sage, l'avisée, l'omnisciente » :

> Les étoiles du ciel, ce sont tes compagnons. (ligne 41)

Pour ce qui concerne le reste :

> Cela signifie un homme fort, un compagnon sauveur de son ami,
> dans le pays il sera le plus fort, il sera plein de vigueur,
> autant qu'un roc d'Anou ses bras seront durs et forts ;
> que toi, comme une épouse, tu l'aies couvert de caresses,
> cela signifie de plus que, toi, il ne t'abandonnera pas !
> Voilà ce que signifie ton rêve [23].

---

20. « Une météorite, Anou étant le dieu du ciel », cf. *ibid.*, note n° 2, p. 155.
21. Il s'agit de Ninsoun.
22. *EG*, colonne V, lignes 27-38, p. 155.
23. *EG*, colonne VI, lignes 1-6, p. 155-156.

Cela se passe de tout commentaire, car le texte offre à la fois les symboles et leur interprétation.

Il en va de même pour le second rêve :

Dans Ourouk-l'Enclos, une hache gisait à terre,
autour de laquelle on s'était rassemblé [...]
La foule, contre elle se pressait.
Moi, je l'avais déposée à tes pieds
et, comme une épouse, je la couvris de caresses,
et toi, tu la mettais de pair avec moi [24].

Dans une autre version il est spécifié que :

cette hache était pour tous d'aspect redoutable
mais, lorsque je la vis, moi, je me réjouis,
je l'aimais, et, comme une épouse.
je la couvrais de caresses...

Indépendamment de toutes les interprétations que l'on découvre à propos du symbole « hache » (destruction, orage, foudre, instrument de sacrifice dans la civilisation mésopotamienne, etc. [25]), l'explication qu'en donne Ninsoun est fort catégorique et originale :

La hache que tu as vue, ô homme [...],
signifie que vient vers toi un homme fort,
un compagnon sauveur de son ami [26].

N'oublions point que tout ceci se passe avant la rencontre de Gilgamesh et d'Enkidou. La courtisane en informait Enkidou. Quant à Gilgamesh, déjà mis en condition par sa mère, il n'a qu'un souhait :

Puisse-t-il m'advenir, par la volonté du grand Enlil,
que, moi, j'obtienne un ami et un conseiller [27].

---

24. *EG*, lignes 8-15, p. 156.
25. Cf. *Dictionnaire des symboles*, Paris, Robert Laffont, 1969, p. 397.
26. *EG*, colonne VI, lignes 18-20, p. 156.
27. *Ibid.*, lignes 25-26.

Nous pouvons pressentir déjà comment les plans des dieux seront déjoués ; cette hache qui, pour les autres, « était d'aspect redoutable » et pouvait signifier orage, foudre, combat à mort, représentera quelque chose de tout à fait positif pour Gilgamesh : la découverte d'un ami fort, sur qui il pourra compter. Nous pouvons prévoir, donc, dès à présent, qu'au lieu de s'opposer et s'entre-déchirer, Gilgamesh et Enkidou seront attirés l'un vers l'autre, deviendront les meilleurs amis du monde, accéderont à l'équilibre intérieur, car ils ne sont, en réalité, que les deux moitiés complémentaires d'une même unité.

Tout ceci est anti-symbole par rapport à la conception classique de l'époque, mais symbole pur par rapport au contexte étonnamment moderniste de l'épopée. La volonté des dieux ? On peut la modifier. Le rôle qu'ils fixent pour les mortels ? On peut le reformuler. Pourvu que l'homme ait assez de bon sens et de volonté pour fixer lui-même les détails de son rôle et de sa destinée. Il peut rester *animus* esseulé ; il peut découvrir *anima* et la détruire ; mais il peut, aussi, unir en lui *animus* et *anima* et vivre heureux. Toutes ces possibilités sont en lui. C'est ce que signifie, ici, le symbole de la hache.

Deuxième tablette [28]

À partir de la deuxième colonne de cette tablette, le texte nous offre une série de détails se rapportant à la transformation de l'homme primitif en homme civilisé. D'abord, après avoir fait l'amour pendant « six jours et sept nuits », Enkidou commence à comprendre ce que la femme lui disait ; cependant, ici, il s'agit moins du réveil de l'intelligence que de celui de la sensibilité ; en effet, il est spécifié que :

le conseil de la femme parvint jusqu'à son cœur [29].

---

28. Résumé de la deuxième tablette : La courtisane propose à Enkidou de le conduire à Ourouk auprès de Gilgamesh : « Toi, tu es tout comme lui : tu l'aimeras comme toi-même » dit-elle. Elle couvre sa nudité, lui fait manger du pain, boire de la bière, faire ses ablutions. Enkidou commence à « ressembler à un homme » et « massacre les loups, pourchasse les lions » qui lui sont devenus étrangers. Il apprend incidemment la tyrannie que Gilgamesh exerce sur ses sujets ; cela le bouleverse. Ses sentiments de sympathie font place à un besoin de faire entendre raison à ce tyran. Lors de leur première rencontre ils s'empoignent et se livrent un combat titanesque. Puis, « ils s'embrassent et font amitié ». Gilgamesh console son nouvel ami d'une crise de découragement, puis lui propose d'aller avec lui combattre le géant Houmbaba, gardien de la Forêt des cèdres. Enkidou se laisse persuader. Les Anciens d'Ourouk tentent de dissuader leur roi d'entreprendre cette aventure périlleuse ; mais devant son obstination, ils le bénissent et lui prodiguent leurs souhaits. Gilgamesh implore la protection du dieu Soleil.

29. *EG*, colonne II, ligne 65, p. 158.

Ensuite, apparaît le symbole du vêtement qui, comme partout ailleurs, est inséparable de l'idée d'accession aux mœurs civilisées :

> Elle enleva son vêtement : de l'un elle le vêtit,
> de l'autre vêtement, elle-même resta vêtue [30].

Ceci est suivi de la recherche de la compagnie d'autres humains :

> Puis, tenant sa main,
> comme un jeune enfant, elle le conduit
> vers des huttes de bergers [31].

Nous assistons ensuite à l'enseignement des premières habitudes de
l'homme « apprivoisé » qui, symboliquement, se rapportent à la nourriture :

> Mange du pain, Enkidou, c'est signe de vie civilisée,
> bois de la bière, c'est ce qui doit se faire en pays civilisé [32].

Les effets de cette initiation sont heureux :

> Du pain, Enkidou en mangea à en être rassasié,
> De la bière, il en but sept fois à la cruche.
> Son humeur se détendit ; il chanta joyeusement ;
> plein d'allégresse fut son cœur et ses traits s'éclairèrent [33].

Puis se manifeste le besoin de soigner son apparence extérieure :

> Il frictionna d'eau son corps hirsute
> et, lorsque d'huile il se fut frotté, il
> ressembla à un homme [34].

---

30. *EG*, lignes 66-67, p. 158.
31. *Ibid.*, lignes 71-73.
32. *Ibid.*, colonne III, lignes 91-92, p. 159.
33. *Ibid.*, lignes 95-97, p. 159.
34. *Ibid.*, lignes 104-105, p. 159.

Et enfin, dès l'instant où il s'empare d'armes de défense, la rupture de l'homme d'avec le monde animal est consommée irrévocablement ; les anciens compagnons se transforment en ennemis que l'on doit combattre et tuer :

Il prit son arme, et combattit les lions [...]
(Il) massacra les loups, pourchassa les lions.
Les vieux pâtres pouvaient dormir :
Enkidou était leur gardien,
homme éveillé, gaillard unique [35].

La transformation d'Enkidou est tellement vraie, le changement de ses mœurs d'antan tellement profond, qu'il est outragé rien qu'à la découverte que selon la tradition d'Ourouk, la possession de n'importe quelle fiancée revient d'abord à Gilgamesh et seulement ensuite au futur époux.

Constituée par une succession de symboles particuliers, toute cette partie symbolise, globalement,

les premiers âges de l'humanité, alors que l'homme, tout proche de la nature, vivait en confiance parmi les animaux. Son initiation à la vie civilisée marque les étapes qui menèrent les groupes humains de l'existence nomade à celle des communautés urbaines, et, dans cette évolution, on ne notera pas sans intérêt la place que *l'Epopée* donne à la femme, initiatrice à la culture et au chasseur, intermédiaire entre le prédateur sauvage et le sédentaire [36].

Dans cette deuxième tablette, un autre grand symbole s'impose dès l'instant où malgré les rêves prémonitoires, Gilgamesh et Enkidou s'affrontent dans un combat (selon le désir des dieux et évoquant les derniers soubresauts de l'homme des cavernes avant sa transformation définitive en homme civilisé), mais que, l'instant d'après, ils « s'embrassent et font amitié » (conformément à l'équilibre créé par l'union des deux moitiés complémentaires d'une même unité). La nature de l'homme n'est-elle pas ainsi faite, qu'elle possède le pouvoir d'autodestruction dans le cas d'un conflit intérieur entre son instinct et son intelligence, mais qu'elle dispose, en même temps, de la faculté de réconcilier

---

35. *EG*, lignes 109-115, p. 159.
36. Cf. Introduction de *l'Epopée de Gilgamesh*, p. 148.

les deux ? Dans ce dernier cas, la vie de l'homme se transforme en une aventure passionnante, composée d'épisodes heureux ou d'échecs cuisants, bien sûr, mais évoluant autour de la poursuite soit de l'aventure pure, soit d'un idéal inaccessible qui donne tout son sens à une existence humaine.

Gilgamesh et sa « réplique » Enkidou, enfin réunis, complétés l'un par l'autre et ainsi apaisés intérieurement, n'ont plus besoin des autres pour se distraire ; les jeunes filles et les femmes d'Ourouk seront désormais laissées en paix, les jeunes gens ne seront plus maltraités par Gilgamesh. Les deux amis, devenus inséparables, se lanceront dans des aventures à leur mesure.

Et pour commencer, ils s'en prendront au « puissant Houmbaba » :

moi et toi, nous irons le tuer
pour détruire ainsi tout mal dans le pays [37].

Ce géant malfaisant (« sa bouche, c'est le feu, et son souffle, la mort ! ») doté par Enlil [38] « des sept épouvantes », qui « est puissant et ne dort jamais », qui est le gardien de la Forêt des cèdres incarne, pour les deux amis, le Mal dont il faut débarrasser la terre, pour la plus grande gloire et avec l'aide du dieu Shamash (= Soleil). Ainsi, l'entreprise tout entière dont l'initiative vient de Gilgamesh, prendra l'allure d'un épisode s'insérant dans cette lutte éternelle entre les forces du Mal et celles du Bien, entre les Ténèbres et la Lumière. Enkidou, plus réfléchi et circonspect, souligne les difficultés et les impossibilités matérielles inhérentes à cette entreprise ; mais Gilgamesh, tout en s'accordant un rôle de champion du Bien, laisse échapper aussi qu'il désire se faire « un renom éternel [39] ».

La vanité humaine vient donc se joindre à l'idéalisme du champion d'une cause juste et révèle ainsi toute la démesure du but poursuivi.

Il est très significatif que ce fût la moitié la plus civilisée du couple Gilgamesh-Enkidou qui ait conçu ce projet ambitieux et qu'Enkidou, d'abord réticent, ait finalement cédé à l'insistance de Gilgamesh. La déesse Ninsoun

---

37. *EG*, colonne II, lignes 97-98, p. 163.
38. « Seigneur de l'Atmosphère ».
39. *EG*, colonne IV, ligne 188, p. 165.

qui, mieux que quiconque connaît son fils, profère cette complainte significative à l'adresse de Shamash :

> Pourquoi lui as-tu infligé un cœur qui n'a pas de repos [40] ?

Ne résume-t-elle pas, ainsi, l'insatisfaction perpétuelle, le désir inassouvi d'aller toujours de l'avant et plus loin, la quête renouvelée de l'aventure, l'ambition illimitée d'atteindre des sommets inaccessibles, qui caractérisent la civilisation humaine et son progrès ?

Troisième tablette

Cette tablette, très mutilée, contient quelques symboles de prudence ; les Anciens d'Ourouk conseillent à Gilgamesh, par exemple, « qu'Enkidou marche devant toi », car « ses yeux sont bien clairs et il te gardera » ; « au fleuve de Houmbaba, auquel tu aspires, lave tes pieds », « à l'étape du soir, creuse un puits » ; « qu'il y ait toujours de l'eau dans ton outre ».

Ninsoun, à son tour, confie à Enkidou le soin de veiller à la sécurité de Gilgamesh. Car, s'ils sont forts tous les deux, Enkidou semble être plus prudent et avisé. Par un renversement des rôles, incarnerait-il maintenant la raison, alors que Gilgamesh s'identifierait davantage avec la fougue, l'élan, l'enthousiasme irresponsables et irraisonnés.

Quatrième tablette

Cette tablette, également très endommagée, relate, dans ses fragments traduisibles, l'arrivée éclair des deux amis (trajet d'un mois et demi effectué en trois jours) « à la montagne du Liban », dont la Forêt des cèdres abrite Houmbaba, ainsi que les premières mesures de sécurité dont ils s'entourent et surtout le récit de cinq songes prémonitoires vus par Gilgamesh et leur interprétation par Enkidou.

Parmi les mesures de sécurité (creuser un trou près de leur camp ; « une libation de farine grillée » en l'honneur du dieu protecteur ; fixation d'un abri

---

40. *EG*, troisième tablette, colonne II, ligne 11, p. 169.

contre le vent) il en est une qui revêt un caractère symbolique évident : Enkidou trace un cercle autour de l'endroit où se couche Gilgamesh. Or, même le
profane en interprétation des symboles peut comprendre le pouvoir magique
(protecteur, isolant du monde extérieur) attribué au cercle tracé autour d'une
personne ou d'un endroit. Il tient moralement lieu, surtout, de mur fictif, en
plus de toutes les autres significations qu'on pourrait lui accorder [41].

Ainsi que je le disais plus haut, du point de vue de l'objet de cet article,
l'intérêt de cette tablette réside dans les cinq songes de Gilgamesh ; en voici le
premier :

> Nous progressions dans les abîmes de la montagne,
> quand la montagne sur nous s'écroula,
> mais nous nous envolâmes comme des mouches de roseaux [42].

À première vue, ce songe ne contient d'encourageant que le dégagement
des deux amis de dessous la montagne écroulée sur eux (= Houmbaba). Je
n'y verrais rien qui permette de présager leur victoire effective sur Houmbaba.
Mais Enkidou qui, depuis qu'il a accepté d'accompagner Gilgamesh dans cette
aventure, assume efficacement son rôle de guide, de protecteur avisé et de préser-
vateur du moral de son ami, trouve, sans broncher, une explication des plus optimistes et encourageantes :

> Mon ami, ton rêve est favorable :
> c'est un rêve en tout point précieux !
> Mon ami, la montagne que tu as vue en rêve
> signifie que nous prendrons Houmbaba, que nous le tuerons
> et que nous jetterons son cadavre dans la plaine [43] !

Après le deuxième songe, Gilgamesh est loin d'être serein, il déclare
d'emblée que son rêve « était néfaste, et sombre, et troublant ». Il avait raison
de s'inquiéter, car voici ce qu'il avait vu :

> Moi et un buffle sauvage nous étions aux prises :
> son cri retentissait ; il faisait se fendre le sol ;

---

41. Cf. *Dictionnaire des symboles*, les mots « cercle », « mur », « enceinte ».
42. *EG*, lignes 3'-5', p. 172.
43. *Ibid.*, lignes 8'-11', p. 172.

devant lui, moi, je faisais front.
Un homme alors me prit par le bras, me tira,
et me fit boire l'eau de son outre [44].

Je penserais (probablement comme Gilgamesh) que le buffle sauvage représente un danger et le sauveteur providentiel ne peut être qu'Enkidou. Mais ce dernier, imperturbable, fournit une toute autre explication, aussi optimiste que la première :

Ce buffle-là n'est pas du tout hostile :
ce buffle que tu as vu, c'est Shamash, le dieu de lumière !
Dans les épreuves, il nous prendra la main.
Quant à celui qui t'a fait boire l'eau de son outre,
c'est ton dieu personnel, qui fait ta propre force... [45]

En se réveillant en sursaut après son troisième songe, Gilgamesh est particulièrement troublé, à tel point que, de son propre aveu, ses « chairs sont paralysées ». En effet, il avait rêvé que :

Les cieux criaient, la Terre mugissait ;
il se fit un silence de mort, de sombres nuées surgirent,
un éclair fulgura, un feu s'embrasa,
les flammes de plus en plus se firent éblouissantes, la mort pleuvait !
Puis, l'éclat du brasier se ternit, le feu s'éteignit,
les braises, qui partout étaient tombées se changèrent en cendre [46] !

Je ne verrais dans cette scène apocalyptique que les présages les plus sombres quant à l'avenir des deux amis et de Houmbaba réunis, pris au piège dans ce tourbillon de colère cosmique. Mais Enkidou, toujours aussi optimiste et plus entêté que jamais, avait certainement trouvé une explication apaisante que nous ne connaissons pas, cette partie de la tablette étant abîmée.

Nous ne connaissons pas, non plus, le contenu du quatrième rêve de Gilgamesh. Ce qu'il en reste se rapporte à l'interprétation fournie par Enkidou :

Houmbaba, contre qui nous sommes pleins de fureur,
sur lui, nous remporterons la victoire [47] !

44. *EG*, lignes 4-9, p. 173.
45. *Ibid.*, lignes 11-15, p. 173.
46. *Ibid.*, lignes 15-20, p. 174.
47. *Ibid.*, lignes 6'-7', p. 175.

Quant au cinquième rêve, nous savons que Gilgamesh le vit, mais et son détail et son explication demeurent indéchiffrables.

En tout cas, une chose est certaine : toutes les explications d'Enkidou sont plus ou moins « partisanes » et n'offrent qu'une très lointaine similitude (pour ne pas dire aucune) avec ce que nous découvririons dans une clé des songes.

Cette insistance systématique d'Enkidou à ne voir que des présages favorables là où même les plus optimistes se laisseraient troubler, constitue globalement, une attitude symbolique, tout à fait conforme au rôle qu'il assume maintenant. Encore une fois, le symbole existe à un double niveau : à celui de chaque rêve et à celui de l'attitude générale d'Enkidou (qui, par opposition, demeure inséparable de l'attitude plus ou moins hésitante dont Gilgamesh fait montre en cette occasion).

Avant le confrontement décisif, Gilgamesh implore encore une fois la protection de Shamash. Les recommandations de ce dernier contiennent des symboles évidents (Forêt, s'y cacher, revêtir des cuirasses, nombre magique sept), que je me contenterai de signaler, en confiant au lecteur le soin de chercher les détails s'y rattachant dans le *Dictionnaire des symboles*. Voici les paroles de Shamash :

> Hâte-toi, sur lui, avant qu'il ne pénètre dans la forêt,
> qu'il ne descende dans le bois et ne s'y cache !
> Il n'a pas encore revêtu ses sept lourdes cuirasses :
> il en a une seule vêtue et six encore non passées [48].

Ainsi conseillé, Gilgamesh retrouve son ancienne détermination et, à son tour, prodigue des conseils à Enkidou :

> Si tu t'es bien frotté d'herbes, tu ne craindras pas la mort [49].

(S'agit-il d'herbes médicinales ordinaires, de plantes hallucinogènes ou d'herbes spéciales magiques ?)

---

48. *EG*, lignes 43'-46', p. 176.
49. *Ibid.*, ligne 32', p. 177.

Cet autre conseil est plus philosophique :

Méprise la mort, et tu auras la vie [50] !

Dans le Cycle sumérien, nous découvrons aussi cette série de vérités significatives :

Deux hommes ne succombent pas ; le bateau remorqueur ne coule pas ; personne ne peut rompre une corde triple ; dans une hutte de roseaux le feu ne s'éteint pas... [51]

Et dans la version ninivite :

[...] Et plus fort que leur père sont deux jeunes lions [52] !

Cinquième tablette

Quelques fragments difficilement déchiffrables laissent entendre, dans cette tablette ninivite que les deux amis maîtrisent Houmbaba, s'emparent de ses cuirasses dont ils se revêtent et Gilgamesh coupe la tête de l'ennemi. Ce dernier, cependant, avant d'expirer, maudit ses vainqueurs.

Dans le texte ancien babylonien il est spécifié en outre qu'à la mort de Houmbaba « à deux double lieues en gémirent les cèdres » ; avec raison, d'ailleurs, car l'ambition initiale de Gilgamesh étant de couper les cèdres, il les « frappe à mort » après l'élimination de leur gardien.

À quoi attribuer cette animosité de Gilgamesh à l'endroit des cèdres inoffensifs ? Était-il mû par des motifs d'ordre pratique : le texte laisse supposer, en effet, « que Gilgamesh et Enkidou transportèrent jusqu'au fleuve [l'Euphrate] les troncs des cèdres abattus, pour que le courant les emporte vers le bas pays [53] ». Leur attribuait-il, au contraire, une valeur symbolique : la Forêt des cèdres abritait Houmbaba et en constituait le royaume infranchissable ; Houmbaba éliminé, s'agissait-il pour Gilgamesh, de détruire également toute trace

50. *EG*, ligne 37′, p. 177.
51. *Ibid.*, note n° 2, p. 176.
52. *Ibid.*, colonne VI, ligne 4, p. 177.
53. Cf. *Ibid.*, Explication des traducteurs, p. 181.

de son règne et de son royaume ? Normalement, le symbole du cèdre revêt une signification positive ; puisque « en raison de la taille considérable de sa variété la plus connue, le cèdre du Liban, on en a fait un emblème de la grandeur, de la noblesse, de la force et de la pérennité. [...] Le cèdre, comme tous les conifères, est [...] un symbole d'immortalité [54] ». Tandis que l'arbre, en général, est « symbole de la vie, en perpétuelle évolution, en ascension vers le ciel [...] Symbole des rapports qui s'établissent entre la terre et le ciel » ; il ne faut point négliger non plus, le symbolisme sexuel de l'arbre et enfin, pour l'analyse moderne, « en tant que symbole de la vie, — de la vie à tous ses niveaux, depuis l'élémentaire jusqu'au mystique — l'arbre est assimilé à la mère, à la source, à l'eau primordiale. Il en a toute l'ambivalence, force créatrice et captatrice, nourrissante et dévorante [55] ».

Gilgamesh et Enkidou pensaient-ils à tout ceci au moment d'abattre les cèdres ? Si oui, leur geste revêt une signification de mépris, de révolte contre ce trait d'union ascendant, contre ce symbole de virilité, contre cet emblème de la vie (passée, présente et future). Dans ce cas, nous comprendrons fort bien le courroux d'Anou qui éclatera dans la septième tablette :

> Doit mourir, dit Anou, celui d'entre eux
> qui arracha les cèdres des montagnes [56].

Mais s'ils ne pensaient aux cèdres et à la Forêt entière qu'en tant que refuge et royaume de Houmbaba, s'ils ne désiraient, en somme, que détruire tout souvenir de l'existence du géant, le châtiment que les dieux leur infligeront (la mort d'Enkidou) devient partiellement injuste.

Un autre symbole à explorer serait le fait que ce fût justement au géant hideux et malfaisant qu'ait été confiée la garde de la Forêt des cèdres « symboles d'immortalité et de grandeur » ; cela reviendrait-il à souligner, en somme, qu'au sens réel comme au figuré, une grandeur ne saurait se passer de ses « gorilles », et qu'il n'y a pas de rose sans épines ?

---

54. *Dictionnaire des symboles*, « cèdre », p. 153.
55. *Ibid.*, « arbre », p. 51-61.
56. *EG*, septième tablette, lignes 8-9, p. 187.

Sixième tablette [57]

Ici, nous assistons à une épreuve de forces entre l'homme gonflé à bloc par ses succès antérieurs et les divinités d'abord capricieuses puis outragées. Ceci est déjà hautement symbolique, en soi. Si nous lui additionnons le fait qu'Ishar était à la fois la déesse de la Volupté et de la Fécondité, ses propositions faites à Gilgamesh (« offre-moi, offre-moi le fruit de ton corps ») prennent une ampleur et une signification particulières : il ne s'agirait pas moins que de l'union de la force virile triomphante et de la féminité incarnée, en vue peut-être de la procréation d'une nouvelle lignée de surhommes. Cependant, Gilgamesh trouve les mots les plus blessants pour repousser ces avances :

> Non, pour mon épouse, je ne te prendrai pas !
> Toi, tu n'es qu'un poêle, qui s'éteint à la glace,
> une porte inachevée qui ne retient le vent ni la bise,
> un palais qui met en pièces les guerriers,
> un turban qui étouffe celui qui en est couvert,
> du bitume qui souille celui qui le touche,
> une outre qui inonde celui qui la porte,
> du calcaire qui endommage le mur de pierre
> un bélier de siège qui démolit pays ami, aussi bien qu'ennemi,
> un soulier qui mord son propriétaire !
> Quel est l'amant que tu aimas pour toujours ?
> Quel est ton rollier qui échappa à tes pièges [58] ?

On pourrait, bien sûr, voir dans cette insolente apostrophe « le reflet ironique d'une conception révolue du culte de la déesse [59] ». Mais, à mon avis, cela va beaucoup plus loin encore, car je pressens dans l'énumération ci-après des amants d'Ishtar, avec leurs qualités initiales et ce qu'elle en a faits, le procès catégorique de la Femme. Il serait hors de propos, ici, de discuter du bien-fondé absolu de ces accusations. Je me contenterai de signaler qu'il suffirait peut-être

---

57. Résumé de la sixième tablette : De retour à Ourouk, Gilgamesh est harcelé par les propositions amoureuses de la déesse Ishtar. Il les repousse avec mépris et insolence. Furieuse, Ishtar demande à son père, le dieu Anou, d'envoyer le Taureau céleste pour tuer Gilgamesh. Ce dernier et Enkidou massacrent le Taureau, dont ils jettent les entrailles au visage d'Ishtar.
58. *EG*, colonne I, lignes 32-43, p. 182.
59. *Ibid.*, Introduction, p. 148.

d'inverser les rôles afin de transformer toute la tirade en un procès de l'Homme. Revenons au texte ; Gilgamesh nomme les amants d'Ishtar :

> — pour Tammouz, l'amant de ta jeunesse,
> année après année, tu l'as voué à la lamentation !
> — tu as aimé le Rollier multicolore,
> puis, tu l'as frappé, et lui as brisé les ailes [...]
> — Tu as aimé le Lion, à la force accomplie,
> et tu as creusé partout pour lui sept et sept fosses !
> — Tu as aimé le Cheval, fier au combat,
> et tu lui as destiné le fouet, la pointe et la cravache [...]
> — Tu as aimé le Berger, pâtre et bouvier [...]
> tu l'as frappé et l'as changé en loup [...]
> — Tu as aimé Ishoullanou, le jardinier de ton père [...]
> tu l'as frappé, et l'as changé en souffreteux.
> — Et moi aussi, si tu m'aimes, tu me traiteras comme eux [60] !

Cette liste des amants d'Ishtar n'est certainement pas exhaustive, cependant, en y regardant de près, nous pouvons nous rendre compte de sa représentativité à la fois quant à la diversité de la qualité des élus et l'atrocité du châtiment infligé à chacun d'eux. En effet, la liste comporte *un dieu lunaire*, « berger des troupeaux d'étoiles », dieu de la végétation (Tammouz), qu'Ishtar livra à la Mort pour se libérer elle-même ; *un oiseau migrateur* au plumage multicolore, symbole de liberté et de beauté (le Rollier) dont Ishtar a brisé les ailes ; *un animal féroce,* symbole de puissance et de souveraineté (le Lion) ; *un animal apprivoisé,* symbole de l'impétuosité, de la fierté, de la majesté, de l'amitié avec l'homme, « de la face humanisée » du binome cheval-dragon dans son rôle de monture des dieux (le Cheval) [61], qu'Ishtar a humilié ; *un homme de la montagne,* symbole de « sagesse intuitive », de vigilance [62] (le Berger), qu'Ishtar a changé en loup sauvage ; *un homme de la plaine,* représentant des occupations pacifiques (le Jardinier) qu'Ishtar a changé en souffreteux.

Pour cette déesse de la Volupté et de la Fécondité, tout mâle est bon à prendre et proie à saisir. Le symbolisme global de tout ce passage est d'une limpidité remarquable.

---

60. Pour la tirade intégrale, cf. *EG*, colonne I, lignes 46-79, p. 183-184.
61. Cf. *Dictionnaire des symboles*, « cheval », p. 184-192.
62. Cf. *ibid.*, « berger », p. 100-101.

Cependant, le fait que Gilgamesh ait résisté à l'attirance universelle de la Volupté et de l'accouplement normal introduit peut-être un élément nouveau relatif à ses mœurs. Avant l'apparition d'Enkidou, nous savons qu'il ne dédaignait point Ishtar et lui rendait visite. Enkidou « sa réplique », son double, serait-il également un facteur d'inhibition ou mieux, un symbole d'homosexualité ? Dans ce dernier cas, l'innocence épique de l'œuvre entière demanderait à être revue et cette nouvelle complication humaine prise en considération pour l'interprétation de bon nombre de passages. À mon avis, l'expérience devrait être tentée ne serait-ce que pour étudier ses implications sur certains thèmes et symboles.

En tout cas et pour revenir au symbole suivant, Ishtar, furieuse du refus de Gilgamesh, obtient de son père Anou, l'envoi du Taureau céleste contre Gilgamesh. Or,

> le Taureau évoque l'idée de puissance et de fougue irrésistibles. Il évoque *le mâle impétueux* [...] C'est le féroce et mugissant Rudra du *Rig-Veda*, dont pourtant la semence abondante fertilise la terre. Il en est ainsi de la plupart des taureaux célestes, notamment de l'Enlil babylonien [...]. Le taureau Indra est la force chaleureuse et fertilisante. Il se rattache au complexe symbolique de la fécondité : corne, ciel, eau, foudre, pluie, etc. [...]. Il figure l'énergie sexuelle, mais chevaucher le taureau comme le fait Çiva, c'est dominer et transmuter cette énergie en vue de son utilisation yoguique et spiritualisante [...] [63].

Oui, mais, que signifierait alors, tuer le Taureau céleste, arracher son cœur pour le placer devant le Soleil et surtout, arracher ses organes génitaux pour les lancer à la figure d'Ishtar en la menaçant :

> Toi aussi, si je t'avais prise,
> je t'aurais traitée tout comme lui,
> et ses entrailles, à ton bras je les aurais suspendues [64] !

Détail intéressant : c'est Enkidou seul qui arrache les organes génitaux du taureau et lance ces paroles à l'adresse de la déesse atterrée, alors que le

---

63. *Dictionnaire des symboles,* « taureau », p. 739-743.
64. *EG,* lignes 162-164, p. 186.

combat avait été livré par les deux amis ensemble, et l'offrande du cœur du taureau à Shamash avait également été faite par eux deux. Puisque toutes les traditions, y compris la babylonienne, sont unanimes pour associer le taureau avec l'idée de la virilité impétueuse, Gilgamesh et Enkidou, en tant que couple masculin, n'ont-ils pas tué avec le taureau le symbole de la virilité normale, après avoir ridiculisé la déesse de la Volupté et de la Fécondité ? Et Enkidou, par le fait d'avoir coupé les organes génitaux de cet être symbolique, n'indique-t-il pas par là le rôle qu'il jouait dans les relations du couple ?

Ces questions vont à l'encontre de l'explication classique d'amitié simple entre les deux héros ; mais un détail vient renforcer l'équivoque ; après la victoire remportée sur le taureau, Gilgamesh organise des réjouissances dans son palais, « puis, s'endormirent *les hommes*, allongés sur leur couche nocturne [65]. »

Décidément, Gilgamesh est devenu méconnaissable ; avant l'arrivée d'Enkidou, toutes les occasions étaient bonnes pour lui afin de partager sa couche avec la fiancée ou l'épouse d'un de ses sujets, sinon avec Ishtar. Il n'en aurait jamais laissé passer une excellente, comme celle-ci... Ce « s'endormirent les hommes » ne ressemble guère au Gilgamesh d'antan.

Septième tablette [66]

De la discussion des dieux, afin de choisir celui qui doit payer pour toutes les offenses, se dégage la désagréable idée qu'ils pratiquaient la politique de « deux poids et deux mesures ». N'oublions pas que Gilgamesh est « aux deux tiers » d'essence divine ; aussi, le choix d'Enlil est fait d'emblée : « Enkidou doit mourir, Gilgamesh ne doit pas mourir [67]. » Mais tous, y compris Enkidou et Gilgamesh, savent que le véritable coupable de tous les méfaits et insolences est bien Gilgamesh. Seul Shamash tente de prendre la défense de

---

65. *EG*, ligne 190, p. 187. [C'est nous qui soulignons.]
66. Résumé de la septième tablette : Enkidou raconte à Gilgamesh un rêve prémonitoire : les dieux tenaient conseil pour décider du châtiment à infliger aux deux amis. Anou et Enlil voulaient la mort d'Enkidou ; seul, Shamash, prenait sa défense. — Enkidou tombe malade, en proie au délire il invective une porte, puis maudit le chasseur et la courtisane qui l'arrachèrent à la vie innocente de ses débuts ; sur l'intervention de Shamash, son courroux s'apaise et cette fois-ci il bénit la courtisane. De plus en plus affaibli, il fait un autre songe lui annonçant sa mort prochaine, avec une vision rapide des Enfers. Gilgamesh, impuissant, assiste, pendant douze jours, à la décadence physique de son ami.
67. *EG*, lignes 9-10, p. 187.

l'innocent qui n'avait suivi qu'à contrecœur son compagnon dans l'expédition contre Houmbaba ; c'est encore Gilgamesh qui avait eu l'idée malheureuse de couper les cèdres, d'insulter Ishtar ; et enfin, ils s'étaient pris à deux pour tuer le Taureau céleste. Or, lors du jugement, Enlil, qui semble exercer un pouvoir sur Anou, ne retient que la responsabilité du seul Enkidou.

Cependant, n'oublions pas que tous ces détails ne sont révélés à Enkidou qu'à travers un songe. Or, si les rêves sont « l'autoprésentation, spontanée et symbolique, de la situation actuelle de l'inconscient [68] », ne pourrions-nous pas en conclure que la sensibilité d'Enkidou était plus forte que celle de Gilgamesh et que, par conséquent, sa subconscience le torturait davantage ?

La possibilité d'une interprétation de l'épopée à un double niveau, avec les symboles correspondants, ne se précise-t-elle pas de plus en plus ? Pour le cas présent, nous aurions d'une part l'interprétation classique, c'est-à-dire, il y a eu des fautes de commises ; il faut choisir un coupable ; ce sera Enkidou le nouveau venu, l'intrus, qui mourra ; la punition de Gilgamesh (qui est plus ou moins « intouchable ») sera d'ordre moral ; et puis, qui sait, demeuré seul, il redeviendra peut-être comme avant ; en tout cas, les dieux auront fait preuve d'autorité et se sentiront vengés.

Mais il y aurait, d'autre part, l'interprétation plus humaine et psychanalytique : Enkidou, en tant que la moitié la plus sensible (donc plus faible, plus intuitive, plus influençable — plus « féminine ») de ce couple, se torturera l'esprit, sombrera dans la mélancolie et en mourra, après avoir maudit, puis béni (indécision féminine ?) ceux qu'il considère comme les responsables de ses malheurs : le chasseur et la courtisane (n'accuse-t-on pas les femmes de tenter de rejeter leurs fautes sur autrui ?).

Divers autres détails intéressants se dessinent dans cette tablette : Dans son délire, Enkidou « parla avec la Porte comme avec un être humain » ; elle était faite du bois d'un des cèdres de la Forêt de Houmbaba. Même coupé, même transformé en porte, l'arbre continuerait à vivre et à assumer son symbolisme d'immortalité. Mais Enkidou pense avoir transporté cette Porte à Nippour où régnait le dieu Enlil, créateur du premier homme et « seigneur de l'atmosphère ». Cette allusion discrète aux origines de l'homme renforce donc le symbolisme du passage entier.

---

68. C. G. Jung, *l'Homme à la découverte de son âme ; structure et fonctionnement de l'inconscient*, trad. R. Cahen, Paris, Payot, « Petite Bibliothèque Payot », 1969, p. 223.

— La malédiction d'Enkidou à l'égard du chasseur et de la courtisane pour l'avoir arraché à sa vie d'homme primitif correspond aux regrets de l'homme civilisé qui, dans ses moments de difficulté, préférerait ne s'être jamais éloigné de la nature, de la vie simple et de sa pureté. — La bénédiction d'Enkidou à l'égard des mêmes correspond, dans l'autre plateau de la balance, à l'acceptation des avantages indéniables de la vie civilisée. Détail intéressant, c'est Shamash (le dieu Soleil) qui rappelle à Enkidou l'existence de tels faits positifs que d'avoir mangé le pain (« qui convient aux dieux »), d'avoir bu de la bière (« qui convient aux rois »), de s'être vêtu d'habits magnifiques, d'avoir découvert un ami comme Gilgamesh, de pouvoir se coucher « dans un lit d'apparat », de s'asseoir sur « un siège de paix » à gauche de Gilgamesh, de voir « les potentats de la Terre » baiser ses pieds, de savoir qu'à sa mort il sera pleuré par les habitants d'Ourouk et que Gilgamesh, en signe de grand deuil, « portera ses cheveux souillés, revêtira une peau de lion, et s'en ira, errant, dans le désert ». Autrement dit, la vie civilisée aura apporté à Enkidou l'élévation spirituelle, la grandeur, l'apparat, l'amitié, le confort, l'utilité, la gloire, la consolation d'être pleuré et celle d'être regretté.

— Dans la partie du songe d'Enkidou où il se voit dans l'au-delà, nous en découvrons une rapide description qui correspond à celle qui en est donnée dans *la Descente d'Ishtar aux Enfers* et dans le mythe de *Nergal et d'Ereshkigal*, deux textes classiques assyriens.

Dans *l'Épopée de Gilgamesh* [69] voici les détails les plus intéressants à ce sujet : à la mort, l'âme se sépare du corps ; elle est représentée sous les traits d'un pigeon ; en effet, celui qui entraînait Enkidou vers les Enfers, le touche et le change en pigeon. Irkalla (autre nom des Enfers) est une « demeure obscure », « dont l'entrée est sans issue » ; on y accède par un chemin « dont le parcours est sans retour » ; ses « habitants sont privés de lumière », « la poussière nourrit leur faim, et leur pain est l'argile » ; y résident tous ceux « qui, depuis les temps d'autrefois ont gouverné la Terre », et aussi, « grands prêtres et pontifes », « purificateurs et prophètes », « Saints ministres des grands dieux », ainsi qu'Etana, qui, avec des moyens terrestres tenta d'atteindre dans les cieux le domaine des dieux ; et le dieu des troupeaux : Shakkan, la reine des Enfers : Ereshkigal, sa secrétaire : Bêlet-Sêri...

---

69. *EG,* lignes 30-55, p. 193.

Autrement dit, qu'on ait été grand roi ou simple mortel, la mort est pour tous ; et la mort est chose désagréable, inséparable de l'idée de « poussière tu étais et poussière tu redeviendras ».

— Et enfin, l'importance de l'autosuggestion est soulignée ici, car du jour où Enkidou voit ce rêve, ses forces commencent à l'abandonner...

Huitième tablette

Fort peu d'éléments ont été sauvés des différentes versions de cette tablette. Les passages préservés relatent les regrets pathétiques de Gilgamesh dans les derniers moments d'Enkidou, ses lamentations, l'éloge funèbre de l'ami disparu et l'ordre d'en exécuter la statue grandeur nature en lapis et en or.

Étant donné que Gilgamesh y énumère tous leurs souvenirs communs, cette tablette n'introduit pas de symboles nouveaux. Ce qui en fait la valeur est davantage poétique et humain, par la sincérité de l'affliction, la profondeur du chagrin de Gilgamesh et par son souci d'associer à son deuil hommes, bêtes et nature.

Neuvième tablette [70]

Cette tablette, bien que très mutilée, introduit des thèmes nouveaux : la peur de la mort, la révolte contre cette finalité et enfin la quête de l'immortalité, avec, afin d'y accéder, l'acceptation lucide du risque. Quelques symboles correspondants ou parallèles y font également leur apparition. Et d'abord, cette montagne,

> dont le sommet atteint la voûte des cieux,
> et dont la poitrine atteint, en bas, les Enfers [71].

---

70. Résumé de la neuvième tablette : Encore mal habitué au fait d'avoir perdu Enkidou, Gilgamesh est soudain saisi de l'angoisse de la mort (« Vais-je mourir moi aussi ? » « L'angoisse est entrée dans mon cœur »). Il décide d'aller trouver Outa-napishtim (le Noé babylonien) auquel les dieux ont accordé l'immortalité. Il arrive à la montagne dite des Jumeaux, gardée par des hommes-scorpions qui s'apitoient sur son sort. Pour passer de l'une à l'autre des montagnes jumelles, il existe douze étapes que le Soleil parcourt d'habitude. Gilgamesh les franchit également.
71. *EG*, colonne II, lignes 4-5, p. 199.

Ce qu'il y a de remarquable dans ces deux lignes, c'est qu'elles fournissent en peu de mots et de la manière la plus simple possible, à la fois la description et la signification du symbole. Si nous nous reportons au *Dictionnaire des symboles*, nous n'y découvrons qu'une explication analogue : le symbolisme de la montagne

> tient de la hauteur et du centre. En tant qu'elle est haute, verticale, élevée, rapprochée du ciel, elle participe du symbolisme de la transcendance ; en tant qu'elle est le centre des hiérophanies atmosphériques et de nombreuses théophanies, elle participe du symbolisme de la manifestation. Elle est ainsi *rencontre du ciel et de la terre,* demeure des dieux et terme de l'ascension humaine [...].

La montagne est, selon les Sumériens, la masse primordiale non différenciée, l'« Œuf du monde [72] ».

Mais dans le texte de l'épopée, le symbole de la montagne englobe bien d'autres significations, car

> De cette montagne le nom était les Jumeaux [...]
> qui, chaque jour, gardent la sortie et l'entrée du Soleil [73].

Or, il est évident que le seul mot de « jumeaux » évoque l'idée de la dualité et, grâce à son association avec les sorties et les entrées du soleil, l'idée du jour et de la nuit. Encore une fois, le texte, limpide et sans artifices, offre déjà la signification de son symbole ; nous la retrouvons pratiquement telle quelle dans *le Dictionnaire des symboles* : « Au dualisme des jumeaux mythiques, s'applique la course ascendante (évolution) et descendante (involution) du Soleil [74]. »

Et ce n'est pas tout, car au symbole de la montagne et à celui des Jumeaux gardiens des mouvements du Soleil, s'ajoute un troisième, qui con-

---

72. *Dictionnaire des symboles*, « montagne », p. 518.
73. *EG*, colonne II, lignes 1-3, p. 199.
74. *Dictionnaire des symboles*, « jumeaux », p. 439-440.

fère à ce passage un caractère de véritable « complexe symbolique » ; en effet, les gardiens de cette montagne sont des « hommes-scorpions » :

> Terrifiant est l'effroi qu'ils inspirent, et leur vue, c'est la mort ;
> leur terrible splendeur recouvre les montagnes ;
> à son lever et à son coucher ils gardent le Soleil [75].

Or, « le scorpion, ayant huit pattes, est le protecteur des jumeaux, totalisant huit membres [76] ». Il convient de signaler en outre, que l'homme-scorpion est une figure relativement familière des mythologies moyen-orientales [77].

Dans l'*Épopée de Gilgamesh* il s'agit, en fait, d'un couple de scorpionides, un mâle et une femelle qui, malgré leur apparence terrifiante et la frayeur qu'ils inspirent de prime abord à Gilgamesh, reconnaissent en lui « un rejeton des dieux » et l'interrogent sur le but de son voyage périlleux. Finalement, ils lui révèlent le chemin des monts Jumeaux et il prend « le chemin du Soleil à travers la montagne ». Très symboliquement, il lui faudra faire *douze* étapes de « deux doubles lieues » chacune, dans l'obscurité la plus totale, dans les entrailles de la montagne, avant de se retrouver en pleine clarté.

Or, « le douze symbolise l'univers dans son déroulement cyclique spatio-temporel [78] », et ici, il pourrait s'agir des douze mois de l'année aussi bien que, plus vraisemblablement, des douze heures nocturnes suivies des douze heures diurnes, puisque Gilgamesh emprunte « le chemin du Soleil ».

Et, tandis que durant les douze premières étapes, les ténèbres étaient remplies de frayeur, de froid glacial et d'autres sensations désagréables, aussitôt que le héros se trouve en pleine clarté, il découvre un jardin merveilleux où « la coraline porte des fruits », « la lazulite porte du feuillage » ; bien d'autres pierres précieuses poussaient sur leur arbre respectif dans ce jardin extraordinaire, d'après ce qu'il a été possible de déchiffrer sur cette partie de la tablette, malgré les cassures. Tout ceci évoque certainement la richesse chatoyante, la beauté de la vie dès qu'apparaît la lumière du soleil, par opposition au néant de la nuit, où « il ne lui [à Gilgamesh] est donné de rien voir ni devant ni derrière lui ».

---

75. *EG*, colonne II, lignes 7-9, p. 199.
76. *Dictionnaire des symboles*, « scorpion », p. 682-683.
77. Statue d'homme-scorpion datant du 1er millénaire, découverte dans la région de Khabour.
78. *Dictionnaire des symboles*, « douze », p. 297.

Dixième tablette [79]

Sidouri, la cabaretière, ainsi que, plus tard, le batelier d'Outa-napishtim et ce dernier poseront les mêmes questions à Gilgamesh :

Pourquoi tes joues sont-elles mangées, et penché, ton visage,
pourquoi ton cœur est-il en peine, tes traits exténués,
pourquoi l'angoisse est-elle dans ton cœur,
pourquoi ton visage semble-t-il celui de qui parcourt une très
                                          longue route,
pourquoi ta face est-elle brûlée par l'humidité et par le soleil,
pourquoi vas-tu, errant, dans le désert [80] ?

La réponse de Gilgamesh est : « par peur de la mort ».

La peur de la mort est l'antichambre de la mort car l'aspect physique de Gilgamesh évoque déjà l'image du crâne décharné. Mais cette peur est accompagnée d'un profond sentiment de révolte contre la finalité de l'homme : « comment me taire, comment garder le silence ? » s'exclame encore Gilgamesh. Et c'est précisément ce refus d'accepter la mort qui permettra au héros ravagé par la peur d'aller jusqu'au bout. La dualité du caractère humain, sous divers aspects contradictoires, se manifeste partout dans l'épopée ; ici, c'est le tandem peur-révolte qui est souligné avec insistance.

En outre, nous trouvons dans cette tablette deux définitions de la condition humaine, réalistes toutes deux, tout en reflétant des préoccupations différentes. La première est proposée par la cabaretière ; c'est le point de vue épicurien avant la lettre :

La Vie, que tu poursuis, tu ne la trouveras pas.
Lorsque les dieux créèrent l'humanité,
c'est la mort qu'ils ont donnée à l'humanité, [...]
Toi donc, Gilgamesh, que rempli soit ton ventre,
jour et nuit, livre-toi à la joie,
chaque jour fais une réjouissance,

---

79. Résumé de la dixième tablette : Gilgamesh arrive au bord de la mer. Une cabaretière lui indique l'endroit où il peut trouver le batelier d'Outa-napishtim. Après une traversée périlleuse à travers « les eaux de la mort », ils arrivent chez Outa-napishtim « le lointain » à qui les dieux ont accordé l'immortalité.
80. *EG*, p. 203, 207, 210.

jour et nuit, danse et joue de la musique,
que tes vêtements soient immaculés,
ta tête, bien lavée, toi-même bien baigné,
regarde le jeune enfant qui te tient par la main,
que ta bien-aimée, sur ton sein, se réjouisse :
Voilà tout ce que peut faire l'humanité [81] !

Cette attitude désabusée, défaitiste ne peut satisfaire Gilgamesh. La définition proposée par Outa-napishtim, soulignant la continuité de la race, semble peut-être plus optimiste et sereine ; il est vrai qu'ayant obtenu l'immortalité, il pouvait se permettre de regarder les choses d'en haut. Malg cela, même lui est désabusé, mais il préfère le langage savant :

Pour terrible que soit la mort, la vie continue,
Tout le temps, nous bâtissons des maisons,
tout le temps, nous scellons des contrats,
tout le temps des frères partagent un héritage,
tout le temps l'hostilité existe dans le pays,
tout le temps le fleuve monte et la crue emporte tout.
De visage qui regarde en face le Soleil,
depuis toujours, il n'y en a pas.
Le dormeur et le mort sont l'un à l'autre semblables.
De la mort, ne dessinent-ils pas l'image [82] ?

Le sommeil, l'une des conditions essentielles de la santé et de la vie est comparable à l'image de la mort ; la vie est inséparable de la mort ; la vie c'est la mort. Heureux sont ceux qui n'y pensent pas ou mieux, qui ne le savent pas : « L'ignorance c'est la force [83]. »

Onzième tablette

Ici sont insérés deux des épisodes les plus importants de toute l'épopée : le récit du Déluge par Outa-napishtim et la découverte, par Gilgamesh, de la fleur de Jouvence, suivie de sa perte définitive.

Chacune des lignes de cette tablette nécessiterait une interprétation ou, du moins, une tentative d'interprétation symbolique. Néanmoins, compte

---

81. *EG*, colonne III, lignes 2-15, p. 205.
82. *EG*, colonnes VI, lignes 25-34, p. 211-212.
83. Cf. *1984* de George Orwell, Paris, Gallimard, 1950.

tenu des dimensions que ne devrait pas dépasser un article, je me contenterai de souligner ceux des symboles que je juge les plus importants.

Et d'abord, les raisons pour lesquelles les dieux décident « de faire le Déluge ». Dans la traduction dont je me suis servie jusqu'ici, aucune raison n'en est proposée : « Les grands dieux décidèrent un jour de faire le Déluge [84] » y est-il dit. Et cette absence même d'explications est lourde de significations, car les mots auxquels l'on pense spontanément sont : caprice des dieux, désir de se distraire de leur ennui, etc. Cependant, dans une traduction anglaise [85] de l'épopée, ce passage est vraisemblablement inspiré d'une autre version car il y est dit, que les hommes, étant devenus prospères, faisaient tellement de bruit qu'ils incommodaient les dieux et les empêchaient de dormir. Malgré les épidémies qu'ils envoyaient sur terre pour décimer les hommes et ainsi réduire leurs bruits, les survivants se multipliaient rapidement et devenaient de plus en plus bruyants. Excédés, les dieux décident de se débarrasser de l'humanité, une fois pour toutes, et ordonnent le Déluge...

Quelques idées importantes qui se dégagent de cette version : c'est la prospérité qui rend les hommes « bruyants », donc intolérables ; inutile de souligner que toutes les interprétations de cet adjectif peuvent s'insérer ici. Mais dans le cas où on lui aurait conservé son sens propre, ne pourrions-nous pas en déduire que les Babyloniens étaient parfaitement conscients de la nocivité du bruit et que, longtemps avant la pratique de son évaluation en décibels, ils n'avaient pas hésité à expliquer le Déluge en tant qu'expression de la folie collective des dieux, résultat du dépassement du seuil d'intolérance au bruit... Et enfin, cette idée de l'inextinguibilité de la race humaine, malgré les calamités et malgré une solution aussi radicale que fut le Déluge...

Un symbolisme hautement antimatérialiste se dégage des conseils du dieu qui décide de prévenir Outa-napishtim de la destruction imminente de l'humanité ; il n'y a rien de plus précieux que la vie à tous les niveaux :

> Démolis ta maison et construis un bateau,
> abandonne les richesses, garde vivant le souffle de la vie !
> Embarque dans le bateau toutes les espèces vivantes [86].

---

84. *EG*, ligne 14, p. 212.
85. Alexander Heidel, *The Gilgamesh Epic and Old Testament Parallels*, University of Chicago Press.
86. *EG*, lignes 25-27, p. 213.

Et comment Outa-napishtim saura-t-il que le jour fatidique est arrivé ? « Le matin, Enlil fera pleuvoir l'opulence », « il fera pleuvoir des gâteaux », qui réjouiront les non-initiés. En somme, c'est le symbolisme de « la dernière cigarette » du condamné ; à cela près qu'ils ignoreront leur condamnation. Car, seul Outa-napishtim saura ce que signifie cette pluie d'opulence matinale ; elle sera suivie, le soir, « d'averses de froment ».

Très symbolique, également, est la forme cubique que cet homme donne à son arche (« un cube, image idéale d'un univers condensé et intelligemment délimité, dans un monde provisoirement retourné au chaos primitif [87] »), ainsi que les divisions internes dont il la dote :

> je la plafonnai de six ponts successifs,
> et je la divisai ainsi en sept étages,
> dont je partageai la surface en neuf compartiments [88].

Notons en passant, l'ostensibilité avec laquelle le symbolisme de « neuf » et de « sept » est mis en valeur [89] ; signalons, rapidement, l'effet poétique saisissant qui se dégage du passage où sont décrits les dieux en action lors du Déluge, pour arriver aux lignes où l'on nous parle de leur épouvante et de leurs regrets après l'accomplissement de leur caprice collectif :

> Les dieux alors s'épouvantent de ce Déluge même,
> s'éloignent et montent jusqu'au ciel d'Anou,
> les dieux, accroupis comme des chiens, restent couchés au dehors (du
> monde) [90].

« Ishtar crie comme une parturiente », les autres dieux, « prostrés », pleurent avec elle. C'est la toute première version du thème de *l'Apprenti sorcier*. Les dieux repentants ont besoin, maintenant, de désigner le respon-

---

87. *EG*, note n° 2, p. 214.
88. *Ibid.*, lignes 60-62, p. 214.
89. Parmi de nombreuses autres explications, « *neuf* est le symbole de la multiplicité, faisant retour à l'unité et, par extension, celui de la solidarité cosmique » ; et aussi, « neuf, étant le dernier de la série des chiffres, annonce à la fois une fin et un recommencement, c.-à-d. une transposition sur un nouveau plan ». Tandis que « *sept* indique le sens d'un changement après un cycle accompli et d'un renouvellement positif » ; il symbolise « la totalité de l'univers en mouvement », etc. Cf. *Dictionnaire des symboles* : « neuf », p. 531-532 et « sept », p. 686-691.
90. *EG*, lignes 113-115, p. 215, 216.

sable de ce gâchis. Anou, lui-même, qui n'avait pas levé le petit doigt pour empêcher la catastrophe, éprouve la nécessité de se décharger sur un de ses collègues, Enlil, « puisque, sans réfléchir, il a fait le Déluge et qu'à la catastrophe il a voué mes créatures ! » Un autre, Ea, dieu de la sagesse, qui ne s'était point manifesté pendant cette orgie de destruction, élabore maintenant la première théorie de l'abolition de la peine capitale, en s'adressant à Enlil :

> Punis le pécheur pour son péché,
> punis le criminel pour son crime,
> mais laisse-toi fléchir pour qu'il ne soit pas retranché de la vie [91].

Les grands bénéficiaires de ce nouvel état d'esprit chez les dieux sont les seuls survivants humains du Déluge, Outa-napishtim et sa femme, qui obtiennent en superprime l'immortalité ; excellente illustration du futur proverbe « le malheur des uns... ».

Oui, mais quelles sont les chances de celui qui, longtemps après cet attendrissement éphémère des dieux, désire atteindre l'immortalité ? Outa-napishtim tente d'abord de tergiverser : puisque le sommeil ressemble tellement à la mort, si Gilgamesh parvenait à vaincre le sommeil pendant « six jours et sept nuits » il pourrait prétendre à l'immortalité. Après l'échec de cette tentative, il finit par révéler à Gilgamesh l'existence d'une ultime possibilité :

> Il s'agit d'une plante : sa racine est comme celle du lycium épineux,
> son épine, comme celle de la rose, te piquera les mains,
> mais si tes mains arrivent à prendre cette plante,
> tu auras trouvé la Vie éternelle [92] !

Gilgamesh n'hésite pas à endurer les pires douleurs, les plus grands dangers pour s'emparer enfin de cette plante de jouvence que d'autres appelleront plus tard la Toison d'or, le Graal, la Colonne libératrice ou, plus simplement, l'Idéal. Gilgamesh en connaît toute la valeur et toute la signification :

> Cette plante est un remède contre l'angoisse,
> par elle l'homme atteindra à la suprême guérison [93].

---

91. *EG*, lignes 180-182, p. 218.
92. *Ibid.*, lignes 268-271, p. 220-221.
93. *Ibid.*, lignes 278-279, p. 221.

Que d'aventures, que de périls encourus pour s'emparer de cette plante unique qui, seulement *quatre lignes* plus loin, sera définitivement perdue pour Gilgamesh, de la façon la plus ironique, la plus cruelle et la plus symbolique qui soit :

> Un serpent sentit l'odeur de la plante,
> silencieusement, il monta de la terre et emporta la plante,
> et sur-le-champ il rejeta sa vieille peau.
> Ce jour-là, Gilgamesh reste là et pleure,
> et le long de son nez coulent ses larmes [94].

Que faut-il admirer et souligner le plus dans ces cinq lignes, de l'art du conteur pour rendre la rapidité de l'action, du symbolisme contenu dans la rapidité même de la perte, de l'introduction inattendue du troisième larron à qui tout cela profite, de l'explication astucieuse du phénomène biologique du changement de la peau des serpents, du symbolisme relatif au fait que le serpent montait de la terre, du tragique si désespérément idiot de la situation, de la prédestination irréversible de la condition humaine ? Gilgamesh, « l'homme souffrant et joyeux », est arrivé au bout de ses aventures [95] ; il sait maintenant que, pour l'homme, les joies sont de courte durée, l'immortalité n'existe pas, mais que, pour découvrir ces simples vérités, les expériences aventureuses de toute une vie sont nécessaires. Son unique consolation sera la découverte de la sérénité. Il peut se consacrer maintenant, en toute quiétude, aux affaires de son royaume.

CONCLUSION

Parce qu'il ne voulait pas dépasser les limites d'un article, ce travail est loin d'être exhaustif. Cependant, l'énumération même de tous les thèmes et symboles qui y sont mentionnés, peut être révélatrice d'un certain nombre de

---

94. *EG,* lignes 287-291, p. 221.
95. Je partage entièrement l'avis des traducteurs lorsqu'ils affirment que la douzième tablette « est une sorte d'appendice, qui s'ajoute assez artificiellement à l'Epopée » (p. 222). Il s'agit de la description des conditions d'existence dans l'au-delà, par l'ombre d'Enkidou. Un certain nombre de symboles y peuvent être relevés, mais j'estime que cette tablette devrait être étudiée à part, ou peut-être avec « La descente d'Ishtar aux Enfers ». Voilà pourquoi je choisis de ne pas en parler ici.

problèmes qui préoccupaient les peuples mésopotamiens. Et ces préoccupations couvrent à peu près tous les domaines qui se rapportent à l'homme-pensant, donc à l'homme qui s'interroge. Qu'il s'agisse des problèmes existentiels ou métaphysiques, moraux ou éthiques, psychologiques ou même psychanalytiques, qu'il s'agisse du problème du déterminisme ou de la liberté, de la vie ou de l'après-vie, de la complexité de la nature humaine ou de la condition humaine, les questions sont posées ; et parfois, également, leurs réponses sont avancées, à la fois si simples et si profondes, si vraies et si évidentes, que l'homme du xxe siècle, malgré tout son savoir additionnel, ne peut qu'entériner.

Du point de vue humain, le sujet même de l'épopée, les thèmes qu'elle développe, la façon dont elle les aborde et en apporte les solutions, le style si simple qu'elle emploie pour développer les problèmes les plus graves, l'humour désabusé et discret qu'elle laisse deviner, le souffle poétique qui l'anime parfois, le réalisme fondamental qui s'en dégage malgré les détails fantastiques et le merveilleux épique, les conclusions provisoires à la fin de chaque épisode et la conclusion finale selon laquelle la mortalité est la seule certitude qui reste à l'homme malgré son essence en partie divine, tout ceci est donc très significatif du point de vue de la connaissance et de la compréhension de la philosophie existentielle des peuples qui créèrent et adoptèrent *l'Épopée de Gilgamesh*. L'épopée entière ne se transforme-t-elle pas ainsi en un immense symbole de toute une époque de la civilisation humaine et d'un groupe de peuples extra-ordinaires qui peuplèrent la Mésopotamie, « berceau de la civilisation humaine » ?

Le relief du palais d'Ashur-nasir-apal II (885-860) — roi d'Assyrie —, qui est exposé actuellement au Metropolitan Museum of Art de New York, et qui immortalise les trop brefs instants durant lesquels Gilgamesh eut la joie de tenir en ses mains endolories la plante d'immortalité, n'est-il pas, pour le profane, un vestige comme tant d'autres ? Mais, pour celui qui connaît *l'Épopée de Gilgamesh*, ce relief [96] ne représente-t-il pas l'Homme, son Idéal, son Aventure, sa Victoire, sa Défaite sous-jacente et, malgré cela, sa Détermination à ne pas abandonner la Lutte afin d'atteindre l'Impossible ?

CHAKÉ DER MELKONIAN-MINASSIAN
Département d'études littéraires
Université du Québec à Montréal

Janvier 1971

---

96. Cf. « Reproduction », dans *Métamorphoses de l'âme et ses symboles, op. cit.*, p. 336.

Jalons pour une analyse symbolique
de la littérature radiophonique québécoise

> L'écrivain doit engager son savoir
> écrire dans les formes que lui offre
> la société, et c'est tout. [...]
> L'écrivain est un révélateur. Il n'est
> pas un consolateur ou un bouffon[1].

La littérature radiophonique existe au Québec depuis le début des années 1930 et, malgré une production importante d'émissions, la critique littéraire québécoise ignore encore presque complètement un très grand nombre d'œuvres d'une qualité certaine. Un inventaire rapide des « histoires de la littérature canadienne-française » permet de signaler que le radio-théâtre et le radio-roman n'y sont jamais considérés, ni comme genres littéraires, ni comme littératures populaires. À vrai dire, la critique littéraire n'a jusqu'à présent concentré son attention que sur les œuvres publiées, — excluant les autres media, considérant qu'ils sont inférieurs et secondaires, exception faite du journalisme.

Néanmoins, la quantité des émissions[2], leur durée, leur popularité, surtout, auprès du public québécois, auraient justifié largement qu'on s'y intéressât. Le public québécois lisait peu entre les années 1930 et 1945, a-t-on dit, mais il écoutait les émissions radiophoniques diverses ; et la littérature radiophonique avait, avec la musique, la faveur de nombreux auditeurs. La qualité de certaines œuvres aurait dû susciter l'intérêt pour les divers genres radiophoniques et une révision des normes de la critique. Mais pour évaluer la littérature radiophonique, on utilisait les mêmes critères que pour les œuvres publiées, au lieu d'en chercher les caractéristiques nouvelles et l'originalité de

---

1. « Entretien avec Jean Thibaudeau », dans les *Cahiers Renaud-Barrault*, no 47-48, novembre 1964, p. 60.
2. Sans donner de chiffres précis, — nos recherches actuelles nous permettront de le faire d'ici quelque temps — on peut compter plusieurs centaines d'émissions radiophoniques de type littéraire : théâtre, roman, conte et poésie.

l'esthétique sonore [3]. Le jugement de la critique était régulièrement défavorable à ces créations qui cherchaient des voies encore inexplorées, au cours des premières années, et essayaient de s'adapter à un médium tout à fait nouveau et sans tradition.

Il est d'ailleurs arrivé souvent que les scripteurs n'aient pas été à la hauteur de la tâche en s'improvisant radio-dramaturges, surtout dans les débuts de la littérature radiophonique [4]. Le passage de l'œuvre écrite à l'œuvre radiophonique n'était pas sans présenter des difficultés ; Robert Choquette a expliqué cette situation.

> Dès les débuts, la Publicité s'est emparé du véhicule nouveau, extraordinaire. Dès les débuts, des considérations d'ordre commercial sont entrées en jeu. La demande a été telle, que des enthousiastes qui voyaient loin... des débrouillards, et même tout simplement des opportunistes... se sont emparés de l'outil nouveau. Ce n'étaient pas toujours des écrivains, pas toujours des artistes. J'irai même jusqu'à dire qu'il eût été extraordinaire que nos auteurs eussent été les premiers à se lancer dans le domaine nouveau. Pourquoi ? Parce que, plus qu'un autre, de par son métier même, l'écrivain a pris l'habitude de croire que la littérature est enfermée dans le papier imprimé... que la littérature, c'est uniquement la phrase écrite. Cela on le voit très bien en France, où si peu d'écrivains de carrière écrivent pour la radio. C'est que l'écrivain doit d'abord se libérer d'une conception du théâtre qui est devenue chez lui une tradition ; il lui faut, de plus, modifier une technique également devenue une habitude profonde. Je ne crains pas de le dire, il était presque inévitable que les écrivains de carrière ne fussent pas les premiers à s'emparer du véhicule nouveau [5].

La littérature radiophonique a cependant souvent attiré l'attention des journalistes. Le journal *Radiomonde*, devenu plus tard *Téléradiomonde*, et en 1950, *la Semaine à Radio-Canada*, puis les autres journaux, *le Journal des vedettes, Nouvelles illustrées, Photo-Journal*, ont tour à tour développé un

---

3. Il faut remarquer le paradoxe de l'attitude de la critique vis-à-vis des œuvres publiées et celles radiodiffusées. Il y a par exemple fort peu de critiques sur les premières œuvres radiophoniques de Robert Choquette, mais dès que ces mêmes œuvres sont publiées, des critiques diverses paraissent dans les revues et les journaux. Voir la « Bibliographie » du *Fabuliste LaFontaine à Montréal*, dans *Robert Choquette* par Renée Legris, Montréal, Fides, « Dossier de documentation sur la littérature canadienne-française », 1972.
4. Un examen de la programmation des années 1930-1935 montre que de nombreuses émissions conçues pour durer un certain temps tombent rapidement et ne sont pas reprises. Leurs auteurs sont pour la plupart restés dans l'oubli.
5. Manuscrit inédit de Robert Choquette, non daté.

métalangage sur le phénomène radiophonique auquel ils ont réservé une part importante de leurs articles. Sans toutefois offrir des études ou des analyses systématiques et élaborées, cette critique journalistique demeure la première source [6] à consulter pour connaître les éléments de base de l'histoire de ce genre. Elle présente aussi les premiers jugements qui furent portés sur les radio-romans ; leurs formes, leur contenu, leurs auteurs et leurs comédiens.

Quelques écrivains ont pour leur part précisé les procédés et les lois qui doivent régir cette littérature radiophonique. Robert Choquette en a tracé les grandes lignes après avoir pratiqué le radio-roman pendant plus de huit ans. À Smith College (N. H.), en 1942, il a pris connaissance des ouvrages américains sur ce sujet, il a mûri son expérience ; en 1945 et 1951, il a présenté, à la radio, deux séries de conférences dédiées aux jeunes auteurs, intitulées « le Catéchisme du radio-dramaturge ». Il a aussi prononcé plusieurs conférences devant divers clubs et sociétés. Dans des articles, il a poursuivi une réflexion critique sur les lois propres à ce médium [7]. Jean Desprez a aussi écrit plusieurs articles sur le sujet dans *Radiomonde,* et René O. Boivin dans sa chronique hebdomadaire a abordé ces questions fort judicieusement.

À ses débuts, la littérature radiophonique se développe de façon tout à fait artisanale, et ce n'est qu'au cours des années 1935-1960 qu'elle connaît un essor et une popularité qui continuent d'étonner ses artisans immédiats : auteurs, réalisateurs et comédiens. Robert Choquette est l'un des premiers écrivains, déjà reçus par la critique littéraire officielle, à écrire pour la radio. Il entraîne avec lui Jovette Bernier, alors jeune poète, et Émile Coderre. D'autres se joignent à eux : Claude-Henri Grignon, Roger Lemelin, puis Germaine Guévremont, Ernest Pallascio-Morin. Certains auteurs commencent une carrière à la radio après avoir expérimenté soit le théâtre, soit le journalisme. Retenons

---

6. Le journal *Radiomonde* a été le premier hebdomadaire conçu pour informer le public sur la programmation radiophonique. Une entente avec le poste CRCM, devenu ensuite CBF (Radio-Canada) en fait un journal précieux pour repérer l'histoire de la littérature radiophonique des années 1939-1950. *La Semaine à Radio-Canada* paraît en 1950 et devient le second hebdomadaire d'information sur la programmation de CBF. Par la suite, *Photo-Journal, le Journal des vedettes,* etc., accordent au milieu des artistes, surtout ceux de la radio, des articles nombreux.
7. Dans *Robert Choquette,* par Renée Legris, voir la « Bibliographie commentée », et les textes cités : « Causons théâtre radiophonique », inédit de Robert Choquette. Voir aussi « Faux genre ou genre nouveau », interview de Robert Choquette par Gérard Pelletier, dans *le Devoir,* 30 octobre 1948, p. 3, et Robert Choquette, « l'Ecrivain canadien-français, la radio et la télévision », dans *le Devoir,* 21 mai 1955, p. 10.

à titre d'exemples les noms de quelques auteurs de radio-romans ou de radio-théâtres fort populaires qui ont eux aussi trouvé dans l'écriture radiophonique une forme de littérature accessible à un vaste public. Eddy Beaudry, Henri Deyglun, Jean Desprez, Paul Gury, Pierre Dagenais, Aliette Brisset-Thibodeau, Françoise Loranger sont parmi ceux qui acceptèrent le risque de cette aventure radiophonique.

C'est après des recherches diverses et quelques années d'expérience que les radio-dramaturges réussirent à créer un langage adapté au public québécois, accessible à divers milieux et différent de celui des variétés ou des émissions folkloriques. Et malgré l'anathème jeté sur ces écrivains [8], qui, au dire des critiques littéraires de cette époque, s'étaient fourvoyés, cette littérature souvent populaire prit des proportions inattendues. Elle apparaît aujourd'hui comme un fait culturel digne d'intérêt tant pour les sociologues que pour les critiques littéraires. D'autant plus que plusieurs auteurs ont cherché à doter la littérature radiophonique d'un caractère distinctif en s'inspirant de la société québécoise, de ses mœurs, de sa langue. Ils refusèrent les procédés américains d'écriture de la production-consommation mis au point avec les *soap operas* [9]. Fort peu d'émissions à notre connaissance étaient des continuités écrites par plusieurs scripteurs ; *Ovide et Cyprien* (1932-1933) et *la Rhumba des radio-romans* (1940-1941) sont des exemples [10] fort éloignés de l'organisation très complexe de la

---

8. Victor Barbeau est l'un des pontifes qui a souvent condamné les auteurs littéraires qui « s'abaissaient » à écrire pour la radio. Il reproche, dans un article, au directeur de Radio-Canada, Roger Frigon, de faire de CBF un poste sans valeur par manque de sens esthétique. « Dragées et épices », dans *Liaisons*, vol. 4, n° 3, p. 277-289, 481. (Il n'a pas toujours tort !)

9. Jacques Beauchamp dans *Caractères du roman-savon*, (thèse de maîtrise, Université de Montréal, 1944-1945) décrit ce phénomène : « Les Etats-Unis conçoivent si bien le roman-savon qu'ils possèdent des usines tout à fait xxe siècle où l'on applique les méthodes modernes de production en série à la fabrication de textes radiophoniques. Le dialoguiste, presque un scénariste d'Hollywood, rédige tout ce que diront les acteurs (du dialogue) et le parleur (de la narration). Au dramaturge : l'intrigue, les caractères, les passions, les incidents, les situations, l'histoire quoi ! Le bruiteur s'occupe de la trame sonore : bruits et musique. Mais malgré ces spécialistes, il arrive souvent que la série tombe dans la routine. Vite s'amène un autre spécialiste... Ainsi en 1940, les ateliers Frank et Anne Hummet produisaient de la prose radiophonique pour alimenter une soixantaine de programmes. Par exemple, onze (11) romans-savon, trois (3) variétés dramatiques hebdomadaires, deux (2) musicaux du dimanche soir (Merrill Denison, « Soap Operas », *Harper's Magazine*, avril 1940, p. 503.). »

10. *Ovide et Cyprien* est une émission dont le canevas a été créé par Emile Coderre, Robert Choquette, Jean Lebret et Henri Deyglun, qui assument l'émission. Au cours de 1933 Henri Deyglun en sera le seul scripteur pendant dix mois. (Interview de Louise Blouin,

production des *soap operas*. À ce propos, on peut déjà affirmer que Jean Desprez avait trouvé plusieurs collaborateurs pour écrire ses nombreux radio-romans.

La littérature radiophonique présente un intérêt remarquable comme « lieu » de la culture québécoise, d'autant plus qu'elle a favorisé la participation très large d'écrivains, de réalisateurs, de comédiens et de bruiteurs. Des auditeurs de toutes catégories, des directeurs de programmes, des enquêtes gouvernementales et des agences de publicité [11] ont influencé tour à tour la production de ce genre d'émissions.

Cette littérature est elle-même diversifiée et nous avons pu identifier parmi ses multiples appellations [12] trois genres principaux : les sketches radiophoniques, les radio-romans et les radio-théâtres.

Au début, le radio-théâtre se confond avec le théâtre traditionnel qu'on joue à la radio. Le sketch est plus léger que le radio-théâtre, il se compose de saynètes d'un ton facile, souvent humoristique. C'est du texte dialogué. Cependant, des adaptations dramatiques d'œuvres romanesques, et vers les années 1940, des créations proprement radiophoniques, occupent une partie de plus en plus importante de la programmation. Ces trois formes de production ont pris une telle force au cours des vingt années qui précèdent la création de la télévision, que leurs genres ont été adaptés, par la suite, à la télévision. Nous trouvons, en effet, jusque vers 1967, des téléromans et des téléthéâtres fort

---

février 1971). *La Rhumba des radio-romans* était réalisée par Guy Maufette ; Henry Deyglun, Jovette Bernier, C.-H. Grignon, Paul Gury et Jean Desprez y participaient. Des milieux différents sont peints par chacun. D'autre part, Françoise Loranger a écrit sous la direction de Robert Choquette qui en était le réalisateur, la seconde série du *Vieux Raconteur*, en 1938, et elle a fait le découpage des émissions *les Enquêtes du commissaire Maigret*, (1938-1939). Elle a remplacé, en 1942-1943, *la Pension Velder* de Robert Choquette, en écrivant *la Vie commence demain*. Cette continuité était supervisée par Robert Choquette, qui demeurait responsable de l'émission devant ses commanditaires.

11. Sans doute dans l'étude de la littérature radiophonique faut-il tenir compte d'un facteur socio-économique : le soutien financier du commanditaire. Après une première enquête, sujette à révision, il semble que plus de 80% des radio-romans étaient commandités. Les émissions dépendaient d'un contrat susceptible d'être rompu à chaque baisse de popularité importante. Ainsi en 1937, Dow diminue le nombre d'émissions du *Curé de village* et retire pour 1938 son soutien à l'auteur, à cause d'une « campagne de tempérance » dans tout le Québec.

12. Ce sont : des sketches radiophoniques, des romans-fleuves, des romans radiophoniques, des radio-romans, des romans-savon, des continuités ou feuilletons radiophoniques, des radio-théâtres, des audiodrames.

goûtés du public. Depuis, leur nombre a de beaucoup diminué et plusieurs traductions [13] remplacent actuellement à CBFT les créations québécoises des années 1956-1966.

Depuis les années 1960, le radio-roman a été moins florissant. Plusieurs auteurs l'ont abandonné, d'autres sont disparus, ne laissant derrière eux aucune relève susceptible de reprendre le rythme exigeant de ces émissions qui ne souffrent ni retard, ni manquement. Le goût du public aussi a peut-être changé. Il faudrait faire quelques enquêtes pour le vérifier de façon précise. Depuis environ deux ans, des programmes de variétés ou des émissions « lignes ouvertes » remplacent les continuités. Est-ce la fin du genre ou un simple temps de repos ? L'avenir le dira. De toute façon, il est maintenant possible de préparer l'histoire de ce genre qui a été diffusé pendant près de quarante ans, et d'en étudier les diverses valeurs culturelles.

Dans ce domaine, le Québec commence à peine à se donner des instruments de recherche pour élaborer des études plus consistantes. Jusqu'à présent, les éléments d'histoire ou de critique de la programmation radiophonique se trouvent dans les rapports des commissions d'enquêtes, dans les *Rapports annuels* de Radio-Canada, dans les journaux cités plus haut, et dans quelques essais disséminés. Par contre, sur les œuvres télévisées, les documents sont accessibles et il existe des éléments importants de chronologie [14]. La recherche sur la littérature radiophonique en est encore à ses débuts et les instruments nécessaires sont presque inexistants. Sans doute faut-il croire que les agences de publicité dont le siège social était à New York et à Toronto, et les commanditaires qui ont fait appel à leurs services ont été intéressés à analyser les répercussions des programmes sur le public québécois pour continuer de commanditer les émissions les plus rentables. Mais la plupart des statistiques sur les cotes d'écoute et les enquêtes sociologiques sur les auditoires sont demeurées à peu près inaccessibles ou confidentielles exception faite de quelques enquêtes publiées dans *Radiomonde* ou dans *Photo-Journal*.

---

13. Quelques exemples : *la Sœur volante, Jinny, Ma Sorcière bien-aimée, Cher Oncle Bill, Que sera, sera, Au pays des géants, Chapeau melon et bottes de cuir*, etc., à CBFT.
14. L'équipe de *la Barre du Jour* a publié une chronologie des pièces de théâtre québécoises jouées à la Société Radio-Canada de 1950 à nos jours ; cf. « Théâtre Québec », dans *la Barre du Jour*, numéro spécial de juillet-décembre 1965, vol. I, nos 3-4-5, p. 142-164. Madeleine Brabant a publié « les Téléromans à Radio-Canada, (dix-huit ans de téléromans) », dans *l'Almanach du peuple*, Montréal, Beauchemin, 1971, p. 106-121.

Le radio-roman nous paraît être le genre le plus original et le plus significatif de l'ensemble de cette littérature radiophonique. Nous voudrions maintenant poser certains problèmes concernant son esthétique et suggérer quelques réflexions méthodologiques relatives à son analyse [15].

Pour faire une analyse exhaustive du radio-roman, il faudrait s'interroger sur son genre, sur ses structures, sur son écriture, sur ses fonctions dramatiques et sur certains aspects de son contenu qui sont conditionnés par des choix formels : thématique, psychologie des personnages, peinture sociale, types d'actions ou d'intrigues, situations existentielles, images. À ces aspects s'ajoute une dimension sonore complexe qui est, pour les œuvres réussies, partie intégrante de leur organisation interne. Ces éléments essentiels, musique, voix, bruits [16], sont en quelque sorte l'espace, l'environnement, le « visuel » de l'auditeur. Sans doute, chaque auteur développe un style propre mais ce style repose sur des normes plus générales. Des études ultérieures pourront analyser styles et procédés. Nous ne voulons développer ici que deux aspects : le temps et l'espace auditifs, dont nous esquisserons les valeurs symboliques.

Rappelons que l'analyse symbolique n'est pas le repérage de symboles définis à priori par une archétypologie statique, mais bien la mise en relief des

---

15. Dans leur ouvrage, *Aspects sociaux de la radio et de la télévision,* La Haye, Mouton, 1966, Beno Sternberg et Evelyne Sullerot notent que l'ensemble des recherches faites depuis les années 1940, spécialement aux Etats-Unis, sont de trois types. Il y eut d'abord la recherche quantitative qui a porté sur les aspects rentables de la radio ; puis aux investigations du domaine commercial ont succédé des recherches plus qualitatives : la radio comme instrument de propagande, l'analyse des motivations à l'aide des données de la psychanalyse ; enfin, les rapports de causalité entre contenu et effets ont été l'objet de recherches complémentaires. Ces auteurs remarquent que fort peu d'études portèrent sur la relation entre l'esthétique des media et leur contenu sémantique. L'analyse des valeurs émotionnelles et rationnelles véhiculées par la radio et la télévision est encore à faire, disent-ils, pour de nombreux genres d'émissions, et serait d'un réel intérêt. La France étudie depuis quelque temps ces questions dans le cadre des recherches du C. E. C. M. A. S. Nous avons noté que dans la « Bibliographie » importante de l'ouvrage de Sternberg et Sullerot qui porte sur des études radiophoniques faites dans divers pays du monde, le Canada et le Québec ne comptent que six références sur près de six cents. Et dans la bibliographie de *Communications,* nᵒ 14, (C. E. C. M. A. S., 1970), il y a quatre-vingt-quatorze qui concernent des études sur le problème général de la·radiodiffusion.

16. L'exemple d'un incident en soi banal, montre l'attention que devaient porter les artisans d'une émission à tous les aspects sonores. Dans *la Pension Velder,* il était question d'une situation particulière : Dorothée Laviolette, la couturière, allait prendre son bain. Le bruiteur, par mégarde, a légèrement toussé à ce moment précis où la demoiselle devait se trouver dans la plus stricte intimité. Le public crut au pire : un homme était sûrement dans la salle de bain. Cela eut pour effet de faire baisser la cote d'écoute du programme, jugé de mauvais goût.

relations signifiantes que peuvent entretenir les divers éléments d'une œuvre, et des fonctions que ces éléments occupent dans l'organisation vitale de cette œuvre. Bien que l'analyse symbolique ait jusqu'à présent porté surtout sur le contenu, elle ne doit pas cependant ignorer les conditions de production et les structures formelles qui sont d'une importance capitale pour la littérature radiophonique [17]. Plus englobante que l'analyse thématique traditionnelle, l'analyse symbolique s'interroge sur les rapports établis entre les personnages, les images, les intrigues et les actions dramatiques qui sont les piliers de l'œuvre. Elle doit tenir compte du découpage temporel et spatial, des transitions, et aussi des fonctions sonores propres à la radiophonie : reproductions des bruits, suggestion des voix, trame musicale appropriée, afin d'en saisir les significations multiples.

Nous devrons considérer la production d'un roman-fleuve comme un tout symbolique, un symbole global, vécu comme tel par la collectivité québécoise qui en a fait, pendant plus de trente ans, « son pain quotidien ». Il nous apparaît que cet ensemble d'œuvres radiophoniques [18] correspond fort bien à la définition du symbole : « Il résume, condense et concrétise à la fois une structure, un système de significations vécues, un univers affectif, un ensemble thématisé. Par là, il manifeste quelque chose qui le déborde de toutes parts, et il recèle un quasi-infini d'implications [19]. » Une étude ultérieure et plus poussée du radio-roman pourra démontrer dans quelle mesure le fait global de la production radiophonique prit ainsi une fonction symbolique. Il est certain que les auditeurs ont toujours réagi profondément à ses valeurs, à son langage et à ses représentations du réel. Des centaines de lettres d'auditeurs expriment l'ambivalence des significations que prirent pour eux ces émissions.

DU SKETCH AU RADIO-ROMAN

Historiquement, les radio-romans ont été précédés par les sketches radiophoniques qui étaient nombreux déjà dans la programmation des années 1930-

---

17. On pourrait en dire autant des genres littéraires traditionnels : prose, roman, théâtre.
18. Il manque encore de nombreux renseignements pour élaborer cette analyse symbolique du phénomène collectif dont témoigne la popularité des émissions. Cette analyse ne sera possible que si des données d'ordre socio-littéraires viennent préciser les faits connus actuellement et fonder l'hypothèse.
19. Roger Mucchielli, *Introduction à la psychologie structurale*, Bruxelles, Dessart, 1968, p. 189. Nous proposons parmi plusieurs autres cette définition qui est fort pertinente.

1935. Plusieurs auteurs ont d'abord pratiqué ce genre et fait ainsi leurs premières armes à la radio. Des émissions aussi populaires qu'*Au coin du feu* (1931-1932), *le Vieux Raconteur* (1932-1933), *Ovide et Cyprien* (1933-1934), *le Radio divertissement Molson* (1933-1934), *l'Heure provinciale* (1934-1935), présentaient des sketches sans continuité dramatique ni thématique [20]. Certains utilisaient cependant des personnages stables, créant ainsi une première forme de continuité. Par ailleurs, certains personnages, comme le grand-père et sa petite fille aveugle dans *le Vieux Raconteur,* revenaient chaque semaine présenter et commenter le sketch joué par d'autres personnages épisodiques. Cette structure répétée offrait une uniformité que les auditeurs reconnaissaient facilement et qui leur plaisait. Quelques émissions reposaient sur le jeu de deux comédiens qui animaient un dialogue souvent improvisé [21]. Le rythme de diffusion de ces programmes était d'une demi-heure par semaine, sauf pour les émissions de musique et de chants qui étaient accompagnées d'un sketch et duraient une heure.

L'apparition du radio-roman en 1935 avec *le Curé de village* de Robert Choquette inaugure une ère nouvelle à la radio canadienne-française. La popularité de ce genre et sa rentabilité ont pour effet d'amener en quelques années un nombre étonnant de radio-romans sur les ondes de tous les postes importants et plus particulièrement à CKAC et à CBF. En 1937, Eddy Baudry, après avoir observé pendant plusieurs mois la mise en ondes des émissions du *Curé de village,* présente *Rue Principale.* En 1938, Claude-Henri Grignon débute à la radio en reprenant l'intrigue de son roman écrit *les Belles Histoires des pays d'en haut,* émission qui sera réalisée par Guy Mauffette. La même année, Robert Choquette inaugure *la Pension Velder* et Henry Deyglun, *Vie de famille.* En 1939, on peut écouter *C'est la vie* de Jean Desprez, *la Famille Gauthier* d'Henri Letondal, *les Amours de Ti-Jos* d'Alfred Rousseau, *L'amour voyage* d'Ovila Légaré.

S'il existe aux États-Unis avant 1935 des expériences radiophoniques analogues à celles de nos radio-romans, les *soap operas,* il semble que les auteurs

---

20. Les deux premières émissions sont de Robert Choquette, la troisième, de Coderre, Choquette, Lebret et Henri Deyglun ; les deux autres sont des émissions de variétés auxquelles plusieurs auteurs (Henri Letondal, Emile Coderre) ont participé de même que des chanteurs et des musiciens de l'orchestre du Ritz Carlton ou du Windsor.

21. Certains d'entre eux, dont Ovila Légaré est peut-être le plus célèbre, réussissaient à jouer plus de huit rôles à la fois pour une émission, et quelques-uns, dont Ernest Loiselle, étaient d'extraordinaires improvisateurs. (Interview de Robert Choquette.)

qui ont pratiqué ici ce genre n'en avaient pas étudié les lois mises au point par les agences américaines dont nous avons parlées. Nos auteurs ont défini le radio-roman comme une œuvre de création qui s'adresse à un public particulier, qui a ses exigences (dont rendent souvent compte les cotes d'écoute de l'époque) et qui suppose un certain langage, celui des gens du Québec. Il s'est avéré par exemple que les traductions et adaptations américaines qui ont eu quelque succès ont dû tenir compte du contexte et du public québécois. Ainsi, Louis Morrisset transformera *Big Sister* en une création originale écrite pour le public québécois, *Grande Sœur*.

L'une des conséquences de l'apparition en série des radio-romans au cours des années 1937-1939 est de changer le rythme des émissions. Ainsi, elles passent d'une demi-heure par semaine à un quart d'heure par jour, cinq fois par semaine. Le sketch demeure, mais devient plus court, et cette unité prend une valeur nouvelle de par son intégration dans une continuité dramatique. Le contenu se modifie et ses formes s'améliorent en même temps que la technique du médium. Simultanément, la peinture de la société québécoise en évolution, passant de la vie rurale à la vie urbaine, se diversifie et s'élargit à de nouveaux milieux.

Au cours des années 1945-1955 le radio-roman atteint son apogée. Par exemple, à CKAC, en 1943, on compte jusqu'à treize radio-romans par jour et autant à Radio-Canada. On peut dire que plus d'un cinquième de la programmation est faite de radio-romans, exclusion faite du théâtre et des variétés. Plus encore, près de la moitié des radio-romans de CKAC sont également diffusés à CBF. Chaque poste a son public, l'un plus populaire, l'autre plus intellectuel [22].

1. *La durée : les cycles dramatiques*

Bien que le radio-roman présente des caractéristiques dérivées de celles du sketch radiophonique, il apparaît beaucoup plus complexe, composé selon un découpage temporel qui joue à un double point de vue et se fonde sur une

---

22. M. Ferdinand Biondi, directeur de la programmation de 1948 à 1965 à CKAC a expliqué lors d'une interview accordée à Louise Blouin (février 1971) que les préjugés des milieux sociaux se manifestaient par le choix d'un poste exclusif de radio. Pour rejoindre les divers publics, les radio-romans étaient joués aux deux postes et appréciés par la majorité de leurs publics !

double structure. Par son unité de base, le sketch d'un quart d'heure par jour, le radio-roman tient essentiellement du théâtre, mais comme continuité, il est analogue au roman-feuilleton. Le sketch est composé à la façon de la scène dans une œuvre théâtrale. Il s'organise autour d'actions dramatiques. Le dialogue des personnages est le fondement du texte dramatique ; le narrateur transmet les récits et les descriptions. Une série d'émissions réparties sur une semaine ou un mois, constitue cependant une unité dramatique plus vaste et un ensemble continu d'intrigues. Les enchaînements, la transformation et l'évolution des intrigues composent des noyaux d'épisodes qui forment des *cycles dramatiques*. Les noyaux groupent souvent plusieurs intrigues qui, l'une majeure, les autres mineures, créent des rythmes divers, des centres d'intérêt qui se croisent, se développent ou disparaissent, donnent des indices bien mesurés et préparent les intrigues futures. Les grands cycles s'étendent souvent sur plus d'un an, (quelques-uns ont atteint deux ans et demi) répartis en noyaux de quatre ou cinq mois. Sous cet angle, l'œuvre radiophonique présente une continuité qui permet à l'auditeur de suivre la logique événementielle et dramatique de cette macro-durée que chaque unité (le sketch) prépare et enrichit.

Si la condensation dramatique au théâtre ne laisse place qu'au dialogue, excluant les longs cheminements de l'esthétique romanesque (surtout balzacienne et proustienne), le radio-roman opte pour le syncrétisme. Il s'apparente à la démarche analytique du roman par un découpage, microscopique parfois, des multiples péripéties, événements, actions et réactions des personnages, qui alimentent les épisodes. L'œuvre s'allonge ainsi presque indéfiniment, créant sa propre durée [23]. Elle exploite l'évolution des personnages et de leur vie, celle des générations qui les suivent ainsi que les aspects divers de leurs milieux sociaux, eux-mêmes en transformation. Ces aspects du contenu sont en relation étroite avec la durée matérielle des émissions et souvent la conditionnent. Après trois ou quatre ans de popularité, les œuvres qui offrent encore une matière substantielle peuvent se prolonger, pendant dix, quinze et même trente ans [24],

23. Le roman-feuilleton, très populaire au XIXe siècle, peut être considéré comme le précurseur du radio-roman. Certains romans de la fin du XVIe siècle et du début du XVIIe, dont *l'Astrée* n'est pas le moindre, et certaines œuvres du XIIIe siècle, comme le cycle du roman breton qui n'achève plus de s'écrire — *le Cycle d'Arthur, la Queste du Graal, la Mort d'Arthur* refondent les péripéties multiples du *Lancelot-Graal*, — sont à n'en pas douter des analogues du genre.

24. *Les Belles Histoires* de Claude-Henri Grignon débutent en 1938 (novembre) à CKAC et prennent fin à CBFT en 1970. *Métropole* de Choquette a duré de 1943 à 1956, *Jeunesse dorée* de Jean Desprez, de 1940 (décembre) à 1966.

comme on l'a vu entre 1940 et 1970. Dans ces conditions, pour l'auteur autant que pour l'auditeur, l'organisation en cycles dramatiques est un facteur important de l'esthétique du radio-roman et favorise une perception plus globale de l'œuvre. Ainsi se fondent des structures temporelles adaptées au genre.

2. *La discontinuité : le sketch radiophonique*

La durée du radio-roman est paradoxalement morcellée en quarts d'heure dont les limites sont fixées par le cadre des horaires [25]. La limite temporelle du quart d'heure radiophonique est une condition très exigeante et elle a des répercussions immédiates non seulement sur la structure du contenu (intrigues, actions, psychologie des personnages), mais aussi sur les formes du dialogue, les fonctions du narrateur, l'apparition épisodique des personnages, le mouvement rapide ou lent des actions dramatiques, et même sur l'utilisation du champ sonore.

Ainsi, le sketch se construit autour d'une action simple, qui se développe et se complète en un temps limité. Peu de personnages (quatre ou cinq) paraissent à la fois dans un sketch de quinze minutes. Celui-ci se compose souvent de courtes scènes (deux ou trois) qui facilitent l'élaboration de sous-intrigues et préparent les actions dramatiques subséquentes. Il est alors facile de comprendre que ces genres de sketch, dont l'action est limitée, jouent un rôle de fragmentation par rapport à la totalité de l'intrigue d'un épisode, tout en établissant des liens avec la totalité d'un noyau d'épisodes par l'évolution des sous-intrigues et des actions secondaires. Le sketch a un double rôle qu'il remplit à deux niveaux de l'œuvre. Par exemple, les interruptions aux moments de suspense, parcimonieusement dosées tout au long des cinq quarts d'heure d'une semaine, de même que le morcellement des intrigues caractérisent bon nombre de sketches. Ils renvoient souvent au lendemain l'auditeur qui cherche la réponse au mystère d'une situation ou d'un personnage et ils rompent un mouvement qui se prolonge dans un futur quotidien. Le mouvement de balancier que favorisent les deux niveaux du genre et sur lesquels repose une partie de l'esthétique du radio-roman correspond au double pôle du principe dynamique désir-plaisir et plaisir-frustration qui sont ici dans un rapport de continuité. Si

---

25. Il faut noter que sur quinze minutes d'émission, le commanditaire prend environ deux minutes pour l'annonce commerciale et le thème musical du début et de la fin de vingt-cinq à cinquante secondes. Le sketch doit donc être écrit pour environ douze minutes.

nous examinons à la lumière de ces modèles le double aspect temporel de l'œuvre, la continuité-discontinuité, il nous apparaît que le principe freudien du plaisir sous-jacent à l'intérêt que peut susciter une œuvre esthétique, même populaire, rend compte, du moins partiellement, de la valeur symbolique des radio-romans.

Néanmoins leur popularité auprès du public québécois ne s'explique pas uniquement par le contenu des émissions, dont souvent les journalistes ont critiqué la banalité et les répétitions. Ces faiblesses réelles n'ont guère changé la fidélité du public [26]. Ne faut-il pas alors tenter de trouver les motivations de cette fascination ? L'ambivalence de la perception du temps dans les radio-romans provoque l'auditeur et relève du désir-plaisir qui côtoie sans cesse un sentiment de frustration appelant une satisfaction émotionnelle nouvelle. En effet, quand un sketch présente en scènes courtes des situations comiques ou tragiques, brillantes ou mélancoliques, et que d'autre part, l'auteur utilise subterfuges, quiproquos et suspenses pour créer des effets de mystère sur l'action en cours, — qui n'auront de réponse que le lendemain ou même plus tard, — il s'opère une sorte de mouvement d'aller-retour analogue au flux et reflux de la mer. Au plaisir de l'audition succède le désir de connaître la suite du sketch (discontinuité) qui est amplifié par le sentiment de frustration que la rupture et l'insatisfaction momentanées ont créé. Ces derniers ouvrent la voie à un plaisir nouveau qui se trouve dans la structure temporelle répétitive (continuité) et que nous appellerons « satisfaction ». On a ainsi :

$$\frac{\text{sketch}}{\text{discontinuité}} = \frac{\text{désir}}{\text{plaisir}} \rightarrow \frac{\text{plaisir}}{\text{frustration}} \rightarrow \frac{\text{désir}}{\text{plaisir}} \Rightarrow \text{satisfaction}$$

---

26. Cette appréciation se fonde sur des interviews et sur la lecture de nombreux articles et lettres d'auditeurs. L'intérêt du public pour le radio-roman, à ses débuts, amenait quotidiennement des groupes nombreux des villages ou des campagnes autour de la radio que possédait l'une ou l'autre des personnes assez fortunées pour se payer un appareil. C'était chez le marchand général que la plupart du temps se retrouvait le plus grand nombre d'auditeurs. A Montréal, les restaurants « du coin » avaient aussi leur petit public.
Robert Choquette raconte aussi que pendant le carême, « ... il arriva qu'une année, à l'heure de la retraite, seulement la moitié des fidèles se présentaient à l'église à l'heure convenue. Les autres arrivaient un quart d'heure plus tard. Ce qui intriguait surtout le curé, c'est que les retardataires arrivaient tous ensemble. Le curé finit par interroger quelques-uns de ses paroissiens. Qu'est-ce qu'il apprit ? Que les retardataires restaient à la maison un quart d'heure de plus afin d'écouter le *Curé de village* ». (Anecdotes manuscrites de Robert Choquette.)

La satisfaction dépend de la stabilité de la structure répétitive que la présentation quotidienne du sketch favorise. Les schèmes répétitifs accumulés par l'horaire, l'indicatif musical, la publicité, créent une sorte de rite où s'enracine la durée des grands cycles. Cette durée, façonnée par le déroulement quotidien des sketches de nombreux radio-romans, permet à l'auditeur de participer à un temps mythique où l'imaginaire, vécu sur un mode sonore, trouve un monde transposé, dramatique ou mélo-dramatique, tendre ou violent, misérable ou heureux, qui se détache du réel. Mais cette répétition quotidienne des radio-romans a une autre dimension symbolique, celle d'être à la fois une image de stabilité et d'ordre qui s'apparente peut-être à un ordre analogue dans la vie sociale de ces mêmes années 1930-1965. Ce rite quotidien a souvent été vécu collectivement à ses débuts dans les villages et même dans les villes, puis peu à peu familialement et individuellement. Mais il a presque toujours, comme toute émission radiophonique ou télévisée, une dimension collective latente dont il ne faudrait pas minimiser la valeur symbolique.

Cette image, qui tient d'une perception globale de l'œuvre et des cycles qui la composent, peut avoir son envers symbolique : la saturation. En effet, il ne faut pas ignorer cette conséquence de l'esthétique de la durée, qui pourrait se présenter selon le modèle suivant :

$$\frac{\text{cycles}}{\text{continuité}} \Rightarrow \text{satisfaction} \rightarrow \frac{\text{continuité}}{\text{répétition}} \rightarrow \text{saturation}$$

L'effet de saturation, qui parfois se retourne contre l'auteur et son œuvre, vient de ce que les formules ne peuvent se renouveler indéfiniment, ni les comédiens, ni les sujets qui s'adressent à un public aussi vaste et diversifié. Les structures répétitives elles-mêmes, du contenu surtout, ne sont pas complètement camouflées par un sujet nouveau. C'est alors que les cotes d'écoute baissent et menacent la continuité de l'émission. Phénomène parfois salutaire, et pour l'auteur et pour son public, cette menace peut avoir pour conséquence secondaire de ramener le public. L'habitude créée par l'atmosphère, les personnages, le jeu du développement des intrigues, un style propre à chaque auteur, la curiosité de savoir quel progrès il peut enregistrer ou quels nouveaux suspenses il a imaginés sont des réactions fréquentes qui favorisent la continuité. De plus, si le public fatigué de la répétition cherche à s'en libérer pour un temps, il sait qu'il peut revenir et retrouver ce milieu familier que représente un radio-roman. Il retrouve alors un plaisir connu par rapport auquel il a pris pour un moment ses distances.

* * *

La double structure temporelle pose aussi un autre type de problème d'analyse symbolique : le processus de symbolisation. L'art du sketch est de procéder par touches successives, évocatrices, et de révéler lentement les aspects complexes des événements et des personnages, à l'inverse même de l'écriture habituelle de la poésie, du roman et même du théâtre. Dans le radio-roman, ce n'est pas l'instantanéité des faits ou des personnages qui est saisie par l'auditeur, mais plutôt un processus lent, fort diversifié et irréversible. L'image globale ne se dégage qu'après une accumulation de détails et grâce aux relations établies entre les éléments de l'œuvre pour en saisir les diverses significations et fonctions. Ainsi en est-il des personnages qui se révèlent peu à peu, par leurs actions quotidiennes et leurs caractéristiques psychologiques, ou par leur fonction soit sociale, soit psychologique, soit événementielle. De plus, il y a rarement place pour la métaphore d'ordre stylistique dans un dialogue de radio-roman, encore moins pour l'allégorie. Il ne faut pas chercher l'image à ce niveau, ni le symbole.

Il faut donc adapter l'analyse au matériau. La simplicité du dialogue, des intrigues, des actions dramatiques et très souvent de la psychologie des personnages se rapproche de celle de la littérature populaire. Comme première hypothèse d'analyse de ces œuvres, les méthodes qui sont utilisées par la littérature populaire paraissent intéressantes. Une lecture plus exhaustive des œuvres permettra sans doute de mettre au point une méthode d'analyse encore plus appropriée.

Si le texte écrit dialogué a été le fondement de l'œuvre radiophonique, tout comme le théâtre, il a rarement été conçu sans référence à sa dimension sonore. Les aspects auditifs sont, en effet, essentiels à la conception d'un sketch et ils en transforment souvent l'écriture. La pratique du dialogue radiophonique a révélé qu'il n'obéit pas aux mêmes lois que le dialogue théâtral. Le théâtre s'adresse à une foule, dans un vaste espace. Le dialogue doit alors passer la rampe et trouver un rythme et une portée de voix appropriés.

La radio s'adresse à l'individu ou à un groupe restreint de personnes, son espace est donc différent. Il suppose plutôt l'intimité, la confidence même [27]. Par conséquent, le dialogue radiophonique a surtout développé la simplicité, la brièveté et la clarté. Les longs monologues ou les répliques interminables ne sont employés que rarement, et entrecoupés de réparties qui les animent. L'auteur doit procéder par croquis et respecter la loi du mouvement que la rapidité des répliques assure en grande partie, et que complètent les changements de scènes à l'intérieur du sketch.

Contrairement au théâtre, à la télévision ou au cinéma, le sketch radiophonique n'a aucune dimension spatiale dans laquelle il peut évoluer étant donné qu'aucune référence visuelle ne peut supporter le texte. L'émission radiophonique doit transposer tout élément visuel pour être compréhensible à l'auditeur. Ainsi le lieu, les décors, les aspects physiques des personnages, les impressions, les gestes, les mouvements, les déplacements, tout doit être suggéré par des éléments sonores. L'auteur dispose particulièrement du dialogue, d'un narrateur, de la musique et des bruits pour réaliser son but. Ce sont souvent des descriptions brèves, intégrées au dialogue des personnages qui peuvent habilement informer l'auditeur du décor, du lieu, des objets présents, tout en évitant la surcharge.

Pour équilibrer le dialogue, c'est le narrateur [28] qui se voit confier le rôle d'informateur, soit au début du sketch, alors qu'il fait la synthèse de la situation et des actions dramatiques précédentes, soit au cours du sketch pour indiquer dans quel nouvel espace les personnages évolueront. Cette dernière intervention ne se justifie que lorsque les éléments sonores, bruits ou musique, ne peuvent se substituer sans confusion au dialogue.

Les bruits sont aussi des indicateurs ou informateurs spatiaux ; ils créent l'environnement et suggèrent par une introduction bien amenée, après un silence absolu, le changement de lieu ou de décor. Il faut les doser, éviter les cacophonies. Pour créer l'ambiance d'un milieu de travail, bureau, banque, magasin, restaurant, on utilisera des téléphones, des ordinateurs, des sonneries de toutes sortes ; pour une cuisine ou une salle de réception, on fera entendre des bruits de vaisselle et des bouchons de champagne qui sautent.

---

27. Par analogie, théâtre et radio-roman sont dans le même rapport que l'orchestre symphonique et le petit orchestre de chambre.
28. Il faudra étudier davantage cette fonction du narrateur dans la structure du radio-roman et ses relations avec le récit.

La musique a des fonctions peut-être plus variées et plus subtiles. Elle est l'élément qui crée une atmosphère au début d'une scène ou d'un sketch. Elle sert de transition entre les scènes, accompagnant ou remplaçant certains bruits caractéristiques pour indiquer des changements de situations, de tons, de lieux même, et de sentiments chez les personnages. Elle découpe aussi le temps d'une scène pathétique ou mélancolique et peut remplacer des dialogues sans importance. Elle accompagne une réplique finale qui doit se perdre dans le vague, ou un discours long et élaboré. Le pouvoir de suggestion de la musique rend facilement le sens d'un dialogue en un temps plus limité et son pouvoir d'évocation est souvent plus fort et plus complexe que celui de la parole.

La voix des comédiens est aussi un élément révélateur, qui ajoute au contenu sémantique du dialogue. En tenant compte des timbres, propres à chaque voix, des registres divers, des rythmes, le sketch radiophonique peut exploiter des significations latentes nombreuses [29]. Il est facile de suggérer une identité, un caractère, un aspect physique même par une voix. La voix peut aussi révéler des situations spatiales, soit par la position du comédien par rapport au micro, soit par la portée de voix, amplifiée ou diminuée.

La voix est donc, comme la musique et même le bruit, porteuse de significations autres que rationnelles, nettement identifiables et qui ont des implications symboliques. Ces significations jouent de façon complexe dans un ensemble aussi thématisé que peut l'être un sketch radiophonique ou un radio-théâtre. Ainsi il arrive qu'un texte dont le dialogue est banal acquiert par les éléments sonores un relief important. Parfois un dialogue rigoureusement écrit pour mettre en valeur une situation ou les sentiments particuliers d'un personnage, s'enrichit de toutes les valeurs symboliques (émotionnelles et imaginaires) d'une organisation sonore adéquate. La logique du texte prend une nouvelle qualité affective. Par exemple, il suffit que l'intensité dramatique d'une pièce de musique accompagne un dialogue joué sur un ton extrêmement

---

29. Nous avons noté fréquemment qu'à la radio il y a une progression de signification et de valeur émotionnelle selon que l'image textuelle est accompagnée de voix, de bruits et de musique. Dans l'émission télévisée, l'image sans parole ni musique est une sorte de degré zéro. L'émotion qu'elle produit est extrêmement réduite. L'image s'enrichit quand elle est portée par un dialogue bien joué ou une musique appropriée. Quand tous les éléments se trouvent réunis, la densité des éléments sonores provoque une multiplicité de valeurs signifiantes.

violent pour qu'un drame banal en soi atteigne presque au tragique et transforme même le ton d'une intrigue ou le caractère d'un personnage [30].

* * *

Nous ne pouvons élaborer davantage dans cet article les valeurs symboliques du monde sonore, ni les modèles ou structures plus fréquemment utilisés dans les radio-romans. Nous aimerions cependant souligner que les thèmes musicaux des radio-romans ont parfois joué un rôle important dans les réactions ou les motivations des auditeurs pour certaines émissions. Certains auteurs ont réussi à créer un ensemble de signes musicaux qui identifiaient certains personnages ou certaines situations, créant un rappel, une sorte de rituel sonore.

Ces quelques considérations sur la fonction sonore et ses formes indiquent quels aspects complémentaires peuvent être étudiés à propos des émissions radiophoniques et de leur organisation. Nous sommes à même de constater que les œuvres radiophoniques sont sans cesse soumises à un supplément de signification à cause de l'appareil sonore qui les accompagne. Les limites du radio-roman que la critique journalistique a souvent rappelées, sont ainsi repoussées par les appuis sonores du médium. Si la simplicité du style et des images (rhétorique traditionnelle), si la banalité même de certains sujets et l'absence de dimension méthaphysique ont souvent défavorisé certaines œuvres, moins bien réalisées sur le plan sonore, une grande partie des radio-romans et des radio-théâtres ont été haussés au niveau d'une littérature populaire de qualité que le Québec aurait tort de renier. Une nouvelle lecture de ces œuvres permettrait à la critique de redécouvrir avec profit des valeurs que le public a vécues spontanément et acceptées parce qu'elles ont répondu, durant toute une époque, à ses aspirations.

RENÉE LEGRIS
Département des études littéraires
codirecteur du Groupe de recherches en symbolique
Université du Québec à Montréal

Avril 1971

---

30. L'auteur doit alors réajuster la suite de son texte pour que le jeu soit cohérent et que cette nouvelle valeur, non contenue dans le texte écrit, se trouve en continuité de ton avec les scènes suivantes. L'inverse peut arriver : une scène tragique jouée de façon mélodramatique change de signification.

NOTES

L'analyse différentielle de la métaphore : la distinction entre bilingues « coordonnés » et bilingues « fusionnés »

Faire une étude en bilinguisme pour parler de la métaphore peut paraître inattendu. C'est pourtant à la suite d'une étude sur les différentes sortes de bilinguisme que le problème de la métaphore s'est vraiment posé à nous. Où se place la métaphore dans un système bilingue [1] ? C'est la question que nous voulons éclairer au moyen de différentes approches linguistiques et plus particulièrement de quelques théories sémantiques tout en tenant compte des acquisitions de la psycho-linguistique.

Diverses recherches faites au cours des dernières années en psycho-linguistique ont posé le problème du bilinguisme, de sa nature, de sa valeur et de ses effets sur le bilingue. On s'est beaucoup intéressé aux conséquences du bilinguisme sur le développement de la connaissance chez les jeunes enfants [2] et aux implications psycho-linguistiques dans l'enseignement d'une langue seconde. Un autre problème concernant le bilingue, la distinction entre bilinguisme « coordonné » et bilinguisme « fusionné » présente pour nous un intérêt particulier. Il nous apparaît nécessaire de rappeler quelques caractérisations de la langue, caractérisations sur lesquelles nous fondons notre analyse. Pour

---

1. Nous allons nous en tenir à la définition de U. Weinreich : « le bilinguisme [ce que nous appelons ici le système bilingue] est la présence de deux systèmes linguistiques » (U. Weinreich, *Languages in Contact*, New York, Linguistics Circle of New York, 1953, p. 1).
2. A. Diebold, *The Consequences of Early Bilingualism in Cognitive Development and Personality Formation*, inédit, Stanford University, 1966.

E. Cassirer, Susanne K. Langer et Y. R. Chao, toute langue est représentative, c'est un système de symboles [3]. Le symbole est donc pris pour eux dans son sens le plus large et Benveniste le confirme : « Le langage représente la forme la plus haute d'une faculté qui est inhérente à la condition humaine, la faculté de symboliser. Entendons par là, très largement, la faculté de représenter le réel par un « signe » et de comprendre le « signe » comme représentant le réel, donc d'établir un rapport de signification entre quelque chose et quelque chose d'autre [4]. » Sapir précise : « *Language is a purely human and non-instinctive method of communicating ideas, emotions and desires by means of a system of voluntarily produced symbols* [5]. »

Pour situer le niveau de l'analyse du symbole notre étude doit tenir compte des comportements psycho-linguistiques d'un bilingue. Nous présenterons d'abord les théories classiques qui distinguent le système du bilingue « coordonné » et celui du bilingue « fusionné ». Cette distinction se rapporte à différentes relations sémantiques entre les langues acquises par un bilingue [6]. Un bilingue « fusionné » parle deux langues qui sont associées au même système sémantique. Un bilingue « coordonné » parle deux langues qui cependant sont associées à deux systèmes sémantiques séparés. D'un point de vue essentiellement linguistique, nous examinerons ces systèmes au moyen du modèle de l'analyse différentielle [7] sur lequel se fonde notre analyse des symboles. Nous verrons alors comment l'analyse différentielle pose la nécessité du niveau sémantique comme lieu du symbole littéraire et quelles en sont les conséquences pour l'explication du phénomène de la métaphore tout autant que pour la compréhension des comportements littéraires et linguistiques du bilingue. Nous pourrons par la suite proposer de nombreuses possibilités d'analyse de la métaphore en généralisant certaines données de cette théorie.

---

3. Nous avons déjà posé le problème des acceptions diverses du mot symbole chez de Saussure, Chao et Chomsky dans notre article « Symbole et linguistique structurale » dans *le Symbole, carrefour interdisciplinaire*, Montréal, Les Éditions Sainte-Marie, « Recherches en symbolique », CSM n⁰ 18, 1969.
4. E. Benveniste, *Problèmes de linguistique générale*, Paris, N. R. F., 1966, p. 96.
5. E. Sapir, *Language*, New York, Harcourt, 1921, p. 8.
6. S. Ervin et C. Osgood, « Second Language Learning and Bilinguism », dans *Journal of Abnormal and Social Psychology*, n⁰ 49, supplément, 1956, p. 139-146.
7. Analyse linguistique qui étudie les ressemblances et les différences entre deux ou plusieurs langues sur l'axe de la synchronie.

Une étude adéquate du bilinguisme doit tenir compte du fait que la communication verbale et l'acquisition d'une langue sont gouvernées par des règles linguistiques et extra-linguistiques. Ainsi, Chomsky [8] — et nous pensons que ceci est valable aussi pour l'étude d'un système bilingue — explique l'étude de la langue en tant qu'investigation empirique d'un phénomène tripartite : 1. la compétence ; 2. la performance ; 3. l'acquisition du langage.

L'acquisition linguistique est rendue possible par des capacités innées qui sont des capacités universelles. Au moyen de ces éléments, un système de règles internes se développera, le système de la compétence (la grammaire). Ces règles internes, de la compétence, assigneront à la prononciation d'un énoncé (qui est au niveau de la surface) un sens ou une structure conceptuelle [9]. Partant de la structure conceptuelle, un ensemble de règles internes transformera cette structure abstraite et mentale en structure de surface, qui est faite d'énoncés grammaticaux. Ainsi la compétence détermine la façon dont les phrases sont formées, employées et intégrées dans l'acte de la parole qui est la performance verbale. La compétence est un phénomène purement linguistique. L'acquisition et la performance sont affectées par des variables extra-linguistiques, biologiques, psychologiques, telles que la mémoire, la fatigue, la concentration.

Nous allons étudier plus particulièrement les règles qui sont à la base du bilinguisme « fusionné » et « coordonné » [10] pour enfin arriver à la question de la métaphore.

LE BILINGUISME « FUSIONNÉ »

Le terme « fusionné » indique que deux traductions équivalentes ont la même aire sémantique. Deux termes, A et B par exemple, de deux langues (le français et l'allemand) sont associés au même processus sémantique. L'opération de ce processus mental se réalise en termes d'encodage et de décodage

---

8. N. Chomsky, *Aspects of the Theory of Syntax*, Cambridge, Mass., M. I. T. Press, 1965.
9. Dans *Aspects of the Theory of Syntax*, Chomsky situe à ce niveau la structure profonde ou de base, niveau auquel s'opère l'interprétation sémantique.
10. Voir la note 3 de cet article.

que C. Osgood présente dans le schéma suivant que nous avons adapté à un exemple :

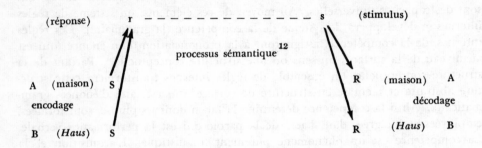

Représentation psycho-linguistique [11]

(réponse)   r — — — — — — — — — — — — s   (stimulus)

processus sémantique [12]

A   (maison)   S   R   (maison)   A

encodage   décodage

B   (*Haus*)   S   R   (*Haus*)   B

Un système « fusionné » se compare linguistiquement au concept saussurien du signe qui est composé d'une double entité : signifié (sens) et signifiant (forme). Ainsi :

Représentation linguistique

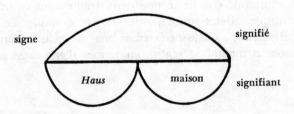

signe   signifié

Haus   maison   signifiant

---

11. Dans ce schéma, r et s indiquent le processus de représentation d'ordre sémantique et l'encodage et le décodage sont de l'ordre de l'image acoustique.
12. Nous traduisons ainsi : « *representational mediation process* ».

Donc, un système sémantique unitaire [13] est à la base de la performance du bilingue « fusionné ». Ce système « fusionné », en réalité, est le produit de l'apprentissage d'une langue seconde par l'intermédiaire de la langue maternelle. L'étudiant acquiert donc un vocabulaire équivalent sémantiquement au vocabulaire de sa langue maternelle. Le bilingue « fusionné » apprend ses deux langues dans une situation particulière, dans un contexte « fusionné ». Un autre exemple classique est celui de l'enfant qui grandit dans un contexte familial où les membres parlent deux langues en alternance. Il acquiert ainsi un système bilingue fusionné dont les deux langues conceptualisent des événements contextuels identiques. Ce bilingue est marqué par de fréquentes interférences sémantiques.

Mais où se situe la métaphore pour un bilingue ? Un bilingue « fusionné » possède-t-il véritablement des métaphores dans son inventaire bilingue ? Si oui, est-ce qu'une traduction équivalente sera toujours acceptable ? Par exemple, la métaphore allemande *die Mutter Sonne* perd autant son sens symbolique que sa grammaticalité dans une traduction équivalente comme « la mère soleil [14] ». La métaphore demande souvent une traduction oblique [15], à cause des conceptions différentes de chaque langue.

LE BILINGUE « COORDONNÉ »

Quant au terme « coordonné », il signifie que deux traductions équivalentes renvoient à deux sens différentiels ou séparés. Nous constatons dans le schéma de la représentation psycho-linguistique du bilingue « coordonné » que chaque système linguistique du bilingue possède un processus sémantique indépendant.

---

13. Nous traduisons ainsi : « *unitary semantic structure* ».
14. En allemand, soleil est féminin et partant facilement associé par métaphore à une image maternelle. *Die Mutter Sonne* n'a pas d'équivalent en français.
15. Cf. J.-P. Vinay et J. Darbelnet, *Stylistique comparée du français et de l'anglais,* Paris et Montréal, Didier et Beauchemin, 1958, p. 46.

Représentation psycho-linguistique

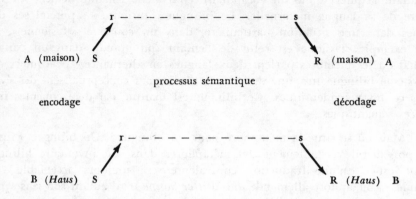

Dans une terminologie saussurienne on parlerait de deux systèmes de signes séparés. Et Sapir insisterait sur deux systèmes de symboles séparés.

Représentation linguistique

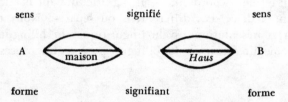

Ce bilinguisme « coordonné » résulte de l'apprentissage d'une langue seconde dans une situation où pratiquement jamais les deux langues ne sont employées en même temps. Par conséquent, le nouveau terme acquis *Haus* renvoie à un autre concept que le terme « maison » dans la langue maternelle. Selon C. Osgood, ce type de bilingue est qualifié de « pur » ou de « vrai » bilingue à cause des interférences minimales dans la performance des deux langues en contact.

Dans le cas du bilingue « coordonné », le problème de la métaphore au niveau du lexique ne se pose pas dans les mêmes termes à cause de l'indépendance des systèmes. Néanmoins, au sujet de la métaphore dans un système bilingue nous ne pouvons ignorer les distinctions sémantiques telles que la dénotation, la connotation et le sens motivé [16]. Pour Sapir la métaphore s'insère dans la catégorie du sens motivé. La métaphore [17] est un lieu de condensation, elle se charge d'affectivité. C'est que le contexte non seulement lexical, mais grammatical et littéraire détermine justement ce niveau sémantique ou de symbolisation littéraire que C. Osgood semble totalement ignorer.

En effet, il appert que les deux modèles de C. Osgood cités plus haut se limitent aux traductions équivalentes. Ses modèles excluent trop facilement une bonne partie du lexique, celle qui comprend les traductions polysémiques, dont un bilingue se sert dans la conversation quotidienne. Il lui manque un modèle qui pourrait associer à un seul terme deux processus sémantiques différentiels. Si nous prenons l'exemple du mot « tête », l'équivalent en allemand est *Kopf* ou *Haupt*. Le premier terme désigne souvent une partie du corps tandis que *Haupt* est associé à des valeurs affectives qui en précisent le contexte et s'emploie fréquemment dans un sens métaphorique comme dans *das Haupt der Familie* — « le chef de la famille ». Selon quel critère faut-il choisir le sens approprié ? Nous constatons que le modèle lexical de C. Osgood n'y répond pas. De plus, il ne satisfait pas aux exigences d'une théorie sémantique adéquate qui proposerait des critères de sélection dans le cas des polysémies. Il faudrait un contexte plus large comme celui de la grammaire.

Il nous faut ajouter que les psycho-linguistes considèrent la distinction « coordination » et « fusion » comme une abstraction. Dans la réalité, un bilingue se situe entre les deux pôles. Cependant la théorie de C. Osgood a été vérifiée par plusieurs tests tels que le test d'association, le test de traduction, des tests de troubles linguistiques (aphasie), etc. Les données confirment l'hypothèse psychologique de la dépendance (fusionnement) ou de l'indépendance (coordi-

---

16. C'est une des questions que J. Macnamara s'est posées dans l'excellent article où il fait entre autres choses une critique des modèles « fusionnés et coordonnés » de C. Osgood. Cf. « Bilingualism and Thought » dans *Monograph Series on Languages and Linguistics*, Georgetown University, Washington, D.C., 1970.
17. On pourra aussi consulter sur la métaphore la définition de Jean Paulus dans *la Fonction symbolique et le langage*, Bruxelles, Dessart, 1969, p. 105-106, qui insiste sur l'importance du contexte pour réduire diverses polysémies.

nation) des systèmes bilingues. Pendant son acquisition des langues le bilingue est conditionné par l'entourage, par des valeurs affectives et par la fréquence d'emploi du langage.

Ainsi, la théorie des types distinctifs de bilingues est devenue une théorie classique en psycho-linguistique.

Dans une perspective chomskyenne, la distinction « coordination » — « fusion » est un problème de la performance ou de l'actualisation [18] bilingue, problème qui intéresse les psychologues et les linguistes. Les premiers en expliqueront surtout l'aspect extra-linguistique tel que l'organisation mentale et l'acquisition, et les seconds y verront l'aspect purement linguistique, la structuration sémantique chez un bilingue. Comprendre la performance bilingue c'est connaître d'abord la compétence du bilingue, les grammaires qu'il intériorise et utilise lorsqu'il communique verbalement. C'est au niveau de la performance que les psycho-linguistes ont vérifié la distinction entre « coordonné » et « fusionné » au moyen d'un modèle s — r qui ne nous semble plus adéquat [19]. Nous aborderons cette distinction plus particulièrement au niveau sémantique de la compétence par une analyse différentielle du problème du symbole littéraire qui se situe à ce niveau.

L'ANALYSE DIFFÉRENTIELLE

En ce qui concerne l'analyse différentielle, Carolyn Kessler [20] suggère que les similarités soient identifiées, pas uniquement au niveau de base (conceptuel), mais aussi et surtout au niveau des universaux. Jacobovits [21] propose une théorie qui traitera séparément de la sémantique et des universaux. Une théorie des universaux selon Lenneberg [22] consistera en la catégorisation et la différenciation humaine, un processus cognitif partagé par l'espèce humaine. Par exemple l'équivalence *ami* — *Freund* possède une signification uniquement si elle renvoie à une classe de processus cognitifs déjà possédés par le locuteur.

---

18. Cf. notre article « Symbole et linguistique structurale », p. 89.

19. Voir la note 8 et J. Fodor et J. Katz, *Structure of Language : Readings in the Philosophy of Language*, Englewood Cliffs, N. J., Prentice Hall, 1964.

20. C. Kessler, « Deep to Surface Contrast in English and Italian Imperatives », *Language Learning*, nos 1 et 2, 1969, p. 99-106.

21. C. Jacobovits, « Implications of Recent Psycholinguistic Developments for the Teaching of a Second Language », *Language Learning*, no 3, 1968, p. 89-109.

22. E. W. Lenneberg, *Biological Foundations of Language*, New York, Wiley, 1967.

Une telle conception du sens assigne à une théorie sémantique un ensemble de règles qui expliqueraient l'engendrement des catégories cognitives au niveau de la surface des deux langues.

Nous allons donc construire un modèle d'analyse différentielle des deux langues pour répondre aux exigences exposées ci-haut. Il se compose :

1. d'un système de cognition. C'est un ensemble fini de traits qui se définit par la capacité biologique de l'homme, (par exemple, la capacité de former des concepts [23]) ;

2. d'un système sémantique qui contient des concepts [24] universaux et autres, stratifiés en niveaux.

Des études ont montré que chez un bilingue d'expression française et espagnole par exemple, il y a malgré la parenté des deux langues de l'interférence sémantique. Chaque langue se distingue de l'autre par un niveau sémantique séparé. Ce niveau se trouve directement au-dessous de la surface. Quant à la métaphore nous la situerons à ce niveau sémantique. Or, un bilingue « fusionné » ou « coordonné » associerait deux concepts ou sens à l'équivalent « tête » et *Haupt*. À un niveau plus profond nous allons trouver une structure sémantique « unitaire ». Plus deux langues se ressemblent (sont apparentées) plus le niveau sémantique unitaire s'approche de la surface.

Des langues non apparentées comme le chinois et le français manifesteront une identité sémantique au niveau le plus profond du système sémantique.

3. d'un système de règles qui transforment les concepts (structures sémantiques) en des structures de surface séparées.

Ainsi les deux concepts: le père est le chef, la famille a un chef, sont transformés en une seule structure de la surface en français « le chef de la famille » et en allemand *das Haupt der Familie*.

4. d'un système de règles phonologiques qui assignerait à chaque surface une prononciation différente. On prononcera [haupt] en allemand et [ʃɛf] en français.

---

23. Voir Lenneberg.
24. H. McCawley, « The Role of Semantics in a Grammar », dans E. Bach et R. Harms, éd., *Universals in Linguistic Theory*, New York, Holt, Rinehart et Winston, 1968, et George Lakoff et J. Ross, *Is Deep Structure Necessary ?*, inédit, Indiana University Linguistics Club, 1968.

Notre étude linguistique des bilingues coordonnés et fusionnés nous fait remettre en question la validité de la théorie psycho-linguistique. Évidemment des facteurs psychologiques et sociaux influencent le comportement linguistique d'un bilingue. Néanmoins, du point de vue linguistique nous constatons :

1. qu'il n'y a pas de vrais bilingues « coordonnés » si nous considérons que toutes les langues ont en partage des éléments universaux à un niveau de sémantique unitaire ;

2. que le bilinguisme « fusionné » est exclu parce que toutes les langues, même les langues apparentées, sont dotées d'un niveau sémantique séparé. Sans doute existe-t-il alors un certain degré d'interférence. Cependant, une interférence totale ou l'absence d'un niveau conceptuel séparé signifieront l'absence de métaphores pour un bilingue. Nous pouvons pousser cette hypothèse même plus loin en postulant que l'absence de concepts séparés impliquerait la présence des systèmes conceptuels universaux. À ce niveau la symbolisation des symboles qui correspond à la formation des métaphores est impossible.

Notre recherche sur la compétence du bilingue demande une modification ou le rejet de la distinction entre des bilingues « coordonnés ou fusionnés », parce que nous nous fondons sur des théories sémantiques assez récentes qui essaient d'intégrer le phénomène de la métaphore. Chomsky suggère dans *Aspects,* une théorie des structures profondes qui permettra la génération des métaphores au moyen de règles lexicales. Les mots qui possèdent une fonction nominale, adjectivale et verbale, pourraient avoir une interprétation métaphorique. Weinreich [25] a généralisé la règle d'insertion en spécifiant que n'importe quel terme pourrait se classer comme nom, adjectif ou verbe. Il décrit aussi une procédure qui modifiera le sens d'un terme placé dans un contexte inapproprié en générant un sens métaphorique approprié. McCawley [26] relève certains problèmes qui découlent de cette approche sémantique. Premièrement, dit-il, les phrases qui contiennent ou constituent des métaphores ne sont pas

---

25. U. Weinreich, « Explorations in Semantic Theory », dans *Current Trends in Linguistics,* vol. 3, La Haye, T. A. Seboek, éd., p. 395-477.
26. J. D. McCawley, « Review of *Current Trends in Linguistcis,* vol. 3, » dans *Language,* nº 44, 1968, p. 579-587.

toujours incongrues si on les interprète littéralement, de plus, l'interprétation de la métaphore demande souvent malgré son sens contextuel une connaissance extra-linguistique d'ordre anthropologique et autres.

Cette étude sur le bilinguisme nous permet de découvrir la complexité énorme du problème de la métaphore dont nous n'avons examiné qu'un aspect à l'aide du modèle d'Osgood. Nous avons cherché à l'étendre à d'autres types de modèle comme ceux que Fodor et Katz, Weinreich, Chomsky et McCawley proposent. Mais cette étude ne peut être exhaustive. Elle suggère seulement quelques points de repère aux études qui ont d'abord préoccupé les psychologues et que les recherches en linguistique pourront exploiter davantage au fur et à mesure que les théories sémantiques se préciseront.

HANNY FEURER

Département de linguistique
Université du Québec à Montréal

La distanciation comme procédé anti ou hypersymbolique dans Las Hurdes (Terre sans pain) de Bunuel

> Nous n'avons pas, en art, besoin d'une herméneutique, mais d'un éveil des sens.
>
> SUSAN SONTAG

Si le film que vous allez voir vous semble énigmatique, ou incongru, la vie l'est aussi. Il est répétitif comme la vie et, comme elle, sujet à beaucoup d'interprétations. L'auteur déclare qu'il n'a pas voulu jouer sur des symboles, du moins consciemment. Peut-être la meilleure explication pour « L'ange exterminateur », c'est que, « raisonnablement », il n'y en a aucune [1].

Cet avertissement, Bunuel croit bon d'en faire précéder la projection de *l'Ange exterminateur*, à Paris, en 1963. Ne serait-ce pas là une « clef » de l'œuvre de Bunuel, même de « Terre sans pain » qui, on l'a maintes fois noté, ne semble pas de la même trempe que le reste de son œuvre, puisqu'il s'agit, selon l'auteur lui-même, d'un « essai cinématographique de géographie humaine [2] » ?

La critique, dont on connaît la voracité habituelle, s'est jetée sur *Las Hurdes* pour nous livrer ses explications divinement diluviennes. Pierre Kast, souvent cité à propos de *Las Hurdes*, s'élève contre toute accusation de complicité sadique de la part de Bunuel (serait-ce à dire qu'on a osé soupçonner Bunuel de complicité sadique ?) :

Bien loin de toute complaisance dans la cruauté, l'acte de montrer une réalité atroce est pour Bunuel l'acte le plus efficace. Très visiblement le

---

1. *L'Avant-scène du cinéma*, nos 27-28, 15 juin - 15 juillet 1963, p. 10.
2. *L'Avant-scène du cinéma*, no 36, 1er mai 1964, p. 58. Notons que M. Bernard Dort, dans un article sur Bunuel (*Etudes cinématographiques*, nos 20 - 21, 4e trimestre 1962), prête cette définition, le mot « cinématographique » en moins, à Freddy Buache (p. 62) alors qu'elle apparaît dans le carton explicatif qui suit immédiatement le générique de *Las Hurdes*.

réquisitoire implicite dressé par *Las Hurdes*, comme pour *l'Age d'Or* ou *le Chien Andalou*, est pour lui bien plus fort, bien plus convaincant de se présenter sous la forme glacée d'un constat d'huissier. C'est là, sans doute, qu'il faut chercher l'unité profonde de son œuvre, comme sa plus importante signification. En fait, en l'absence de toute thèse plaidée, de tout recours à un absolu, l'œuvre entière de Bunuel ne concerne ni une quelconque nature humaine en général, ni une libération abstraite d'un homme en général. Elle s'applique étroitement à une « situation » précise de l'histoire, qu'elle décrit sans aucun recours aux mythes, c'est-à-dire aux excuses et aux complaisances qui tendent à préserver les privilèges acquis à l'intérieur de cette situation [3].

« Réalité atroce » ? Vraiment plus atroce que la « ménagerie » d'*À la recherche du temps perdu*, de la *Comédie humaine*, des univers de Shakespeare ou d'Eschyle, de tel « constat d'huissier » réel ou « imaginaire » sur l'aristocratie suédoise du dix-huitième, la bourgeoisie française des années 1930 ou le monde interlope des U. S. A. ? Et « atroce » pour qui ? Pour intellectuels que leur « inutilité » culpabilise, pour philanthropes non encore touchés par la philosophie de Sade ou pour Hurdanos qui n'ont pas la chance ultime de voir leur image répercutée aux antipodes ?

« Réquisitoire », voilà un leitmotiv de la critique qui s'intéresse à *Las Hurdes*. Patrick Bureau, parmi tant d'autres, le reprendra : « *Terre sans pain* ne serait-il pas un nouvel appel au meurtre, le meurtre des hommes qui ont instauré un régime permettant la persistance d'une telle situation [4] ? »

Il était fatal que le bestiaire bunuélien trouve ses « déchiffreurs [5] », comme celui de Lautréamont, et le bestiaire de *Las Hurdes* n'échappe pas à la règle :

Dans *Terre sans pain*, à l'évocation des moines et du souvenir des évangélistes passés qui semèrent ici l'idée chrétienne, succèdent immédiatement les images d'un crapaud répugnant [6] et d'un serpent qui s'insinue, se glisse et poursuit sa course...

Sur les blasons de jadis, dit le commentaire plus loin, des hommes, des chèvres et des abeilles... Rien n'a changé, constate Bunuel, les trois espèces

---

3. *Les Cahiers du cinéma*, n° 7, décembre 1951, p. 14.
4. *Etudes cinématographiques*, n°s 22 - 23, 1er trimestre 1963, p. 163.
5. Voir, entre autres, « le Bestiaire de Bunuel » par Christiane Blot, p. 115-124 des *Etudes cinématographiques*, 4e trimestre 1962.
6. Ce crapaud est-il vraiment « répugnant » ?

animales coexistent encore dans ce décor aride, ingrat et hostile qui les abrite et les engendre [7].

Après les explications venant de l'opposition « constat d'huissier » — « réalité atroce », voilà comment les « juxtapositions » donnent la clef du message pour M. Oms.

Voulez-vous maintenant connaître le « sens » des extraits de la *Quatrième Symphonie* de Brahms utilisés dans *Las Hurdes* ? Écoutez M. Labarrère :

> Ainsi dans *Viridiana*, pendant la scène de l'orgie, plutôt que de souligner faiblement par un rythme de rock and roll la danse des mendiants, Bunuel a utilisé, pour en augmenter l'effet, un fragment de l'Alleluia du *Messie* de Haendel. De même le *Requiem* de Mozart pendant la scène érotique entre don Jaime et Viridiana ou encore la quatrième symphonie de Brahms tout au long de *Las Hurdes*. On a suffisamment glosé autour du « génial décalage : commentaire conventionnel — image atroce — musique romantique » de *Las Hurdes* — pour que nous n'y insistions pas davantage [8].

Vous voulez connaître « définitivement » le sens de ce « génial décalage » ? M. C. Gauteur vous le donne :

> Des images atroces, bouleversantes, insupportables même parfois, des images qui hurlent ; une musique romantique à souhait (la Quatrième Symphonie de Brahms) ; un commentaire, au premier abord, froid, détaché, impersonnel, dit de façon glacée [9], c'est-à-dire brûlante : un mélange détonant, d'une précision toute clinicienne, où la virulence naît de la retenue, la colère grondant sans cesse sous la sécheresse incisive. Chaque mot, chaque image, montés en un savant *contrepoint déflagrant*, dénonce, accuse, confond, stupéfie et indigne tout ensemble [10].

Nathanaël, sache-le : « glacée » ne peut vouloir dire que « brûlant »...

---

7. *L'Avant-scène du cinéma*, n⁰ 36, 1964, p. 57. Il est curieux de constater que le bref article de M. Oms dont est tirée cette citation, précède le texte même du commentaire de *Las Hurdes*. Or voici le texte exact de ce commentaire : « Les Batuecas ont conservé des vestiges d'une ère préhistorique intense. On a trouvé dans leurs cavernes des peintures d'une exécution savante représentant des hommes, des chèvres et des abeilles. »
8. *Etudes cinématographiques*, n⁰ˢ 20-21, p. 139-140.
9. C'est un mot qui se trouve déjà dans notre citation de l'article de Pierre Kast...
10. *Les Cahiers du cinéma*, n⁰ 7, décembre 1951, p. 86.

On nous en voudrait sûrement de ne pas inclure dans notre revue de lecture, d'ailleurs incomplète, les commentaires sur le « génial décalage » du bunuélolâtre par excellence, Ado Kyrou :

> On a souvent analysé l'extraordinaire et triple contrepoint [11] selon lequel *Terre sans pain* est construit. Les images sont terribles : malades, idiots, cadavres, églises [12], misère. Toute l'horreur de ces images est accentuée par un commentaire sec et précis du genre de ceux que l'on nous sert pour les documentaires sur la culture du petit pois dans les Basses-Pyrénées. Le commentateur, sans aucune passion, dit : « Les petits pois sont comestibles » et on voit des êtres que Zurbaran même n'aurait jamais imaginés. Là-dessus, une musique romantique et langoureuse, insipide au plus haut degré [13], vient faire ressortir l'image comme un beau velours bleu roi peut faire ressortir l'horreur d'une tête réduite fixée sur lui [14].

Admirable continuité de la critique française, unanime dans son interprétation du « génial décalage » au point d'utiliser les mêmes mots pour l'expliquer [15].

Décalage ? « Mélange explosif d'une puissance unique » affirme dans son délire M. Kyrou ; « savant contrepoint déflagrant » tonne M. Gauteur, « augmentation d'effet » tonitrue-t-on ailleurs. Mais où trouver quelque preuve que ce soit de cet effet de renforcement qu'occasionne le « disparate » entre le commentaire et la musique d'une part, et les images d'autre part ? Dans l'affirmation implicite qu'une musique et un commentaire « adéquats » frapperaient moins ? Mais surprise ou étonnement ne donne pas un sens précis au « procédé ».

Pourquoi ce « disparate », cet « antithétisme », ne serait-il pas « volonté » de détruire toutes ces belles explications échafaudées par nos critiques qui relè-

---

11. Ce mot « contrepoint » dont la critique actuelle use et abuse se retrouve dans la citation précédente de M. Gauteur...

12. ?

13. Cette musique « insipide » n'est après tout qu'un des grands chefs-d'œuvre du répertoire symphonique... Et elle n'est pas toujours « langoureuse » même dans les fragments utilisés par Bunuel.

14. Ado Kyrou, *Bunuel*, Paris, Seghers, 1970, p. 37-38.

15. L'explication du « génial décalage » que donne Carlos Rebolledo, (*Bunuel*, Paris, Editions universitaires, 1964, p. 32-33) mérite qu'on la cite puisqu'elle échappe à cette remarquable unanimité (même si elle n'échappe pas à la volonté explicative) : « Le commentaire froid et détaché se borne à prendre parti à l'égard d'un fait réel sur lequel il n'a aucune prise, et ceci au nom d'une culture qui présente les caractères types de l'humanisme. Si, appliqué aux paysans de la Alberca, il s'avère encore efficace, lorsque les documentaristes pénètrent dans le territoire Hurdano et qu'ils s'attachent à l'étude des effroyables conditions d'existence de ses habitants, son caractère dérisoire s'accentue terriblement, d'autant plus que la musique le contredit systématiquement. Au niveau de la perception notre culture décadente se reflète dans une société sans culture possible. »

vent tous de la tradition critique française, toujours plus ou moins entachée de cartésianisme malgré ses fréquents sursauts à la seule énonciation de ce mot-affront ?

De nombreux éléments du film de Bunuel nous semblent militer en faveur d'une ouverture quasi absolue de la signification, ce qui, à sa limite, amène la négation de toute signification donnée :

a) le titre même : *Las Hurdes (Terre sans pain)*, simple nom géographique auquel est accolée une esquisse de description aux multiples connotations possibles (admiration pour des êtres qui s'acharnent à vivre dans un pays qui ne peut les nourrir, mépris pour des hommes qui ne songent pas ou refusent d'émigrer en des lieux plus accueillants, sentiment de révolte contre des hommes qui acceptent que d'autres êtres vivent aussi misérablement, « constat » d'ignorance du voisin, « plaisir » de voir souffrir les autres, etc.

b) la conclusion variable : certaines copies contiennent quelques lignes de conclusion à caractère socio-politique que d'autres n'ont pas (conclusion variable selon les pays ou les milieux où le film est projeté et/ou pour lutter contre ce caractère fatidiquement identique des diverses copies d'un film et/ou pour sembler imposer un schème interprétatif par simple ironie ?).

c) la célèbre « scène » où une chèvre est tuée par un coup de fusil dont on voit la fumée à la droite de l'image alors que le commentateur affirme que « l'on ne consomme de la viande de chèvres que lorsque l'une d'elle se tue ». (Pourquoi montrer qu'un homme de l'équipe de Bunuel a sans doute tué cette chèvre ? Serait-il l'« image » d'un Hurdano transgressant l'« interdit », ou l'« image » de l'« étranger » sadique ajoutant aux « misères » des Hurdanos, ou serait-ce simple ironie à l'égard du spectateur « trop ému » ?)

Pourquoi le « génial décalage » ne nous interdirait-il pas de répondre à toutes ces questions pour libérer l'œuvre de toute « interprétation » de têtes plus ou moins « bien faictes » et la livrer « toute fraîche » à la voie « viscérale » ? Bunuel tout étonné(?) ne rejoindrait-il pas ici Oscar Wilde lorsqu'il affirme que « le mystère du monde se trouve dans le visible, non pas dans l'invisible » ?

Un élément semble pourtant militer contre cette « ouverture » de *Las Hurdes* : sa composition. Quoi de plus simple en apparence que cette structure antithétique : une première partie consacrée à La Alberca à laquelle répond une seconde partie vouée à la description du pays des Hurdes. Comment ne pas opposer les costumes somptueux des hommes récemment mariés, des femmes et même des enfants de La Alberca (le dernier personnage qu'on nous montre avant de quitter le village est en effet un enfant, « richement orné de médailles d'argent » précise le commentateur) au dénuement des Hurdanos qui vont pieds nus et qui, nous dit à nouveau le commentateur, « portent leurs vêtements jusqu'à ce qu'ils tombent en lambeaux » ? Comment ne pas opposer également les maisons de La Alberca « qui ont généralement trois étages » aux demeures des Hurdanos sans cheminée ni fenêtres ? Comment enfin ne pas remarquer le contraste entre cette fête à La Alberca où « les échansons, en même temps que du vin, distribuent des plaisirs par milliers » et la vie habituelle des Hurdanos que guettent constamment la faim, la maladie et la mort ?

Notons que cette structure antithétique n'est pas aussi évidente qu'on pourrait le croire à première vue : la seule scène qui nous est présentée à La Alberca est cette « fête étrange et barbare » dont les héros sont les hommes récemment mariés. Il semble plutôt gênant d'établir une comparaison rigoureuse entre ce bref épisode et la longue peinture de la vie habituelle des Hurdanos. Quant à la comparaison des maisons, elle est tamisée par cette vache qui sort de l'une d'entre elles à La Alberca et dont ne parle pas le commentateur et par cette maison, chez les Hurdanos, qui « se compose d'une étable à l'étage inférieur et, au premier étage, de la cuisine et d'une chambre ». Enfin lorsque le commentateur dit que « les échansons, en même temps que du vin, distribuent des plaisirs par milliers » à La Alberca, on voit un homme en train de manger une tartine de pain ; une des premières images de la section consacrée aux Hurdanos nous montrera trois enfants mangeant également des tartines de pain.

Enfin les ressemblances entre la peinture de La Alberca et celle du pays des Hurdanos laissent perplexe dans une perspective d'opposition : l'église est présente dans ces deux « mondes ». Il y a panoramique sur l'extérieur de l'église de La Alberca comme il y a panoramique sur l'intérieur d'une église d'un village des Hurdes. Mais ce qui étonne le plus dans cette allusion au sacré à La Alberca, c'est une niche, dans le mur de l'église, entourée de deux têtes de morts ; et le commentateur insiste : « Deux têtes de morts, dans leur niche, semblent présider aux destinées de ce village. » La mort est doublement présente à La Alberca : lors de la fête « étrange et barbare » à laquelle nous sommes conviés « chacun des cavaliers au galop devra arracher la tête d'un coq ».

Faut-il d'ailleurs voir plus qu'un simple hasard dans la collusion opulence-mort à La Alberca et les dernières images du film où alternent certaines vues d'un « intérieur parmi les plus confortables » chez les Hurdanos et d'autres montrant une femme vouée à la criée de la mort ?

Il y a enfin une dernière ressemblance : on ne peut qu'être frappé par l'insistance du commentateur sur les rapports qui unissent les Hurdanos au reste du monde : a) « La morale que l'on enseigne est la même que celle qui régit notre monde civilisé : « Respecte le bien d'autrui. » b) « En dépit de la grande misère des Hurdanos, leurs idées morales et religieuses sont les mêmes que dans toute autre partie du monde. » Lorsqu'on voit l'enfant de La Alberca « richement orné de médailles », le commentateur établit aussi un rapprochement avec d'autres parties du globe : « Bien que ce soient des médailles chrétiennes, nous ne pouvons nous empêcher de penser aux amulettes des peuples sauvages d'Afrique et d'Océanie. »

Et que viennent faire les brèves images de Las Batuecas qui s'insèrent entre les vues de La Alberca et celles des Hurdes ? C'est un lieu dominé par la mort représentée par « les ruines de dix-huit ermitages que signalent toujours un ou plusieurs cyprès », par la présence d'un seul moine, entouré de ses domestiques alors que ce lieu fut habité pendant « quatre siècles durant par des moines, des carmes qui prêchèrent la religion chrétienne dans les villages les plus importants des Hurdes ». Cet univers de mort est encore accusé par l'allusion du commentateur à « une vie préhistorique intense ».

Il semble inutile d'insister sur l'omniprésence de la mort chez les Hurdanos : omniprésence de la maladie annonciatrice de mort, mort d'une petite fille abandonnée dans une rue de Martinandran, mort d'une chèvre, mort d'un âne attaqué par les abeilles échappées des ruches qu'il transportait (le narrateur y ajoute la mort, dans des circonstances identiques, de trois hommes et de onze mulets), mort des Hurdanos piqués par des vipères et qui infectent parfois mortellement la morsure en se soignant, mort d'un enfant qu'on transporte à un lointain cimetière, enfin, criée de la mort.

Pourtant, aux Batuecas la végétation y est « d'une grande richesse : plus de deux cents espèces d'arbres croissent ici librement ».

La composition même de *Las Hurdes*, par son ambiguïté, semble donc renforcer notre hypothèse d'ouverture maximale de l'œuvre.

Jean Leduc

Les masques urbains

Le costume dans le roman moderne paraît lié à la ville, comme signe distinctif de l'appartenance urbaine. Il comporte habituellement le veston, le pantalon, la cravate et le chapeau.

Déjà dans les romans ruraux, aux époques d'urbanisation, l'habillement est perçu comme tel. Dans *la Terre* de Zola, par exemple, le personnage de Nénesse « mis comme un garçon de la ville [1] » est opposé à son frère paysan. Dans *Jean Rivard*, la toilette du jeune marchand (citadin) « contrastait étrangement » avec celle des fils de cultivateur [2]. Un roman du Canada anglais du XIXe siècle, *The Man from Glengarry*, nous présente un personnage qui par son vêtement est « *evidently from the city* ». Et quand le jeune héros Ronald gagne la ville, un ami lui donne le conseil suivant : « Procure-toi des vêtements. Ceux que tu portes font pour les bois, mais avec ces gens-là, les vêtements sont d'une extrême importance [3]. » *Trente Arpents*, au XXe siècle, nous parle d'hommes « bien vêtus, visiblement des citadins ». Pour donner quelques notions de la ville à son fils, Euchariste Moisan lui signale, entre autres, que : « ... tout le monde est tout le temps habillé en dimanche [4] ». Dans *Grain* de Stead paru en 1926 et dans *As for Me and my House* de Ross paru en 1941, les gens de la ville se distinguent encore par leur costume. Le citadin affiche des signes

---

1. Emile Zola, *la Terre*, Paris, Fasquelle, « Le Livre de poche », 1965, p. 285.
2. Antoine Gérin-Lajoie, *Jean Rivard*, Montréal, Beauchemin, 1924, p. 104.
3. Ralph Connor, *The Man from Glengarry*, Toronto, McLennan and Stewart, 1967, p. 132, 195.
4. Ringuet, *Trente Arpents*, Paris, Flammarion, 1938, p. 168, 86.

sensibles de son lien à l'espace urbain, souvent en voie de formation, perçu cependant comme différent et, même, comme hostile, par l'habitant des campagnes traditionnelles.

Dans les romans urbains, les personnages se montrent très sensibles au costume. La ville appelle de soi un habillement nouveau : Rastignac, monté à Paris, renouvelle sa garde-robe [5], Michel Garneau, dans le *Poids du jour* [6], s'habille des pieds à la tête en arrivant à Montréal, et Rose-Anna dans *Bonheur d'occasion* [7] se sent obligée, malgré sa pauvreté, de vêtir à neuf ses enfants pour les montrer aux parents de la campagne. Le costume est associé aux héros qui conquièrent la ville. Rastignac, Michel Garneau, Jean Levesque et Aaron [8] en font foi. Même ceux qui ont atteint le faîte de la réussite gardent une préoccupation vestimentaire, tels le magnat McQueen et ses compères de la rue Saint-Jacques à Montréal ou le financier Carver [9].

Si le costume différencie les habitants de la ville et ceux de la campagne, il devient aussi un autre signe distinctif à l'intérieur même de l'espace urbain. Il indique les situations ou les états successifs d'un même individu ou distingue des groupes d'appartenance ou les classes sociales.

Les héros semblent acquérir une noblesse par leur transformation vestimentaire. Nénesse dans *la Terre* de Zola est à peine reconnu dans son nouveau costume tant il avait changé, « un vrai monsieur [10] ». La nouvelle toilette de Rastignac le « métamorphosait complètement [11] », ce provincial avait maintenant l'air d'un gentilhomme. Lucinda Moisan, dans *Trente arpents*, « se vêtait comme une dame, de soie artificielle [12] ». Non seulement s'imagine-t-on acquérir une dignité plus grande, mais l'on croit se transformer, refouler un état antérieur pénible. Florentine par sa toilette, « veut se créer un être nouveau [13] », oublier sa misère passée, connue dans les taudis d'un quartier populaire ; Garneau, humilié par ses origines, veut montrer par ses vêtements que la ville a fait de lui « un autre homme [14] ». C'est aussi pour briser avec le passé qu'Aaron veut

5. Balzac, *le Père Goriot*, Paris, Albin Michel, 1952, p. 150, 196.
6. Ringuet, *le Poids du jour*, Montréal, Variétés, 1949, p. 124.
7. Gabrielle Roy, *Bonheur d'occasion*, Paris, Flammarion, 1945, p. 215.
8. Yves Thériault, *Aaron*, Paris, Grasset, 1957.
9. Hugh MacLennan, *Two Solitudes*, New York, Duell, Sloan and Pearce, 1957, p. 90. Morley Callaghan, *The Loved and the Lost*, Toronto, Macmillan, 1961, p. 219.
10. Emile Zola, *la Terre*, p. 435.
11. Balzac, *le Père Goriot*, p. 150.
12. Ringuet, *Trente arpents*, p. 158.
13. G. Roy, *Bonheur d'occasion*, p. 422.
14. Ringuet, *le Poids du jour*, p. 124.

acheter des nouveaux habits à son grand-père Moishé [15] confiné moralement et physiquement dans son ghetto.

Toujours à l'intérieur de la ville, le costume identifie à un groupe. On le constate dans *Bonheur d'occasion,* par exemple, où les travailleurs sont habillés en gros coutil et les commis de magasins portent le col blanc et le petit feutre mou [16]. Il sert surtout à dégager l'individu de la masse commune. Florentine voit dans la tenue vestimentaire de l'ambitieux Jean Levesque le signe d'une existence privilégiée à l'intérieur du quartier ouvrier Saint-Henri [17], et Jean-Guy Cardin, employé dans une maison de commerce, apporte un soin spécial à sa toilette parce qu'il se croit supérieur à la norme générale du quartier populaire Hochelaga [18]. Les conquérants de la ville pour annoncer leur ascension soignent leur tenue vestimentaire, qu'ils soient Rastignac, Levesque, Garneau ou Denis Boucher. Le parvenu lui-même tient à afficher sa réussite. Garneau en fait parade avec sa pelisse de racoon et le manteau d'astrakan de sa fille [19]. Le nouveau veston bigarré de Lafrenière le rend voyant comme une affiche lumineuse [20]. L'élite financière de la rue Saint-Jacques cherche à se distinguer par le complet noir [21] et le riche Carver par son chapeau Humburg [22]. Les Juifs du boulevard Décarie, distincts de ceux de la rue Saint-Laurent à Montréal, fiers de leur réussite, se balladent avec leurs épouses habillées comme, pour employer la langue savoureuse de Richler, des « *sign-posts of their success* [23] ».

L'importance accordée à un tel signe matériel semble déjà indicatif d'un système où l'on mise sur les valeurs extérieures. Mais le costume paraît surtout être pour les romanciers le symbole de l'illusion. Ce fragile revêtement permettant d'afficher son succès social masque au héros ses déficiences ou ses carences intérieures. L'œil avisé perçoit la réalité qu'il prétend cacher : les cheveux du collet blanc Jean-Guy Cardin trahissent son quartier d'origine [24]. Les bourgeois

---

15. Y. Thériault, *Aaron*, p. 167-168.
16. G. Roy, *Bonheur d'occasion*, p. 17.
17. *Ibid.*, p. 21.
18. Pierre Gélinas, *les Vivants, les morts et les autres*, Montréal, Cercle du Livre de France, 1959, p. 161.
19. Ringuet, *le Poids du jour*, p. 267.
20. *Ibid.*, p. 174.
21. H. McLennan, *Two Solitudes*, p. 90.
22. M. Callaghan, *The Loved and the Lost*, p. 13.
23. Mordecai Richler, *Son of a Smaller Hero*, New York, Paperback Library, 1965, p. 16.
24. P. Gélinas, *les Vivants, les morts et les autres*, p. 160.

d'Outremont dans *Elise Velder* laissent percer leurs origines paysannes sous les draps fins [25]. L'habillement des enfants de Rose-Anna ne réussit pas à voiler la pauvreté de leur condition citadine [26]. Le héros fier des signes extérieurs de sa réussite n'a surtout pas conscience d'une déperdition morale. La redingote élégante de Rastignac ne cache pas la malhonnêteté qui pointe. La robe de Florentine et le complet de Jean Levesque ne dissimulent pas la perte d'une part de leur humanité, la pelisse de Garneau enveloppe un cœur qui se durcit.

Le masque vestimentaire du citadin moderne s'oppose au masque primitif africain, signe de rencontre du moi et de l'univers. L'habillement devient plutôt signe de séparation ou de division en soi-même ou avec les autres. Ce beau texte d'Ernest Gagnon dans *l'Homme d'ici* me paraît bien exprimer cette idée :

> *Le masque nègre* est cette souple forme vivante et précise, *où se rencontrent son moi et l'univers,* cette forme pure d'expression et de magie où s'affrontent dans l'accueil ou la répulsion, *ses besoins intérieurs tendus vers ses sources d'alimentation et de connaissance.* Le masque noir est l'échange vital de deux mystères.
> Deux mystères : *mais alors que le masque du civilisé l'isole de lui-même et des autres, le masque du noir le rapproche des êtres en le faisant se plonger* lui-même au sein de ses puissances cosmiques d'appartenance universelle et se perdre, en se les appropriant, dans les mille et une figures de l'Esprit. *Le masque du civilisé est mensonge, le masque du noir est vérité* [27].

Le costume retient l'attention de plusieurs romanciers français ou canadiens intéressés par le phénomène urbain. Il perd sa fonction traditionnelle de simple vêtement qu'on lui connaissait dans le monde rural pour devenir « costume » et prendre valeur de signe dans les espaces urbains, qui se créent sous l'aiguillon de la technique et de l'industrialisation. Les romanciers ont saisi un paradoxe dans leur observation du milieu. Le costume croissait en importance, mais celui qui le portait ne se raffinait pas au même rythme. Non seulement il ne se raffinait pas, mais il se trompait lui-même. À l'accroissement de l'argent et du prestige ne correspondait pas une évolution morale et culturelle. Le nouveau citadin, mal préparé à assumer les valeurs nouvelles de la civilisation urbaine, se trompait sur ce qui faisait de lui un citadin véritable. Le signe prenait

---

25. Robert Choquette, *Elise Velder*, Montréal, Fides, 1958, p. 328.
26. G. Roy, *Bonheur d'occasion*, p. 236-237.
27. Ernest Gagnon, *l'Homme d'ici*, Québec, Institut Littéraire, 1952, p. 124-125.

plus d'importance que la chose signifiée. Il n'avait que la valeur sensible qui lui était propre ou ne représentait que des valeurs matérielles ou superficielles. Sa recherche leurrait celui qui l'utilisait. Le nouveau citadin voilait alors son vide intérieur à lui-même et à ceux qui l'entouraient. Même il se servait de ce signe pour prendre ses distances par rapport à un état antérieur ou à un milieu devenant par le fait même étranger à lui-même et aux autres. Le citadin « évolué » avait inventé un nouveau masque.

ANTOINE SIROIS
Université de Sherbrooke

COMPTE RENDU

Le congrès 1970 de la Société Éranos : « l'Homme et le langage »

Le trente-septième congrès d'Éranos [1] (1970) s'est déroulé selon sa tradition pendant la deuxième quinzaine d'août. Le thème de ce congrès, « l'Homme et le langage », suscitait des intérêts multiples, pour la philosophie, l'histoire des religions, la psychologie ou la biologie. Notre propre optique de philosophe comme les attentes suscitées par le thème lui-même, nous ont amené à des considérations critiques qui s'ajouteront au présent rapport sur ce colloque.

I

Depuis la première rencontre, en 1933, qui eut lieu à la suite d'une suggestion de Rudolph Otto à madame Froebe-Kaptyn, la Casa Éranos, située au bord du lac Majeur, a reçu comme conférenciers une succession de grands spécialistes de différentes disciplines comme l'histoire des religions, l'ethnographie et la paléoethnographie, la psychologie des profondeurs. Tous y sont venus — Buonaiuti, Jung, Kerènyi, Schrödinger, H. Rahner, Newmann, Otto, Éliade, Buber, Tillich, Zimmer, Daniélou, Löwith, von der Leeuw, Massignon, Puech, Read, Zaehner, L. L. Whyte, et bien d'autres — comme à un repas communautaire où chacun doit apporter sa propre part. Tel est le sens du mot « Éranos » qu'Otto a suggéré à madame Froebe, la fondatrice. Plus précisément, ils sont

---

1. La Société Eranos a tenu à Ascona (Suisse) son congrès annuel en août 1970. Le docteur Peter McCormick, de l'Université de Heidelberg, y a participé au nom du Groupe de recherches en symbolique de l'Université du Québec à Montréal. On trouvera ici le compte rendu qu'il en a préparé.

venus pour partager, dans une ambiance détendue et amicale, cette préoccupation commune au sujet de la récupération de tout ce qui, dans l'histoire de l'humanité — un symbole, un mythe, un comportement archaïque, un rêve, une figure divine, une technique mystique, un ésotérisme — tend à perdre sa valeur spirituelle dans le monde contemporain.

Malgré le danger évident d'une fuite devant le rôle capital de la raison en Occident, l'accent de cette recherche interdisciplinaire à Éranos ne porte cependant pas sur l'occulte. « Pour les membres d'Éranos, comme Mircea Éliade l'écrivait il y a dix ans, l'intérêt exceptionnel des disciplines spirituelles et des techniques mystiques dépend du fait qu'elles constituent les documents susceptibles de révéler une dimension de l'existence humaine presque oubliée, ou complètement défigurée, dans les sociétés modernes. Toutes les disciplines spirituelles et ces techniques mystiques ont une valeur inestimable parce qu'elles représentent des conquêtes de l'esprit humain qui ont été négligées ou contestées au cours de l'histoire récente de l'Occident, mais qui n'ont perdu ni leur grandeur, ni leur utilité [2]. »

L'évolution de ces rencontres peut être assez facilement résumée en montrant les liens entre certains événements et les thèmes généraux de chaque congrès. Au début, entre 1933 et 1937, les premiers conférenciers s'efforcèrent de trouver des liens entre les cultures orientales et occidentales. Les premiers thèmes abordés furent les suivants : « Yoga et méditation en Orient et en Occident » (1933), « Symbolisme et direction spirituelle en Orient et en Occident » (1934-1935), et « Formes et aspects de l'idée de salut en Orient et en Occident » (1936-1937). Sous l'influence de C. G. Jung, qui très tôt choisit la Casa Éranos comme milieu où il exposerait quelques-unes de ses idées clés, telles les notions d'inconscient collectif et d'archétype, les thèmes se métamorphosèrent progressivement pour suivre les grandes traditions du symbolisme. Ainsi le thème de 1938, par exemple, fut « Figure et culte de la Grande Mère » (*Magna Mater*), celui de 1940, « Trinité, symbolisme chrétien et gnose », et celui de 1944, « les Mystères ». Même pendant la guerre, quand les événements réduisirent presque complètement les possibilités de rencontres internationales, Éranos s'efforça de continuer le dialogue au moins entre les chercheurs et les spécialistes qui se trouvaient à cette époque en Suisse.

---

2. *Rencontres à Ascona*, Ascona, 1968, p. 22.

En 1945, le travail sur l'Orient et l'Occident et sur les grands symboles commençait à se cristalliser autour de la notion d'Esprit qui fut le thème de cette année-là et celui de 1946. Enfin, en 1947-1948, le groupe d'Éranos choisit comme thème « l'Homme ». Depuis ce temps-là, exception faite de la période 1963-1968 durant laquelle quelques leitmotive généraux comme « Utopie », « la Forme » et « Activité créatrice » ont été étudiés, les thèmes des congrès d'Éranos furent toujours centrés sur l'homme comme dans « l'Homme et la terre » (1953), « l'Homme et le problème de la signification » (1957), « l'Homme et la naissance des formes » (1960).

Grâce à l'éditeur suisse, le docteur Joseph Brody, et à Rhin Verlag, les conférences de tous ces congrès furent publiées dans des ouvrages collectifs intitulés *Eranos Jahrbucher*. Aujourd'hui, il y a trente-sept volumes dans cette série d'une valeur inestimable pour ceux qui s'intéressent à la question des universaux culturels. De plus, la Bollingen Foundation a publié en anglais chez Princeton University Press, sous le titre *Papers from the Eranos Yearbooks*, six volumes d'articles choisis, tirés des *Eranos Jahrbucher*, et cela grâce au travail de l'historien des religions Joseph Campbell. Les travaux d'Éranos sont ainsi à la disposition de ceux qui veulent s'interroger sur la raison d'être de cet organisme.

II

Notre propos est ici plus modeste. Nous nous contenterons d'analyser les conceptions générales de quatre conférenciers rattachés depuis longtemps à Éranos. Le fait que leurs conceptions divergent et soient même parfois contradictoires exige à la fois de la pensée un effort d'interrogation et d'analyse, et nécessite en même temps un esprit de synthèse, qui sont des traits caractéristiques d'Éranos.

Au début, dans le premier volume d'*Eranos Jahrbucher*, madame Froebe a précisé le but d'Éranos : « une médiation entre l'Est et l'Ouest ». Plus tard, dans le trentième volume dont la publication coïncide avec le quatre-vingtième anniversaire de madame Froebe, le biologiste A. Portmann a précisé ce but initial comme étant une tentative interdisciplinaire d'établir ce qui est fondamentalement commun aux cultures et aux religions différentes. Cette tentative s'est concentrée jusqu'à récemment sur l'homme archaïque et ses symboles archétypaux, et sur tout ce qui se cache derrière le visage quotidien des hommes d'hier et d'aujourd'hui. Cet homme est celui qui, selon les mots de Portmann, « ... *Nacht fur Nacht in das private Leben der Traume versenkt, der in jedem Neugeborenen wieder eine neue Eroberung der erfahrbaren Welt und den Aufbau eines Weltbaus beginnt, der aus einer bilderreichen Märchenwelt langsam herauswächst und reifend sich in einer Welt des Verstandes und später mehr und mehr in der des Errechenbaren umtut.* » Selon A. Portmann, Éranos continue de s'interroger sur la façon dont l'esprit primordial d'un homme dans l'immédiat de sa naissance se détache systématiquement de son monde initial par les étapes successives d'une particularisation biologique, psychologique, sociale et culturelle. Éranos s'explique donc pour Portmann par le thème qui continue de lui servir de point de départ : l'homme, carrefour du microcosme et du macrocosme, de la nature et de l'esprit, du symbole et du concept.

Pour l'islamiste français Henri Corbin, Éranos s'explique plutôt en fonction des motivations individuelles des conférenciers. Dans une brève mais dense communication qui date de 1956 et qui s'intitule « le Temps d'Éranos », Corbin écrit : « le souci dominant auquel obéit chacun des conférenciers... est d'exposer ce qui lui apparaît essentiel pour l'homme à la quête de la connaissance de soi-même, c'est-à-dire pour la valorisation plénière de toutes les expériences humaines ayant une signification permanente, éternelle [3] ». Corbin met toujours l'accent sur l'individu qui, très délibérément, se lie à une communauté interdisciplinaire de chercheurs. Éranos ne se révèle donc qu'à celui qui abandonne sa tentative d'explication d'événements bien circonstanciés pour adopter une explication de l'individu. « L'herméneutique comme science de l'individuel s'oppose à la dialectique historique comme aliénation de la personne [4]. » Pour Corbin, les thèmes traités à Éranos ne sont finalement ni thèmes, ni notions ; ils sont, aussi bien qu'Éranos lui-même, des signes. Et « signe » ici doit être compris « comme une présence remettant sans cesse et chaque fois « au présent » [5]. Le problème est d'isoler continuellement les signes d'Éranos et les signes de ses thèmes de la sédimentation des faits dans une histoire complètement laïcisée. C'est pourquoi Corbin voit le sens d'Éranos dans la tâche « de percevoir l'ensemble des mêmes signes [6] » qui sont lancés à chacun des confé-

---

3. *Rencontres à Ascona*, Ascona, 1968, p. 2.
4. *Ibid.*, p. 8.
5. *Ibid.*, p. 9.
6. *Ibid.*, p. 12.

renciers en même temps qu'ils sont faits par chacun. Éranos s'explique donc à travers une réponse donnée aux signes.

L'historien des religions Mircea Éliade préfère préciser le sens d'Éranos en s'appuyant sur « les autres », les peuples exotiques et primitifs. « La rencontre avec les « autres », écrit-il, — qui constitue en quelque sorte le signe sous lequel s'est développé Éranos — est devenu, après la deuxième guerre mondiale une fatalité de l'histoire [7]. » Éliade s'interroge ainsi sur le sens d'Éranos, sa conviction étant que l'homme occidental est séparé d'une certaine compréhension de soi qui ne lui sera livrée qu'à travers une histoire spirituelle cachée dans les autres cultures. De plus, il pense que cette histoire reste cachée à cause de la dominance d'un langage presque purement empirique qui laisse inexorablement échapper les données non empiriques des autres cultures. Ainsi, il exige le développement d'un langage culturel (dont il ne précise pas la nature) qui sera finalement capable de nous livrer les valeurs spirituelles des cultures archaïques, primitives, orientales, etc. Et il insiste sur le fait que le dialogue avec ces cultures est inévitable ; il a déjà créé des possibilités d'élaborer un tel langage culturel. « C'est pourquoi l'un des buts des conférences fut et reste de développer ce dialogue avec les « autres ». » Par là même, Éranos contribue, modestement mais de façon significative, au travail d'intégration dont dépend la formation du [sic] psyché moderne [8]. » Enfin pour Éliade, Éranos donne à ses conférenciers la possibilité de plus en plus rare dans la société technologique de l'Ouest, de renouveler leur propre culture au sein d'une rencontre avec d'autres. En ce sens, « les autres » sont plutôt des cultures non occidentales que des hommes différents. Une telle entreprise n'est possible — et Éliade insiste sur ce point — que si l'on surmonte à la fois le danger d'un glissement vers l'occulte et d'une perte d'équilibre culturel dans une société particulière.

Dans un article assez récent, « The Idea of Eranos », le psychologue américain Ira Progoff interprète l'accent dominant d'Éranos en fonction de la recherche de schèmes universels de la psyché et de la culture. Selon Progoff, c'est la volonté de concentrer une connaissance largement divergente sur un thème unique qui attire chaque année des spécialistes différents au lac Majeur. « The goal », écrit-il, « was to bring the highest intellectual competence to bear upon questions of spiritual importance [9]. » Progoff souligne que l'effet cumulatif de toutes les

---

7. *Rencontres à Ascona*, Ascona, 1969, p. 20.
8. *Ibid.*, p. 23.
9. *Ibid.*, p. 13.

conférences est de montrer à la fois la particularité et l'universalité d'un tel thème. Ce qui en résulte n'est pas simplement une compréhension ample et diversifiée, mais ce que Progoff appelle non sans ambiguïté « *knowing through direct experience* [10] ». Plus précisément, Progoff voit ainsi le but des réunions particulières à la Casa Éranos : « *seeking to bring forth new experiences of meaning through the continuing juxtaposition of the primordial and the modern, the individual and the universal, the scientific and the mythological* [11] ». C'est par cette dialectique que la force d'une conscience symbolique se dévoile, et par là, élargit la conscience occidentale. Enfin, Progoff ne veut définir la réalité d'Éranos ni comme Portmann par un appel à une différenciation progressive chez l'homme, ni comme Corbin par une herméneutique de l'individuel fondée sur une notion particulière du signe, ni comme Éliade sur la nécessité pour chaque penseur d'être culturellement créateur grâce à une rencontre avec les autres ; il conçoit Éranos à l'instar de son maître Jung comme une recherche dialectique sur les archétypes des cultures.

III

Cette pluralité de perspectives sur le but d'Éranos lui-même montre clairement la difficulté de résumer d'une façon satisfaisante les divers apports au thème de cette année, « l'Homme et le langage ». Car les conférences particulières ne furent pas prononcées en tant que contributions personnelles à la clarification d'un thème général. Il semble que l'intention fut plutôt de **recréer un milieu où la tradition d'Éranos pourrait se réaliser à nouveau**. Mais, étant donné que le sens de cette expérience reste fonction de ses interprètes, le cercle des initiés se referme sur lui-même.

En fait, nous touchons ici un problème plus compliqué que ne le laisse entrevoir à première vue cette forme de circuit fermé. Car ce ne sont pas tous les conférenciers de chaque année qui gardent la tradition et le sens d'Éranos, mais seulement quelques-uns d'entre eux. Il faut donc imaginer une série de cercles concentriques. D'abord, c'est le cercle de ceux qui vivent la réalité d'Éranos depuis déjà quelques années, comme le biologiste Portmann, le sinologue Ritsema, l'islamiste Corbin, le cabaliste Scholem, l'historien de l'ancienne littérature chrétienne Quispel, et le théologien protestant Benz. Ensuite, vient le cercle des

---

10. *Rencontres à Ascona*, Ascona, 1968, p. 18. Souligné dans le texte.
11. *Ibid.*

autres conférenciers qui ne sont pas aussi familiers avec la tradition d'Éranos, comme l'historien de la science Sambursky, l'égyptologue Jacobsohn, l'anthropologue culturel G. Durand, le professeur de médecine psychosomatique T. von Uexküll, et le linguiste et historien des religions Izutsu. Puis on trouve le cercle des auditeurs qui se rendent régulièrement chaque année à Éranos (ils constituent à peu près la moitié de l'assistance, selon M. Ritsema), et enfin le cercle qui, en principe, ne peut jamais se refermer, des auditeurs nouveaux (l'autre moitié).

Nous nous sommes permis de nous attarder sur cette image pour souligner le caractère des résumés qui vont suivre. Ils expriment un point de vue particulier (celui d'un philosophe du langage) et traduisent une certaine perspective (celle du dernier cercle). Ceci dit, nous devons encore distinguer, d'après la langue, trois groupes de conférences : sur dix, six étaient en allemand, deux en français et deux en anglais.

Dans le premier groupe, S. Sambrusky (de Jérusalem) prononça une conférence savante : « le Mot et le concept dans les sciences » ; il y retraçait le développement qu'ont subi les concepts tels que nature, changement, vitesse, etc., d'Aristote jusqu'aux temps modernes, et cela dans le sens d'une abstraction progressive, d'un éloignement graduel de la perception, et de l'importance corrélative du rôle de l'analogie dans les sciences contemporaines. H. Jacobsohn, égyptologue de Marburg, dans sa conférence « le Mot divin et la pierre divine dans l'Égypte ancienne », qui a semblé à quelques auditeurs presqu'improvisée, se contenta de citer une vaste collection de textes de l'Égypte ancienne sur le mot « créateur de dieu ». Heureusement, il s'expliqua plus clairement au cours de la séance réservée aux questions. Quant à A. Portmann (de Bâle), il rappela deux recherches de zoologie : l'une de Köhler sur la capacité de compter chez les animaux et l'autre de von Frish sur la communication chez les abeilles ; il fit ensuite part, d'une façon très claire, des nouvelles découvertes en anatomie comparée sur les structures préalables de communication chez les chimpanzés et chez l'homme. Ces **trois conférences**, aussi scientifiques qu'elles aient été, n'apportèrent à mon sens que peu d'éléments nouveaux au thème proposé. Et il nous faut attendre les textes publiés, surtout celui de M. Jacobsohn, pour analyser de plus près la pensée de ces conférenciers.

Un deuxième groupe de conférenciers s'est préoccupé des problèmes du langage dans l'histoire des religions. Henri Corbin (de Paris et de Téhéran) a consacré sa conférence de cette année à « l'Ésotérisme et le Verbe : l'Initiation ismaélienne ». Sa conviction personnelle n'ayant d'égale que son érudition, Corbin discuta d'un roman d'initiation inédit, du dixième siècle avant J.-C., écrit en persan ; ce roman traite des thèmes de la résurrection spirituelle et de la gnose ismaélienne. La valeur de cette conférence tint, au-delà de son intérêt pour les spécialistes de la pensée islamique, à la relation décrite par Corbin entre les notions de mot divin et langage humain, de langage de la révélation et langage de la prophétie. Les propos de Corbin, qui fut d'ailleurs le premier traducteur d'Heidegger en français, nous permirent de saisir quelques notions de base sur le problème de la parenté entre le discours philosophique et le discours poétique.

G. Scholem, spécialiste de la mystique juive, à Jérusalem, mit l'accent dans sa conférence « le Nom de dieu et la théorie du langage dans la Cabale » sur la discussion phonologique du langage. S'appuyant sur le caractère symbolique du langage, Scholem a essayé de montrer qu'il peut être plus qu'un moyen d'information. Pour la mystique juive, le langage a son à priori dans la primauté du langage divin, langage créateur ; plus précisément, la valeur de tout langage vient d'un seul mot : le nom par lequel Dieu s'appelle Yahweh. Ici nous touchons à la dialectique entre mystique et magie dans la tradition cabalistique, dialectique que Scholem a très bien éclairée grâce à une discussion technique sur un livre capital de la Cabale. À cause de son insistance sur la nécessité et la difficulté de penser la relation multiple et cachée entre nom et mot, la conférence de Scholem fut importante. Elle soulève pourtant une question fondamentale : quelle est la portée de cette relation pour une théorie du langage quand on accepte au départ que tout parler prend son origine dans un seul mot qui ne fut énoncé qu'une seule fois ?

Dans une autre conférence aussi technique que les deux précédentes, mais cette fois-ci peut-être plus accessible à la majorité, étant donné que le contexte n'était ni la mystique iranienne, ni la mystique juive, G. Quispel, (d'Utrecht et de Louvain) parla de « la Gnose et les nouveaux logia de Jésus ». G. Quispel est l'un des éditeurs et traducteurs de l'*Évangile de saint Thomas* dont la découverte ne remonte qu'à 1945. Treize volumes, tous en copte, d'une bibliothèque gnostique furent découverts en Égypte. *L'Évangile de saint Thomas*, qui date du quatrième ou cinquième siècle, est une collection de cent quatorze logia de Jésus dont plusieurs sont très liés aux logia des évangiles synoptiques. Le texte est probablement une traduction copte d'un texte grec datant environ de l'an cent quarante avant J.-C. et qui est d'une valeur exceptionnelle à cause de la présence d'un substrat araméen et hébraïque qui suggère l'influence de la tradition juive chrétienne. Dans un exposé d'une érudition remarquable, G. Quispel discuta de quelques parallèles entre cet évangile et celui de saint Jean ; il essaya de revaloriser le quatrième évangile en rapport avec la tradition synoptique. Pour Quispel, l'interprétation des Juifs chrétiens, c'est-à-dire des Juifs qui croyaient que Jésus était le Messie mais qui continuaient de suivre la loi, est beaucoup plus proche de l'intention des logia de Jésus que ne l'est l'interprétation des Gentils. Mais l'interprétation transmise dans *l'Évangile de saint Thomas* est en fait gnostique. Néanmoins l'adjectif est ambigu, signifiant à la fois le gnosticisme, un système présupposant un clivage au sein de la déité, et la gnose, une tendance d'une doctrine particulière destinée à une élite. Quispel pense que des problèmes tels que le rôle du baptême, l'élément pharisaïque dans la doctrine de Jésus, ou la gnose du quatrième évangile, peuvent être mieux compris si on ne considère Jésus, ni comme un pharisien qui obéit à la loi, ni même comme un zélote rebelle, mais dans la perspective de la gnose juive. Dans ce sens, Jésus fut un gnostique. Malheureusement pour ceux qui s'intéressent surtout aux problèmes du langage, Quispel ne développa pas suffisamment les remarques très intéressantes sur cette doctrine selon laquelle les mots de Jésus donnent la vie éternelle.

Il est encore possible de distinguer un troisième groupe de conférences qui ne furent pas aussi sommaires que celles du premier groupe, ni aussi spécialisées que celles du deuxième. Ce troisième groupe comporte la formulation d'un problème et la clarification de quelques éléments requis pour sa solution.

Ernst Benz, dans une conférence intitulée « la Signification créatrice du mot chez Jacob Böhme », présenta d'une façon très analytique les interprétations différentes du langage créateur. Son point d'appui fut la doctrine déjà bien connue du langage chez Böhme. Beaucoup plus fascinante fut la longue introduction historique que Benz utilisa pour illustrer le processus suivant lequel un langage tel que l'allemand moderne a développé un vocabulaire abstrait. Selon Benz, un exemple privilégié des problèmes soulevés par un tel développement est celui du maître Eckhart. Eckhart était un intellectuel et un pasteur bilingue. Il parlait latin et allemand. Son problème fut de traduire une théologie formulée abstraitement en latin, en allemand quotidien, qui, à cette époque, n'avait guère de mots abstraits. Il avait deux possibilités : ou bien traduire le concept abstrait latin par des néologismes abstraits forgés expressément à partir de l'allemand médiéval ; ou bien traduire les concepts abstraits latins par des images concrètes déjà courantes dans l'allemand médiéval. Il prit les deux partis à la fois. Cela se passait après la tentative de Wolf qui développa un vocabulaire philosophique allemand sans trop de latinismes. Par la suite, Schelling et Hegel ont tiré une grande partie de leur vocabulaire des mystiques médiévaux allemands.

T. von Uexküll, spécialiste de médecine interne psychosomatique à Ulm, toucha un autre aspect de ce problème de la traduction dans sa conférence « le Monde des corps : limites et communication ». Pour illustrer la forme de communication entre le corps et l'esprit, Uexküll décrivit le passage d'une perception douloureuse (la migraine) à une description verbale chez le malade, et à une description empirique chez les médecins. Dans ce passage, il y avait trois dialogues : un dialogue entre le monde et le corps (le malade était angoissé), entre le corps et l'esprit, et entre l'esprit et autrui. Pour von Uexküll, le problème de ces dialogues est le suivant : comment peut-on traduire dans le langage humain le langage du schéma corporel ? Malheureusement, en dépit d'une définition assez large du langage comme « un système de communication qui emploie ou symboles ou signes », la formulation même du problème fut plus intéressante pour plusieurs que la tentative de solution proposée à travers un vocabulaire technique des années vingt. Somme toute, il présenta le problème de la traduction sous deux formes : comment peut-on passer d'un langage à un autre, et comment peut-on expliquer la relation entre corps et esprit dans l'articulation par l'esprit des perceptions corporelles ?

Quant aux conférences de G. Durand et T. Izutsu, elles peuvent être considérées comme des clarifications divergentes du problème du langage.

G. Durand (de Grenoble et de Chambéry), spécialiste de l'anthropologie culturelle, résuma en une conférence intitulée « Langage et métalangage » quelques dogmes de la linguistique contemporaine avant d'entreprendre une critique particulièrement nette de la tentative linguistique d'élaborer une sémantique sur le modèle implicite des méthodes déjà couronnées de succès dans la phonologie et la syntactique. Pour G. Durand, deux postulats de cette tentative de sémantique doivent être discutés : d'abord l'attachement du sens uniquement à la forme linguistique, et ensuite la forme binaire fondamentale d'un système formellement clos. La conséquence, selon lui, c'est que la sémantique ne livre qu'un sens, celui qui appartient aux méthodes, et laisse échapper le sens qui appartient à l'objet. Il considère qu'il faut une ouverture épistémologique après l'échec de l'axiomatique comme modèle prééminent de la traduction automatique. Citant trop brièvement les calculs de Lupasco à propos d'une logique trivalente et opposant une définition de la structure comme figure à une définition de la structure comme forme, Durand essaya de s'approcher de l'innéisme qui fascine actuellement Chomsky. En tout cas, G. Durand ne rappela pas simplement l'impasse de la linguistique devant la sémantique et donc devant la clé de la traduction ; il proposa une notion plus large à la fois de la structure et de la logique comme moyen de surmonter cette impasse. Étant donné que G. Durand a donné sa conférence sans se référer à son texte, il faudra attendre la publication de sa communication pour examiner plus systématiquement son analyse.

Pour sa part, T. Izutsu, spécialiste des études comparées entre bouddhisme et islamisme, linguiste par formation et fils d'un maître Zen, orienta sa conférence, « Sens et non-sens dans le Zen bouddhiste », vers une considération philosophique de la théorie du langage dans le Zen. Sa conférence fut pour plusieurs la meilleure de ce congrès. Il a remarquablement éclairé la différence entre le critère du sens dans la tradition anglo-saxonne et dans le Zen. Le langage dans le Zen n'est pas considéré comme un moyen d'information et de communication mais comme un geste. Les mots doivent être prononcés de façon à ne pas délimiter un champ sémantique, mais simplement de façon à déployer une nouvelle transparence à travers laquelle la réalité se dévoile toujours comme une vérité. Pour le théoricien du Zen, le problème général est l'hypostase du sens par le langage, la nécessité à l'intérieur du langage d'objectiver ce qui ne peut être qu'indiqué. La portée de cette conférence très riche fut la possibilité, non pas simplement d'une critique de la notion du sens à l'intérieur d'une même culture, mais de la juxtaposition d'une autre théorie du langage tirée d'une autre culture. Il s'est avéré, en conséquence, que le problème de la traduction exigeait l'élaboration d'une sémantique basée non seulement sur une logique bivalente mais aussi sur l'intégration des théories non occidentales du langage.

I V

Nous avons l'impression que le congrès d'Éranos a réalisé tout de même une certaine polarisation des intérêts en dépit des conférences qui étaient, ou bien purement spécialisées, ou bien purement d'information générale. Cette unité s'est faite, croyons-nous, autour du **problème de la traduction**. Mais il faut se rappeler que ce fut un résultat inattendu, car les conférenciers n'avaient été guidés, ni par une orientation précise, déterminée par un thème clairement formulé, ni par une information préliminaire sur le travail de leurs collègues. C'est ce caractère fortuit du résultat qui explique les grandes lacunes dans ces efforts dispersés pour tenter de cerner les nombreuses dimensions du problème de la traduction linguistique et culturelle et sa clarification à l'intérieur de la linguistique moderne et à travers les théories non occidentales du langage. Ici encore, il faut souligner la complexité de cette rencontre où il fallait concilier un thème aussi vaguement formulé et des orientations si diversement comprises avec une contribution qui soit à la mesure de la compétence des conférenciers. Quel que soit le fil qu'on ait bien voulu suivre dans ce congrès qui dura huit jours, qu'il s'agisse des problèmes de la traduction ou d'autres, il demeura presque impossible d'arriver à une compréhension cohérente du point de vue de la philosophie du langage, étant donné que le but et le thème de ce congrès étaient aussi imprécis. De plus, il a été impossible de poser une question ou d'engager une discussion ouverte en dehors des deux périodes spéciales où les conférenciers répondaient à des questions préalablement choisies parmi toutes celles qui avaient d'abord été proposées par écrit. Cette procédure n'aida en rien à un échange spontané !

Pour conclure, nous voudrions ajouter quelques critiques plus générales sur le colloque et son organisation. Soulignons d'abord que l'unité de ce congrès ne fut jamais évidente. Le fond du problème tient surtout au refus apparemment délibéré de la part des organisateurs d'expliciter de nouveau le but de ce colloque. Il se peut qu'une telle conduite ait ses raisons, ses arguments valables. Mais ces raisons devraient être reformulées ou répétées, nous semble-t-il, non seulement pour aider la moitié, nouvelle, des auditeurs, mais aussi pour permettre aux responsables de la tradition d'Éranos d'y porter un regard nouveau. Il ne suffit pas de renvoyer celui qui s'interroge sur le but d'Éranos aux articles rédigés tout au long des années par quelques individus ; car ces articles, que nous avons analysés brièvement plus haut, ne sont pas d'accord les uns avec les autres. Est-ce que le but d'Éranos coïncide avec tout ce qui fut dit par les quatre interprètes que nous avons cités, ou bien avec les interprétations de quelques-uns seulement, ou d'un seul ? Si nous prenons l'article de M. Portmann comme norme, étant donné que c'est lui qui, avec M. Ritsema, se trouve actuellement à la tête d'Éranos, comment peut-on expliquer les divergences entre cet article et celui de Corbin, lui aussi collaborateur actif pendant des années ; et que penser des différentes orientations de Portmann lui-même ? Car nous ne trouvons pas de cohérence entre son article, sa réflexion sur Éranos et sa contribution très sommaire à Éranos, du moins cette année.

Si le but d'Éranos doit ressortir du travail annuel de son congrès, quels sont les résultats de ce congrès cette année ? Nous avons noté, à l'occasion des exposés individuels, une motivation exceptionnelle à la spécialisation, et surtout une érudition remarquable chez les conférenciers ; mais malheureusement l'approche interdisciplinaire ne fut pas réalisée. D'autre part, la linguistique, par exemple, fut confiée à un anthropologue, l'ethnologie resta silencieuse, les langages de l'histoire de la philosophie, de la physiologie, de la sociologie furent négligés, et même le langage de la science fut traité d'une manière « historisante » et non systématique. Nous concédons qu'il est impossible d'avoir une représentation complète des humanités, des religions, des sciences et des arts. Mais il faut bien se demander quels sont les critères qui ont présidé au choix des conférenciers et quels critères établir pour en faire revenir quelques-uns. D'où vient par exemple le privilège accordé à la mystique iranienne ou bien à l'égyptologie ? Pour un thème aussi vaste que « l'Homme et le langage » le choix des quelques spécialistes invités était beaucoup trop limité. Mais nous croyons que les critères observés dans le choix des conférenciers découlent eux aussi de l'obscurité du but d'Éranos.

Une dernière remarque s'impose sur les auditeurs de ce congrès. Nous avons eu l'occasion de parler personnellement avec à peu près la moitié des auditeurs, et presque toujours nous avons noté un certain malaise, du moins une confusion plus ou moins évidente. Les auditeurs ont un statut ambigu : ils sont appelés *Teilnehmer*, participants, et on leur donne une carte de participation, on leur explique un peu l'organisation d'Éranos et on leur demande leur soutien. Mais en fait, il n'y a que les conférenciers qui soient de vrais participants ; les autres sont plutôt spectateurs. Étant donné que la plupart des auditeurs s'éaient rendus à Éranos comme à un autre congrès interdisciplinaire, ils attendaient des échanges de vues, des dialogues, des discussions, bref une certaine communication entre conférenciers et auditeurs. La réalité fut autre. Nombreux sont ceux qui n'ont compris leur vrai statut qu'après une semaine de conversations avec les conférenciers, conversations sans cesse interrompues, soit par les repas à la Casa Éranos, soit par les questions reportées à une date ultérieure et acceptées uniquement sous forme écrite. Aux demandes de renseignements, on répondait en orientant l'auditeur vers les petites brochures où se trouvent réédités les articles de Portmann, Corbin, Éliade et Progoff. Il faut regretter que les auditeurs à Éranos, à quelques exceptions près, ne soient pas des participants ; ils ne sont que des invités. Ne faudrait-il pas conclure en disant que pour constituer une unité de travail autour d'un but clair, il faut reconsidérer la valeur thérapeutique de l'argument ?

PETER MCCORMICK
Université de Heidelberg

10 octobre 1970

Achevé d'imprimer
à Montréal, le 18 avril 1972
par les Ateliers de la Librairie Beauchemin Limitée

20

Imprimé au Canada

Printed in Canada